U0077301

戴國煇全集 

史學與台灣研究卷・八

◎未結集2：中國社會史論戰

目次

contents

未結集2：中國社會史論戰

輯一　中國社會史論戰

輯二　台灣史事典

【圖表目次】

〈轉變期的台灣農業問題〉

戴國煇全集 8

史學與台灣研究卷・八

未結集2：中國社會史論戰

翻　　譯：李尚霖・林彩美・林琪禎
林書揚・孫智齡・陳仁端
蔡秀美・蔣智揚・謝明如
日文審校：吳文星・林水福・林彩美
校　　訂：陳芳明

輯一

中國社會史論戰

列傳

——中國社會性質問題論戰的旗手們

◎ **蔣智揚譯**

首先我的問題是：從正史、稗史（野史）、民國志演義之構想來接近1930年代，做為探討社會性質問題論戰的線索。

一、何謂社會性質問題論戰？一言以蔽之，可說就是1925至1927年大革命的挫折後，在革命失敗的反省下所進行，涉及「中國革命之性格」的論戰，也可說就是在產生中國社會為半殖民地、半封建社會之定論的過程中所做論戰。

歷史之主要趨向與事件（成為背景之種種事端）：

1. 1911年　辛亥革命
2. 1914年　一次大戰（資本主義在中國的發展）
3. 1917年　十月革命
4. 1919年　五四運動（科學與民主）
5. 1921年　中共創立
6. 1925年　五卅事件（列強再進入中國，準備北伐）
7. 1926～1927年　（北伐、大革命、上海政變）1927年南京政府成立
8. 1927年8月7日　陳獨秀失勢（八七會議）

9. 1928年7月　中共六全大會
（1928年4月井岡山紅軍第四軍）1929年11月陳獨秀除名，彭述之、劉仁靜、李季、李立三路線的確立。1930年11月李立三失勢。
10. 1931年9月18日　（世界恐慌，瑞金中華蘇維埃即1931年臨時中華工農民主中央政府）
11. 1932年　陳獨秀在上海被逮捕。
12. 1932年1月28日　（上海事變）十九路軍的抗戰
13. 1933年11月20日　「閩變」（福建人民政府）
14. 1934年　遠征西遷（10月放棄瑞金）
15. 1935年8月1日　宣言〈為抗日告全國同胞書〉
16. 1936年12月　西安事件→1937年7月7日

第一次紅軍討伐	1930年11月
第二次紅軍討伐	1931年4月
第三次紅軍討伐	1931年6月
第四次紅軍討伐	1932年7月
第五次紅軍討伐	1933年秋→

二、為何要提起社會性質問題論戰？

1. 與台灣、華僑研究之關聯（回歸到中國近、現代史）
2. 在確認研究者的軌跡和研究的局限（政治與學問）中汲取教訓。
3. 藉由重新檢討論戰所提起問題（在某方面為關於近代化之路的摸索），以摸索亞洲研究的方法論。

4. 有關外國人研究者與當地出身研究者的研究接觸點，和合作的可能性之教訓（滿鐵關係者與中國人研究者之事例，陶希聖集團與魏特夫〔K. A. Wittfogel〕之事例等）。

5. 其他

三、研究的前提

大狀況（世界史的潮流，中國社會、經濟的實際狀態等）之把握以外，尚可考量以下的幾個前提：

1. 旗手們略傳、所據雜誌和出版社特性、派系特性等。

2. 共產國際涉及中國革命的論戰

3. 中共內部的革命路線的論戰

4. 涉及國民黨內部路線的動向

5. 與其他諸論戰（文藝論戰）之關聯

6. 與日本資本主義論戰之關聯

7. 其他

四、本報告的課題

（一）列傳

1.《讀書雜誌》「中國社會史的論戰」特輯的主要執筆者

⑴第1輯（《讀書雜誌》第1卷4、5期合刊，1932年11月31日，5版）

中國社會史論戰序幕／王禮錫

關於中國社會之封建性的討論／朱新繁

在「戰場」上所發現的「行屍走肉」／嚴靈炵

中國經濟的分析／孫倬章

評兩本論中國經濟的著作／鏡園

中國歷史發展的道路／陳邦國

中國經濟之性質問題的研究／劉夢雲

中國農民問題之史的敘述／熊得山

現代中國經濟的剖析／朱伯康

中國社會史短論／王宜昌

封建制度論／王亞南

中國官僚政治的歿落／戴行軺

對於「詩書時代的社會變革及其思想的反映」的質疑／周紹溱

⑵第2輯（《讀書雜誌》第2卷第2、3期合刊，1932年3月30日，4版）

論戰第二輯序幕／王禮錫

中國社會史論史／王宜昌

對於中國社會史論戰的貢獻與批評／李季

中國經濟的分析及其前途之預測／劉鏡園

古代中國研究批判引論／杜畏之

中國社會史研究上之若干理論問題／田中忠夫

動力派的中國社會觀的批判／朱其華

評陶希聖的歷史方法論／張橫

秋原君也懂馬克思主義嗎？／孫倬章

略覆孫倬章君並略論中國社會之性質／胡秋原

關於「中國經濟的研究和批判」／任曙

關於中國社會史論戰的一封公開信／朱其華

⑶第3輯（第2卷第7、8期合刊，1932年8月30日，4版）

中國社會型態發展史中之謎的時代／王禮錫

中國社會形式發達過程的新估定／陶希聖

對於中國社會史論戰的貢獻與批評（一續）／李季

怎樣切實開始研究中國經濟問題的商榷／任曙

劉鏡園的中國經濟新論／鍾恭

「關於社會發展分期」並評李季／陳邦國

亞細亞生產方式與專制主義／胡秋原

關於任曙、朱新繁及其他／嚴靈炵

現代中國經濟變遷概論／周谷城

中國古代社會研究之發軔／王伯平

中國商業資本的發生之研究／熊得山

中國社會各階段的討論／梁園東

中國經濟問題之商榷／白英

中國奴隸社會史——附論／王宜昌

資本主義發展之中國農村／學稼

通信三則／季子、胡子、湯涵昌

⑷第4輯（第3卷第3、4期合刊，1933年4月1日）

馬克思的社會形式論／季雷

易經時代中國社會的結構／王平

古代的中國社會／王禮錫

中國社會＝文化發展草書（上）／胡秋原

對於中國社會史論戰的貢獻與批評（二續）／李季

漢儒的僵屍出祟／陶希聖

中國封建社會史／王宜昌

中國農民問題之史的敘述（續論戰第1輯）／熊得山

唯物辯証法與嚴靈峯／劉蘇華

經驗主義的，觀念主義的和馬克思主義的中國經濟論／余沈

「關於社會發展分期」並評李季／陳邦國

2. 關於讀書雜誌的發行母體／神州國光社

本為舊藝術品（書畫）店舖，被十九路軍陳銘樞收購，出版社會科學書籍。1931年1月創刊《讀書雜誌》。編輯負責人王禮錫（國民黨──→社會民主黨，總裁陳銘樞）與江西的反共團體AB團*有關係。

王為早稻田大學的留學生，來日後開始編輯《讀書雜誌》。執筆者有留日學生胡秋原（早大）、王亞南（京都大學）、朱雲影、汪洪發，以及梅龔彬（本名為梅電龍，一名龔彬，1924年入黨中共，1929年8月赴日，投獄，1931年7月出獄，脫離幹部派，加入取消派？）。

神州國光社除《讀書雜誌》以外尚出版：

⑴文化評論（胡秋原、梅電龍編輯）

立場為反對中共幹部派，另一面也反對國民黨，站在社會民主主義的立場。

＊ AB團是江西國民黨中反共者於1926年12月成立的團體，AB即Anti-Bolsheviki（反布爾什維克）的縮寫。

該誌於一二八事變（1932年上海事變）停刊，發行社會民主黨機關誌《文化雜誌》，編輯同為胡和梅。又胡和梅亦編輯《國際政治經濟年報》。

⑵《動力》（托洛斯基派的刊行物），出版後不久即遭停刊處分。主要論客為嚴靈峯（字明傑），1906年生，福建連江人。莫斯科東方大學畢業，上海藝術大學教授，軍統局處長（軍事委員會調查統計局），福建省政府顧問，福州市長，現〔1971年〕台灣國民大會代表。

3.《讀書雜誌》與中共的關係

執筆陣容與上海事變之對應（印刷工人之罷工可視為對《讀書雜誌》之態度表明），事實上有許多論文為共產國際關於中國問題之論點批判。

4.列傳

⑴胡秋原（字石明），1909年生，湖北黃陂人。武昌大學理工系，早稻田大學政經學部畢業，考察蘇聯、美國，福建民國日報社長，國防最高委員會祕書廳機要室祕書，《中央日報》主筆，現台灣立法委員，《中華雜誌》發行人。

⑵鏡園（劉仁靜），1899年生，湖北人。五四運動，北京大學生。1921年中共入黨（參加第一次代表大會，北京代表），1922年與陳獨秀一起參加莫斯科共產國際大會（第四屆）；1923至1927年（住在莫斯科？支持托洛斯基）；1929年赴土耳其，見托洛斯基。於上海組織十月社（托洛斯基派）；1931年集結於托陳派；1937年被托派除名；1937～1949年在國民黨內部工作。抗日戰爭中在三民主義青年團宣傳處等。戰後，在上海編輯《民主

與統一》；1948年在國民黨中央黨部與國防部從事反共宣傳工作；1950年現在改名劉亦宇，在北京師範大學任教師；1950年12月21日在人民日報發表聲明。

⑶李季：湖南平江人，1892年生，北大畢業，留學德國大學。1929年與陳獨秀，彭述之等一起被除名，同年參加托陳派；1934年脫離托陳派，在上海從事譯述著作，著有中國最初之《馬克思傳》。

⑷杜畏之，河南人，留學莫斯科，1931年代屬托洛斯基派，後脫離，研究軍事（1940年代）。

⑸孫倬章，四川人，1932年在普陀溺死（留學法國）。

⑹李麥麥（李建芳，劉胤），歷史哲學者，1940年代初在重慶北碚復旦大學去世。

五、補充：

1. 陳銘樞，第一次紅軍討伐，1930年在江西對段錫朋所組織AB團（Anti-Bolsheviki）的活動抱持關心，社會民主主義→文化運動→收購神州國光社，1931年9月18日以後，亦以資金援助陳獨秀的活動〈王健民II，p.121〉，以讀書雜誌社為中心組織社會民主黨，陳為總理（亦滲透十九路軍）。

主要成員：王禮錫、胡秋原、梅龔彬、嚴靈峯、李季。

2. 社會民主黨的主要主張（依據波多野乾一）：

走在國共二黨的中間、亦反對共產黨之暴動政策與國民黨對共產黨之彈壓、沒收土地分配給貧農、認為中國社會是資本主義、反對帝國主義和改善勞動者的待遇、反對階級專制，主張集會、結社、言論、出版、罷工之自由等。

3. 王禮錫：江西南昌人，1901年生，南昌心遠大學，早大出身，國民黨中央農民部之祕書→AB團→汪精衛之改組派，編輯出版《青年呼聲》、《新時代》雜誌，1931年，神州國光社主編。

1971年6月16日戴國煇報告

本文係爲未刊稿

轉變期的台灣農業問題

◎ 蔡秀美譯

一、國府當局亦承認的農業危機

1970年4月1日《中央日報》頭版大幅報導，國民黨十全大會二中全會（1970年3月29日～4月2日）議決通過〈現階段農村經濟建設綱領〉。

該綱領彙集台灣農業當前所面對的各種問題，係了解國民黨現階段如何掌握台灣農業問題的好資料。在日本並未介紹該綱領的全文[1]，但因其係有助於解明本文主題「台灣的農業問題」的基本資料之一，故首先譯載其全文如下[*1]：

本黨基於實施土地改革成果，爲適應現階段國家經濟發展之需要，謀求增進土地利用，提高農民所得，保障農民利益，改善

---

1 據我所知，該綱領在日本的譯介僅刊載在《今日之中國》第8卷第6號（1970年6月），頁7～9。然而，由於該翻譯任意的省略，且欠適切的意譯，因此，筆者提供全譯文（順便一提，《今日之中國》雜誌之發行者為中國國民黨中央黨部）。

＊1 收錄於《全集》中時，係據《中央日報》錄入。

農民生活，以促進農業現代化，特制定本綱領。

（一）目標

一、改善農業生產結構，擴大農場經營規模，推廣機械作業，提高生產技術，以加速農業現代化。

二、降低農業生產成本、減輕農民負擔，合理調節農產價格，健全農民組織，革新農產運銷制度，並改善農業金融，以增加農業經營收益。

三、加強農村社區建設，增進農民福利，以促進鄉村都市化理想之實現。

（二）基本措施

一、改善農業生產結構：

（甲）爲促進農業多角化發展，改變以栽培稻穀爲主的生產觀念，擴大高價值產品之生產，推展果類、蔬菜及其他特用作物之新產品的項目。

（乙）推行農畜綜合經營，及畜產專業經營，發展飼料及肉乳製品事業，並配合農機替代耕牛趨勢，加速肉乳牛生產。

（丙）拓展農產品外銷市場，改進農產加工技術，提高產品品質，建立產銷秩序，改善銷售方式，以增加農產品之外銷。

二、擴大農場經營規模：

（甲）規定單位農場最小面積，並禁止其農場面積再分割，對於由法定繼承人之一繼承並繼續經營及移轉由一人承購繼續經營者，予以適當之獎勵。

（乙）加速辦理農地重劃，設法力求改進，使現有農田之坵形，及其灌溉、排水與農路系統，配合現代化農業經營區之建立，迅速全面改觀。

（丙）推行共同栽培及共同經營，輔導家庭農場聯合建立現代化農業經營區，促進企業化經營。

三、推行農業機械作業：

（甲）推廣各類農牧業機具，減低農機售價，提高機件性能，加強保養服務。

（乙）增設農機試驗推廣及服務機構，獎勵農民運用合作方式購買農機，並鼓勵民間多方利用農機及代耕代營業務。

四、提高生產技術：

（甲）為配合節省勞力與推行農業機構化，從速研究培育新的品種，改革耕作與飼育方法，以提高生產效率。

（乙）健全農業專科及職業教育，以及農業改良與示範推廣系統，俾農業科學技術發展，能迅速付諸實施。

（丙）加強長期農業研究，積極培植人才，充實研究經費與設備。基本研究與實際問題研究，應予兼顧並施。

五、降低肥料施用成本：

（甲）降低肥料生產配售價格及換穀比率，簡化肥料換穀程序與手續，並研討改進肥料配售辦法，以求便利農民。

（乙）稻穀以外其他作物所需之現金配售肥料，力求充分供應。

六、減輕農民負擔：

（甲）田賦征收標準及其他農業稅捐負擔，應依據農業所得與非農業所得，及農民稅負與其他從業者稅負之比較，通盤研究改善。

（乙）隨賦征購餘糧價格，力求參照產地價格，合理訂定。

（丙）檢討農業用資材價格，並協助農民設法予以降低，必要時由政府籌撥專款補助。

七、合理調節農產價格：

（甲）革新農產運銷制度，提高運銷效率，加強有關市場運銷之管理制度，俾農產品能藉健全運銷系統，供應市場需要，以調節合理價格水準。

（乙）設置重要外銷農產品價格平準基金，用以調節農民所得價格，保證農民收益。

（丙）大宗農產品進口，應適度調節數量及保持適當價格水準，並就國內生產成本及進口成本之差別，得機動征收差異金，設置基金，以促進國內農產生產。

八、改善農業金融及投資：

（甲）成立農業金融決策統籌機構，以便統籌策劃農業資金之供應，協調與輔助現有各農業金融機構之分工合作，俾在整體農業金融體制下，提高資金運用效率。

（乙）改進及簡化金融機構有關農貸手續，並視生產實際需要，調整利率，延長貸款期限。

（丙）政府應籌撥長期低利資金，或向國際機構洽商貸款，設置各種農業基金，辦理專業性之專案貸款計畫。

（丁）政府應擴大農業公共基本投資，訂定優先及撥助標準，俾利水利興建、山坡地開發、鄉村交通運輸及倉儲之發展，以擴大農業生產潛力。

（戊）激勵農民節約儲蓄，以增加農場短期投資。

九、健全農工組織：

（甲）各類農民組織，如農會、農田水利會、漁會及農村專業性合作社等，應嚴加整頓，根除浪費，加強輔導監督，實施權能劃分制度，提高管理效率，以達成營運企業化。

（乙）提高農民團體工作人員之素質，鼓勵擴大業務範圍，建立自治體制，俾能發揮服務農民之功能。

（丙）政府對於各類農民團體之輔導監督，應劃分權責，分工合作，簡化法令，嚴行獎懲。

十、增進農民福利：

（甲）加強推行農村社區發展計畫，改善農村道路與環境衛生，擴大推行家庭計畫，協助農民衣、食、住、行、育、樂之改善。

（乙）協助農民組設土地利用，農機具利用，特產品加工運銷及社區消費合作等專業性合作組織，以增進農民經濟利益及生活福利。

（丙）增設農村托兒所，便利農家婦女參加農業生產及農村副業。

（三）實施程序

一、本綱領所定各項措施，政府應審度經濟發展情勢及農業狀況，確定實施步驟，擬訂具體方案，分別執行，其需修改或制訂有關法令者，亦應盡速進行。

二、對於本綱領有關提高農民所得，減輕農民負擔及健全農民組織等措施，應予優先規劃實施。[2]

國民黨的高官將上述綱領的通過，視為是為了台灣的農業發

2 〈現階段農村經濟建設綱領〉原文登載於1970年4月1日《中央日報》。

展而做的重大政策決定，並樂觀地認為其實施將可望在不遠的將來使台灣農村經濟全面改觀。又，台灣內部一些有識之士亦指出，該綱領雖好，但將如何具體實施或能否實施，仍是問題。

上述姑且不論，我們學術的興致毋寧聚焦於為何該綱領不得不於此時提出，國府體制、台灣經濟，以至其中的台灣農業等所具有的背景為何。

背景的闡明留待後敘，在這裡首先以該綱領的內文，以及該綱領的審查組召集人（相當於審查委員長）經濟部長孫運璿在綱領通過後的記者招待會上之發言為中心，從整理國府當局對台灣農業之看法開始。

一見到該綱領，首先發現的是，如同一般大學教科書也有的那樣，羅列非常基本的一般邏輯。然而，我們再次深入閱讀，雖然是部分但存在著台灣農業之具體的、相當重要的問題點，在字裡行間呈現，再度令人感到驚訝。

我們所驚訝的是，開頭的基本措施之一的「（甲）為促進農業多角化發展，改變以栽培稻穀為主的生產觀念，擴大高價值之產品，推展果類、蔬菜及其他特用作物之新產品」的這一項。

孫部長對本項的說明，表示「本省（指台灣）的農民一向只知道種植稻穀，今後要改變他們的觀念」（《中央日報》1970年4月1日刊載之孫部長在新聞記者招待會的發言，以下略稱為孫氏發言）。然而，史實則告訴我們，孫氏的認識是錯誤的[3]。眾所

3 請參見拙稿〈清末台湾の一考察〉，《日本法とアジア——仁井田陞博士追悼論文集第三巻——》（東京：勁草書房，1970年5月30日）一文，以及筆者與杉岡碩夫先生的對談〈台湾経済と日本の資本進出〉（收入《経済評論》，昭和44年8月）。

周知，台灣的農民自清末以來已經常習慣敏銳地因應商品經濟。過去的米糖相剋即是典型的表現，近年急速延伸至水田地帶的蘆筍、洋菇、洋蔥，高雄一帶水田的香蕉，台中一帶水田的椪柑，屏東一帶的番石榴（一名芭樂）等之栽培，均是好的事例。

我們並非對孫氏錯誤的看法那麼關心。想注意的是，國府當局自台灣回歸祖國以來，透過實施肥料換穀、田賦及田賦附加稅的現物課徵、棉布及其他生活必需品與米的以物易物制、糧食生產資金貸款（例如抽水機、小型水利設施、耕耘機及其他農機具之購買資金）的現物償還制、農地改革地價的現物繳納等，以掌握糧食[4]；進而根據《違反糧食管理治罪條例》、《糧商登記規則》，以嚴格管理和規定糧食販賣業者及糧食庫存量（限制一般平民三個月以上、公私機關團體二個月以上的自用糧食之庫存量）[5]；關於糧食的流通，則禁止和限制個人利用水路輸送和輸出糧食及其加工品；關於陸路，糧區（全台區分為台北、新竹、台中、台南、高雄、東台【含台東和花蓮兩縣】、澎湖等七大糧區）內的移動雖自由，但糧區外的移動在30公斤以上時，都需獲得糧食當局的許可始准移動等，由上可看出被視為嚴格的糧食管制措施的糧食行政轉換的徵兆。

稻作中心的生產觀念並非從農民內部形成，即使說是完全受到來自於國府體制直接、間接的強烈要求和限制而形成，也不為過。

4 參見台灣省糧食局編印，《中華民國台灣省十六年來之糧政》（台北，1962年10月），頁119～122。

5 參見同上書，頁167～168。

迄至最近，在日本、歐美市場的開放下，為了急切地在水田推廣上述特用作物（甘蔗除外）之栽培而表現驚慌失措的，不是農民，而正是國府當局，足以證明此事的，應該有很多吧。

筆者認為應該理解成：直到近年台灣對日本出口年平均10萬噸左右的稻米，但因日本生產過剩而導致不可行，台灣稻米的自給自足達到90%以上；並且，因急於推動成長經濟而要維持上述實物經濟一事，對國府當局也未必合理。以上述情況為背景，國府的耕種部門之政策轉變好不容易開始出現了（根據台灣的新聞報導，據說台灣也出現陳米庫存過剩的問題）。

我們應注意的第二點，同樣是在基本措施之二的（甲），規定單位農場最小面積，並禁止其農場面積再分割，對於由法定繼承人之一繼承並繼續經營及移轉由一人承購繼續經營者，予以適當之獎勵。

國府當局自1950年以來，每有機會即宣揚台灣農地改革的成功，強調農地改革直接關係到台灣農業生產力（實際上僅有土地生產性）的增大。

原來台灣的農地改革，僅是以政治、社會緊急時的安定做為主要目的的從上而下的農地改革。因而留下土地問題的根，在一定程度的範圍內達成自耕農的育成；雖然在政策推動主體的意識之中，曾有以「農地重劃」（伴隨交換分合之耕地整理事業）實施改善經營為目的、前提條件整備的意圖，但做為農地改革的連續的經營改革，實際上卻欠缺推動經營改革和農業改革的內發性論理和條件。

1952年以來，由於農家戶數、農家人口、農家從業者人口的絕對數均持續增加，而不得不由訂定法制，以控制每一戶平均耕地面積縮小以及農民階層下降和瓦解的趨勢，並謀求緩和之策，其結果乃有上述綱領的表現。

甚至如同在前述的記者招待會上新聞記者所提出的，規定單位農場最小面積和限制其面積的再分割，似乎將牴觸「耕者有其田」政策的基本精神。此事讓國府當局承認台灣農地改革政策之局限，因而也成為下述第二次農地改革論提出的背景。農場面積的擴大與來自法制方面的獎勵，也進而讓農地轉移在某種程度內的自由化獲得承認，自不待言。

第三點我們注意的是，基本措施的「五、降低肥料施用成本」。

由於迄今為止對農民分配肥料之手續的繁雜、農民所需之肥料種類（稻作用肥料雖然如此，但是稻作以外的特用植物——甘蔗除外——之現金購買肥料則屬於特別處理，遭受冷淡待遇）有欠適當，以及在適合施肥時期未必能圓滿地供應（台灣的肥料之生產和販賣均屬於官方的獨占）等情況，農民因而產生不滿。比上述更大的不滿，乃是在肥料價格和肥料換穀方面對米價不當的低估。迄至擬定上述綱領草案的1969年秋季，肥料價格的問題確實成為國府財政和糧食行政的基本問題，加上戰時體制下的言論統制（也包括農政學者的自我規範），所以在公開的場合鮮少被討論。在此情況下，國府當局公開承認肥料價格不當的昂貴而呈現在綱領中，不能不說這是非常劃時代的事。

最引起我們關心的，同樣是在「六、減輕農民負擔」。該項目強調的概有：改善田賦和農民稅賦的課徵、合理調整田賦附加實物徵購價格及降低農業用資材價格。至於補助款之財源的確保和發給，則是國府當局承認農民負擔之肥料價格、肥料換穀上的過重負擔外，也承認租稅面和購買農業資材面亦負擔過重，以致造成農業再生產投資的障礙，因而成為壓低農家收入的基本主因，上述情況均是綱領呈現的內容，自不待言。從1970年3月31日《聯合報》的社論〈制訂新農業政策的三大問題——為國民黨二中全會討論「農經綱領」提建議〉一文，亦可見一斑。

在迄今仍經濟高度成長的亞洲中，居第二位的是台灣；台灣農業過去被視為支撐台灣經濟的中心支柱，具有強韌的農業生產力和順利的農業發展，現在則已開始變調。

「有關提高農民所得、減輕農民負擔及健全強化農民組織等措施，應予優先規劃實施。」（綱領的實施順序之項目）和國民黨以前所未有的形式——不僅不得不在綱領彙集問題，將減輕農民負擔做為最優先措施；國民黨當局不得不在承認上述「危機」狀況中，面對台灣農業。

二、國府農政的基本性格與展開

我們接著將從國府農政的基本性格，以及戰後農業問題的展開兩方面，闡明綱領被提出的背景。

眾所周知，台灣以第二次世界大戰日本的戰敗為契機回歸中國。關於回歸的政治意義，最初只是被納入已統治中國大陸大半領土的國府統治中，但1949年末以降國府在國共內戰中失敗，並將中央政府遷移到台灣之後，進而，台灣也不得已地被定位為國府最高命題「反共、反攻大陸」的基地。另一方面，在經濟上的意義，最初是從日本經濟圈中回歸被編入中國經濟圈，但因中共政權成立，而實際上被人為地切斷與中國經濟圈之關係，所以不只被改編至美、日為中心之所謂的「自由主義經濟圈」，現在也不得不接受國府的堅決要求，在物質層面被迫支持具濃厚軍事優先性格的國府體制。

這樣一思考下來，台灣的農業問題正如同瀧川先生所指出之「東南亞之低度開發國家的農業問題，不只在資本主義的獨占階段接受世界史的規定，對已開發國家也接受做為開發中國家（後進資本主義國）的規定」[6]之所謂的二重規定，並也不得不接受第三種規定。

所謂第三種規定，係指同一國內（以台灣海峽居間，自然地理上受到隔絕）的大部分地區存在著社會主義權力並藉之推動的社會主義經濟制度；對於其存在，國府一面接受同盟國美國強力的軍事、政治、經濟之援助，一面持續採取對抗的體制；此一具體的政治經濟表現可概括為：一方面以實現三民主義的民生主義做為口號，實際上則以商品經濟為基調，推動資本主義的發展，並以確立帶有濃厚的戰時經濟性質之海島經濟為目標。

1940年代末期和1950年代初期，對國府體制而言的農業課題概有：

第一，調整並緩和隨著戰禍、內戰及政治、經濟體制之改編所產生的混亂和衝突，亦即是調整並緩和隨著舊殖民統治體制之

6 滝川勉，〈東南アジア農業問題研究の現状と課題──覚書として──〉（收入該氏編，《東南アジア農業問題研究の現状》，アジア経済研究所，1970年），頁5。

瓦解而出現的農民勢力之抬頭，以及隨之而生的土地問題之顯現化（農民針對抗租、欠租、減租的要求），與上述呈相反發展的地主勢力之後退（以往做為體制上掌握農民之媒介的地主階層變弱，因而徵收稅捐的管道稍微出現堵塞）。換言之，農村秩序的改編，以及疏通稍嫌堵塞的稅收管道，成為第一課題。

第二，附加於第一課題，防範大陸已如火如荼展開之農民運動波及台灣並守衛自身體制一事，做為最高命題；強烈地要求在台灣「和平」實施迄至當時只是紙上計畫的減租、「耕者有其田」政策。

第三，做為第三課題的是，為了確保移入台灣的140萬人（軍人約60萬人，包含公務員的民間人士約80萬人），以及戰後從台灣以外地方復員回來的人們之糧食，而緊急要求將農業生產迅速恢復至戰前水準並謀求產量的提高。

出現在上述課題之前的國府農政實際推動機關，即知名的「中國農村復興聯合委員會」（JCRR）。

（一）JCRR的成立與農業投資

JCRR乃是由於1948年4月3日，時任美國總統的杜魯門簽署《1948年援華法案》（China Aid Act of 1948），根據該法案的第407節，在南京簽訂《中美經濟援助協定》及依據該協定而換文的「設置中國農村復興中美聯合委員會備忘錄」（同年8月5日）；根據上述協定，1948年10月1日在南京成立的機構。

《1948年援華法案》第407節規定：「關於以美國人二人和

中國人三人組成的中國農村復興聯合委員會之設立，賦予國務卿與國府（原文為China）簽訂協定的權力。由於此一計畫在性質上顯然以教育性質為中心，故所需要的大部分資金宜以中國貨幣供應之。因此，本節規定此一為復興農村的資金不超過對華經濟援助資金的10%，『上述金額得為美元，或為因對華援助而供給國府商品之銷售所得的中國貨幣，或是兩者得兼之』」[7]。由上可知，JCRR計畫最初是以教育性質為中心做為考量，其資金來源也預定以所謂的援助物資在當地販賣所得之美援物資相對基金做為大宗。事實上，當時實施計畫的對象地區是局部的，所以台灣當然並未被納入該對象地區。此一指導理念的主要源流，若說是來自1946年以美國總統的特別任命而被派遣之「農業特別視察團」（中國稱為「中美農業技術合作團」，係結合美國的農業技術者與中國的農業技術者而組成團隊）的報告與晏陽初長年致力於平民教育運動之經驗的大部分成果。與其說是從社會科學探討農業問題，毋寧說將農民教育、農業相關的實驗研究、農業技術、新品種的引進和推廣置於該計畫的中心，也極為理所當然[8]。而關於農地改革的考量完全只是次要的，迄今仍令人興致勃勃。

隨著國府從大陸撤退，經濟援助一度中斷[9]，因計畫對象地區赤化，所以舞台遂轉移至台灣。

由於美援（美國的經濟援助）以韓戰為契機而再次展開，

7 *The China White Paper August 1949*, Volume I, Standford University Press, 1967, p.390。

8 參見同上書，Volume Ⅱ, p. 1034。

9 參見同上書，p.1005。

JCRR的活動也在台灣正式開始。

因為實施的舞台已轉移至台灣，JCRR的方針和指導理念遂經過部分修正，而成為如後所提。

雖然台灣一般教育的普及具有殖民地教育的局限，但做為近代農業技術的接納客體也同樣有效，因此晏陽初的平民教育理論變得不需要，此為第一點。

和幾乎是不得不從無到有建立的大陸農村不同，台灣無可奈何地存在著日本帝國主義以日本戰敗為契機而留下的「殖民地遺產」。對於採取從上而下之近代化路線的國府體制來說，當然並不考慮採取與「殖民地遺產」對決和斷絕的手段，其推動計畫的基本想法毋寧是透過「殖民地遺產」的恢復、直線的累積及重組，以重建並掌握台灣經濟和台灣農業。

因此，關於JCRR的資金投入，大部分被分配在：接受來自美國的技術顧問、農業研究者、派遣當地的技術推廣員前往海外見習（以美、日為中心）、發展水利相關事業（修補、增設灌溉設施，並增設水壩）、擴大投資耕種部門的生產，以及後來的振興畜產、漁業等。

從第二次美援再度開始（1949～1950年係挪用1948年援華法案的剩餘資金，真正的第二次美援係從1951年美國會計年度以降開始）迄至1965年6月底中止，美援總額為14億9,240萬美元，其中，1億130萬美元是使用在農業相關事業（包含石門水庫多功能水壩之相關投資）。

關於農業相關援助中的美元部分和新台幣部分，以及上述主要的使用項目，如表1和表2所示。

15個會計年度（1951～1965會計年度）之間提供約15億美元的經濟援助中，實際上被運用到農業部門的，僅是少額的1,063萬美元。帳簿上的農業相關援助總額1億130萬美元中，大部分均是相對基金之當地貨幣資金，也就是新台幣（元）。關於美金與相對基金之當地貨幣資金分別發揮的援助效果，有待日後進行探討；將農業相關援助1億130萬美元除以15年，每年約675萬美元。進而將675萬美元除以台灣農家總戶數約90萬戶，則實際上每戶農家僅有7美元多而已。

甚至，就援助項目的大分類觀之，美元部分的三成多乃是美國顧問的聘請費用和台灣方面派遣至海外技術訓練的費用。同樣的，相對基金的同上項目之使用金額約6,000萬餘元，相當於相對基金總額的1.5％左右。

相對基金的剩餘部分則成為計畫（計畫型）援助。表3是關於計畫援助部門別使用額的統計表。從該表可知，相對基金的最重點投資為約13億元的水利相關事業；居第二位的是耕種部門（尤其是農作物生產），約4億元；第三位是包含農業經濟研究的農業貸款用資金，約3億8,000萬元；第四位是漁業（以遠洋漁業為中心），約3億1,000萬元；第五位則是畜產業（以養豬業為中心，一部分為乳牛之引進），約3億元。

相對基金的總額40億2,511萬元之中，26億138萬元是贈與部分，但其餘的14億2,373萬元則是貸款，亦即借款，值得注意。

部門別方面，占貸款比例很高的是占40.68％的水利相關事業和占23.41％的農業貸款，以及占15.66％的漁業。其他則全是贈

表1 美元部分 單位：美元

美國人顧問	2,070,000
材料購買	7,106,400
在美人員訓練費用	1,033,850
在美以外之外國的人員訓練費用	419,300
小計	10,629,550

表2 新台幣部分 單位：千元

計畫撥用資金（註）	4,025,113
派遣人員赴海外訓練在台費用	23,050
美國顧問在台費用	37,855
小計	4,086,018

資料來源：根據T. H. Shen, *The Sino-American Joint Commission on Rural Reconstruction*, Cornell University Press, 1970, p. 40製成。
註：該金額包含1950年會計年度的20,008（千元）。

與或貸款占各部門別總金額9%以下的項目[10]。

1965年7月以降（即美國的經濟援助中止以後），JCRR的資金來源重新由「中美經濟社會發展基金」（Sino-American Fund for Economic and Social Development，SAFED）提供。順便一提，SAFED在實質上乃是由於美國和國府同意延續先前的《中美經濟援助協定》以使用相對基金，而簽訂的美國與國府間備忘錄（於1965年4月9日換文），據此新設立的機構。該基金的資金來源則被指定為迄至當時在台灣所累積的相對基金（包含使用剩餘的部分）。

就我們目前可掌握的數字觀之，迄至1968年6月底（1968年會計年度末），關於JCRR使用SAFED資金的活動資金分配，如表4所示。

SAFED資金之後的JCRR，其活動的中心迄至當時並未出現顯著不同，居優先第一順位仍是不變地為水利相關事業；居第

10 T. H. Shen, *The Sino-American Joint Commission on Rural Reconstruction*, Cornell University Press, 1970, p. 43.

表3　部門別計畫援助之明細表

	新台幣部分（千元）	美元部分（千美元）
水利	1,241,378	2,552.4
農作物生產	415,581	1,024.4
經濟研究及農業貸款	376,654	11.4
漁業	307,426	30.5
畜產	293,237	348.9
對農民組織及農業普及的地方農業計畫	286,610	88.0
財政支持	242,946	1,027.0
森林及水土保持	213,310	475.9
行政	184,909	304.7
其他計畫	150,485	194.5
農村衛生	142,375	317.5
農業研究及教育	90,627	731.2
農業電氣化及電話	53,763	—
農地改革	25,812	—
合計	4,025,113	7,106.4

資料來源：同表1、2，p.41。

二順位也同樣是農作物生產。向來居第三位的農業貸款則成為SAFED之後農業貸款基金另立項目，1966至1968會計年度間的農業貸款增加至5,200萬元，農業貸款相關指導等之費用被使用178萬元（參見表4之表註中《廿年紀實》最後一頁的表）。由於特別基金在農村的使用設有其他節制生育一項（稱為「家庭計畫」之項目名），所以在這項目使用4,400萬元，相當於農業貸款的金額，由上可見，國府當局對節育煞費苦心的程度。

上述姑且不論，雖說做為SAFED以降之特徵者概有贈與部分所占比例減少、貸款漸次增加、雖因計畫而歧異，但是在此贈與

表4 以SAFED做為資金來源的部門別計畫分配表 1966～1968會計年度

	贈與	貸款	合計（千元）
水利	139,225	135,967	275,192
農作物生產	104,190	14,000	118,190
行政（表註）	90,142	—	90,142
森林及水土保持	68,782	42,750	111,532
農業研究及訓練	46,964	—	46,964
畜產	39,220	177,740	216,960
對農民的服務	38,895	49,752	88,647
水產	23,770	155,778	179,548
農村衛生	18,120	—	18,120
其他計畫	16,737	—	16,737
台灣以外之島嶼	25,778	21,259	47,037
小計	611,823	597,246	1,209,069

資料來源：同表3，p.47。

表註：根據中國農村復興聯合委員會出版之《廿年紀實》（出版年雖未載明，但因係20周年紀念刊物，故推定爲1968年10月1日）一書，本項目之中包含技術援助費46,240（千元）。

和貸款幾乎均占各半的比例。三年約投入12億元，相當於每年投入4億元；換算成美元的話，則變成1,000萬美元。將上述經費除以90萬戶農家，每戶為11美元多；雖然似乎因為貸款的金額增加而投資的涵義改變，但僅就面額觀之，相較於迄至1965會計年度的15會計年度，則每戶的金額毋寧是增加的。

甚且，關於JCRR相關的計畫投資，計畫所需資金的60％是由JCRR出資，剩餘的40％是由被援助客體籌款。因此，台灣主要部分的農業投資（除此之外，農業相關投資並以台灣省糧食局為主體）總額乃是，表2顯示之計畫資金約40億元、以及表4顯示約12億9,000萬元推知行政費及台灣以外島嶼（金門、馬祖）所使用金額的差額即約10億元，以及加上國府方面負擔額40％的金額。試算此一金額，約84億元。亦即是，從1950會計年度（也如同表2的註所示，計畫撥用投資包含1950會計年度的金額）迄至1968會計年度共約84億元，乃是JCRR對台灣農業相關部門的投資總額，年平約投資4.42億元。每戶農家的計畫投資年平均額約500元，換算成日圓的話（1元對9日圓），僅相當於約4,500日圓的少量金額。

JCRR的現任主任委員沈宗瀚表示：JCRR係一貫地以速效為目標，期望以少數的投資獲取最大的效果，並以嚴格的態度從事計畫之擬定和審查，上述說法似乎未必不能同意[11]。

（二）關於農業之條件與農政之展開

1949年迄至1950年代初期有關台灣的政治、經濟、社會情勢，對國府真是空前危機的狀況。處於可說是1949年8月美國對國府的絕交書之《中國白皮書》發表、持續敗退而一度大量湧進的140萬人、戰後復興尚欠充分且二二八事件（台灣民眾以回歸後之行政長官陳儀——相當於省主席——的失政所發生的暴動）的傷痕尚未癒合等慌亂情況的台灣，不僅是經濟，連人心也仍處於極度不安的狀態。

或許是因為國際關係，甚至是關於台灣海峽的軍事威脅所產生的不安，加上島內政治、社會、經濟的不安，從1950年1月至

11 參見沈宗瀚，《台灣農業之發展》（台灣商務印書館，1663年），頁35～36。

7月之間，被舉發的共產黨地下活動事件計300件、被逮捕的關係者計100名，如同陳誠所報告的，共產主義的活動也很激烈。陳誠以「大有『一夫夜呼，亂者四應』之勢」來形容該危機狀況[12]，令人記憶猶新。

關於農業的條件也如表5所示， 相較於1939年殖民地時代的經濟高峰期，已出現很大的轉變。

姑且不論以肥料為首的農業資材之缺乏情況，農家戶數從1939年約43萬戶大幅增加至1953年約70萬戶，農家人口也同樣從292萬人增為438萬人，實際上增加約五成。1953年是正式推動農地改革的年度，不難想像的是，儘管農家戶數的增加也包含因土地徵收而回歸農民身分的中小地主，但是農家人口的激增的確顯示過剩人口大量滯留在農村。

總耕地面積幾乎不改變的情況下，農家戶數的激增導致過去每戶平均水田1.24公頃、旱田0.76公頃，共計2.00公頃的耕地現在大幅地減少，1953年每戶平均變成水田0.76公頃、旱田0.48公頃，共計1.24公頃，實際上大幅減少近四成。其後，每戶平均耕地面積也走向漸減的趨勢，1963年1.06公頃、1968年更加狹小，目前即將低於1公頃，變成1.03公頃。值得注意的是，在減少的趨勢之中，水田面積的減少比旱田更加顯著。

而每戶耕地面積減少一半以上，連經營規模別戶數的比例也出現值得注意的變化。

如表6所示，0.5公頃以下的超小規模農家從1939年的25％增

12 參見拙稿〈台湾（中国）の農地改革と農地問題〉（《日本農業年報XV、土地問題——農政の焦点——》，御茶の水書房，1966年），頁179。

表5　農家戶數及每戶人口數、耕地面積等之變化表

		1939	1953	1963	1968
總戶數（戶）		1,007,624 100%	1,535,125 100%	2,118,281 100%	2,465,965 100%
農家戶數		428,492 42.52%	702,325 45.75%	824,560 38.93%	877,114 35.57%
總人口數（人）		5,895,864 100%	8,438,016 100%	11,883,523 100%	13,650,370 100%
農家人口		2,924,781 49.61%	4,381,816 51.93%	5,611,356 47.22%	5,998,797 43.95%
農業從業者人口（千人）		1,474	1,812	1,972	2,144
每戶農家人數（人）		6.8	6.2	6.8	6.8
每戶農家從業者人數（人）			2.58	2.39	2.44
總耕地面積（公頃）		859,550	872,738	872,208	899,926
水田（公頃）		530,100 61.7%	533,316 61.1%	528,709 60.6%	535,288 59.48%
旱田（公頃）		329,450 38.3%	339,422 38.9%	343,499 39.4%	364,637 40.52%
每戶耕地（公頃）	耕地面積	2.00	1.24	1.06	1.03
	水田	1.24	0.76	0.64	0.61
	旱田	0.76	0.48	0.42	0.42

資料來源：

（1）關於總户數和總人口數之統計，是根據1939年台灣省行政長官公署統計室編印，《台灣省51年來統計提要》；1953年是根據行政院主計處編印，《中華民國統計提要，1957年版》；1963、1968年則是根據行政院主計處編印，《中華民國58年統計提要》。

（2）關於農家户數、農家人口之統計，是根據1939年台灣總督府殖產局《台灣農業年報．昭和15年版》；1953年是根據台灣省政府農林廳《台灣農業年報1959年版》；1963、1968年是根據台灣省政府農林廳《台灣農業年報1969年版》。

（3）關於農業從業者人口之統計，1953、1963、1968年是根據C. I. E. C. D., *Taiwan Statistical Data Book*, 1969。

加至1955年已是三成多，進而於1960年增加至34％弱，1965年則為即將突破四成的38％，耕地規模朝大幅零星化的趨勢邁進。一般認為，不久將發表的1970年普查報告將顯示此一零星化傾向的進一步發展。

0.5公頃至1.0公頃層農家的動向也與0.5公頃以下的農家層具有相同增加的趨勢，尤其是1955年增加6％，比0.5公頃以下農家層的增加幅度稍微大。然而，1960年的增加趨勢顯示減緩速度，只增加1％。但1965年的增加趨勢再度激烈化，增加近2％，而占28.76％。

1.0公頃至2.0公頃農家雖於1955年階段一度出現中農肥大化的小徵兆，但到1960年開始減少，比1939年的比例還小，1965年階段則下降為23.08％。

2.0公頃以上農家也步上減少的傾向，其減少幅度以1939年至1955年最為明顯。考其原因，概有殖民地時代的大農園〔譯註：殖民本國大資本在殖民地經營的大農園〕已一部分瓦解，以及對公地放領和農地改革的因應，甚至是因均分繼承而造成分割等。

從1955年至1960年的過程中，5.0公頃以上的戶數比例雖未變動，但1965年則發生變化。由於該年度是5％的選樣普查，所以正確的分析無非是有待1970年普查的公布，但令人驚訝的是，幾乎與3.0公頃至5.0公頃層的農家戶數相同的呈現減半或減少一半以上之趨勢。

以上可知，台灣農家的階層分解漸次步上下降分解之路。

帶來此一結果的，是以國府體制下推動的商品經濟為基調、軍事色彩濃厚的資本主義發展政策，自不待言。其具體的說明將

表6　經營規模別農家戶數比例變化表

	1939年	1955年	1960年	1965年
0.5公頃以下	25.61	30.15	33.97	37.86
0.5～1.0	20.62	26.17	27.02	28.76
1.0～2.0	25.91	26.65	24.17	23.08
1.0～1.5	—	16.83	15.17	14.97
1.5～2.0	—	9.82	9.00	8.11
2.0～3.0	13.17	9.33	8.16	6.66
3.0～5.0	9.56	5.06	4.54	2.99
5.0～7.0	3.01	1.18	1.18	
7.0～10.0	1.36	0.58	0.57	0.65
10.0以上	0.76	0.34	0.39	
計	100.00	100.00	100.00	100.00

註：1939、1955年的單位是甲，因1甲＝0.9699公頃，所以照原樣沿用之。

資料來源：1939年之統計，前引書《台湾農業年報．昭和15年版》
1955年之統計，台灣省農業選樣普查委員會編印，《台灣省農業選樣普查報告．中華民國四十五年》
1960年之統計，台灣省政府農業普查委員會編印，《台灣省農業普查報告．中華民國五十年》
1965年之統計，台灣省政府農業普查委員會編印，《台灣省農業普查報告．中華民國五十五年選樣普查》

在後文敘述，我們不妨先討論：其宗旨在避免大陸的農民運動波及到台灣、緩和農村社會不安之情勢、疏通做為徵收財源基礎之田賦（地租）的管道等的農地改革。

1. 農地改革與農會之改組

台灣的農地改革比日本的農地改革溫和；如後文所述，雖然其仍然留下佃農問題的根，但在第二次世界大戰後實施的非社會主義式的農地改革中，乃是屬於少數成功例子之一。其實施過程概歷經三七五減租、公地放領、耕者有其田之三個實施階段；1953年農地解放結束，接受讓渡之農民仍需分期付款10年以償付地價，而於1963年結束。

如表7所揭示的，1968年末純佃農戶數尚有10萬戶；若包含自佃農共約28萬戶，均利用佃耕地從事農業經營。關於佃耕地占總耕地面積的比例及其實際面積，可惜未有呈現時序數字的表格可供參考，但根據JCRR編輯之*Taiwan Agricultural Statistics 1901~1965*, p.12的表3可知，1953年總耕地面積876,103公頃之中，自耕地面積660,851公頃（75.43％）、佃耕地面積142,962公頃（16.32％）、政府及公家機關耕作利用之耕地72,289公頃（8.25％）。上述可說是我們台灣仍留下土地問題的根，所以說比日本溫和的理由在此。

隨著由上而下進行的農地改革，JCRR進行局部修改的是農會的改組。農會組織雖自日本殖民統治時期已存在，但其是總督府為了透過地主制以掌握農民而設，附屬機關的性格濃厚。八一五之後不久，台灣省行政長官公署雖一度分割並改組為農會與合作社，但業務持續蕭條且紛擾頻傳。由於農地改革之故，以地主制為中心的農村社會秩序面臨解體，於是JCRR聘請美國康乃爾大學農村社會學教授安德森（W. A. Anderson），委託其從事關於

表7　自耕、自佃耕、佃農農家戶數之變化表

	農家總戶數（戶）	自耕農	%	自佃農	%	佃農	%
1949年	620,875	224,378	36.0	156,558	25.0	239,939	39.0
1952年	679,750	262,065	39.0	177,113	26.0	240,572	35.0
1968年	877,114	598,906	68.0	176,274	20.0	101,934	12.0

資料來源：台灣省政府農林廳，《台灣農業年報》1955年版和1969年版。

台灣農會之調查研究，並以其建議為基礎，於1953年開始改組。改組的新基準乃是規定只有農民才可以正式會員身分加入，且有選舉權和被選舉權的限制，在形式上致力於防止贊助會員（非農民）支配農會。現在此一努力似乎仍然持續進行，但實際上許多農會係受舊地主和富農階層的主導而運作，成為地方派系抗爭的據點和爆發貪污的地方，因而在報紙的社會版面增加不少新聞。之前介紹的綱領中，強調以農民組織的改善強化做為優先設施的項目之一，可證明之。

台灣農會確實是做為國府體制掌握台灣農民的媒介而發揮作用。例如，做為稻穀的集聚、肥料的分發、農業貸款、出口用特用作物（洋蔥、洋菇等）的集聚，進而新品種、新作物的引進等之媒介機構亦發揮作用。然而，另一方面，也成為隨著地主制瓦解之舊中小地主層，以及退伍軍人過剩就業的場所，扮演社會福利事業的角色。也許這就是在農會之中，虧損的多而難以企業化和確立獨立會計制，以及無法根絕農會貪污的真正原因。國府當局若要實現標榜為了農民的農會、農民自己的農會之口號，需要改變條件，也需要時間。

在零星耕作農民居壓倒性多數的狀況下，只由上而下的改組，即使能整頓農民的農會之型態，但也似乎農民的精神無法加入和紮根。

2. 對水利相關事業和農業生產的措施

關於居農業開發投資首位的水利相關事業，首先有既有灌溉設施的戰災復原工程、新水庫之增設，以及殖民時期幾乎未曾著手的抽取台灣南部地下水之抽水機深井灌溉等，均為其大宗。

灌溉設施之擴充、強化的結果，擴大灌溉面積，並結合多肥、密集勞力，促進了土地生產性之提升。

關於肥料，於1949至1950年期利用美援進口肥料，1951年以降則成為相抵米、砂糖之對日輸出而進口的物資之一部分，和以利用美援創業之肥料工廠生產的肥料為主。國府當局透過上述肥料專賣體制，以不等價賣給農民。

可在密集勞力農業看到的勞動力的來源，主要是不得已滯留在農村的過剩人口。

由於因戰爭而崩潰的農產品供需平衡和人口的大量社會性增加，所以農產品需求急遽升高。零星耕作農民因應上述情況，在農地改革的刺激下，增加生產欲望，其充分動員豐沛的家族勞動力，從事多肥、密集勞力農業，而將土地利用提高至接近極限，在家庭副業中以供給消費需求急速增加的豬肉為目標，大量從事養豬業。此一結果與耕作指數的提高（從1939年133.4%增至1953年172.5%、1963年184.7%，進而增至1968年188.2%，達到令人驚奇的高成長率）密切相關，殖民時期1939年，豬肉在農業總生產所占比例是繼米、甘蔗之後，位居第三，占一成多的比例；1954年很快追過甘蔗，擠進第二；1968年不僅繼續維持其地位，也擴增產量至1939年的2倍，而占總生產量的18%。

先進且勤勞的農民不僅敏銳地因應島內的需求，也展現島外出口市場展開的巧妙因應。因應以1963年日本市場之自由化為契機的香蕉，以及幾乎同時期展開的歐美市場的洋菇、稍遲於1965年左右起迅速拓展的蘆筍等，均為其例。

造成傳統的特用作物香蕉，以及新興作物洋菇、蘆筍等迅速展開的主要原因，當然不只是農民因應需求結構的動作。我們不能忽視的主要原因，毋寧是被迫不得不因應之政治和經濟的主要原因。

國府當局巧妙地動員農民已提高的生產欲望以展開生產稻米，並致力於提高糧食自給率。國府也透過「肥料換穀」、「田賦徵實」之機制，以低米價操作強制儲蓄方式，確保財政收入；同時，也因美援小麥之引進而將生產過剩的稻米出口至日本，賺取外幣；並以低米價供應軍、公務員糧食。強制儲蓄方式尚有與低米價連鎖產生的「分糖法」之操作，以及透過砂糖的有利出口施行之。

零星農民一面努力確保自家的米飯充足，一面也因為教育費負擔增加、都市地區消費生活的示範效果等之刺激，具有強烈確保現金收入的志向。圖1顯示一面加速農產品結構的變化，一面也促進農業經營的多角化。家禽類（以雞和雞蛋為中心）和園藝作物的迅速增加（1939年占農業總生產的比例是7.94%，1954年稍微下降至6.88%，1963年增至10.98%，目前1968年竟是17.17%，大增一倍以上；其中，蔬菜部門從1939年3.55%增至1968年8.31%），為其具體的表現，

前述的國府農政機制和勤勞農民對此一機制之因應，帶來1953至1968年農業部門的穩定成長。順便一提，1953至1968年農業總生產的年平均成長率是5.2%，其中，耕種部門4.5%、森林5.8%、漁業9.1%、畜產7.2%。

雖然農民堅忍不拔地支持上述的穩定成長，但為了貼補

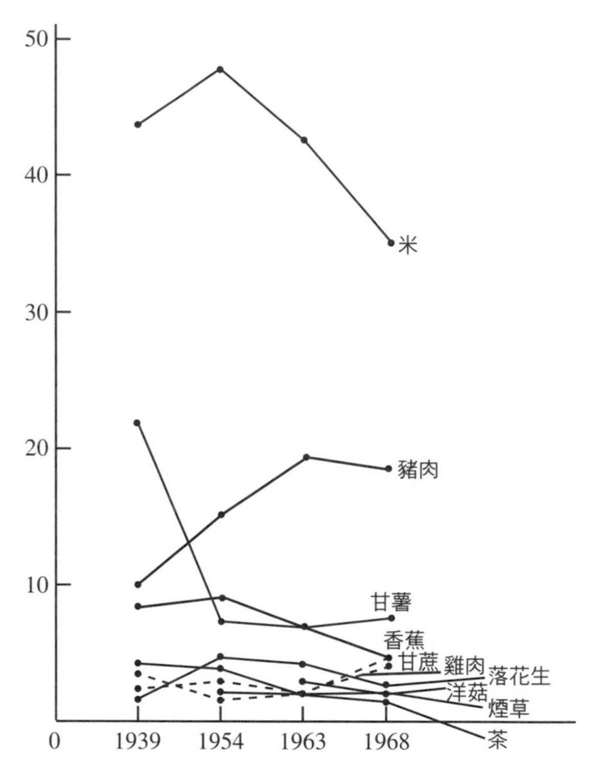

資料來源：1939年之統計，《台灣農業年報．昭和15年版》
1954年之統計，《台灣農業年報．1955年版》
1963、1968年之統計，《台灣農業年報．1964、1969年版》

家計費，也加深向兼業化傾斜。1960年專兼業比率是47.6％對52.4％；兼業之中，第一種（以農業為主要）29.9％、第二種（以農業為次要）22.5％，但1965年顯示更加傾向兼業化，其專兼業比率為31.92％對68.07％，第一種40.94％、第二種27.13％。

圖2係以圖表呈現農外收入、農家收入、農業粗收益的指數

變化圖。從此一變化中，將可明瞭究竟在底部支撐兼業化傾向之指向的經濟要因是如何強勁。

三、成長經濟下的農業問題

眾所周知，1953年國府在農業生產開始恢復到戰前農業水準、因農地改革農村社會秩序相對安定的時點上，已高舉所謂「以農業培養工業，以工業發展農業」之口號，展開四年經濟建設計畫。

經濟計畫最大的目標已在之前提及，乃是推進以商品經濟為基調的資本主義發展，透過反共、反攻基地台灣的要塞化及工業化之促進，確立海島經濟。

計畫實施的主要資金來源，係依賴美援和外資的引進，加上以強制儲蓄方式和田賦為中心而向農民徵收的資金。

計畫實施在工業部門的成果，顯示在年平均成長率（1953～1968年）13.9％，尤其是製造部門14.8％的高成長率。東京灣事件（1964年）以降，工業部門18.5％，特別是製造部門高達19.7％，達到令人驚奇的高成長。

然而，支持此一高度成長的經濟需求，乃是有賴於越戰相關特需，以及隨著周邊國家，尤其是日、美等國經濟繁榮而擴大對低級工業產品的需求之處不小。工業化所需資金也有賴於一部分的美援和外債、台灣海峽的相對安定化，以及隨著日本的勞動力市場之結構變化而大量流進的資金。附帶一提，國府引進的外資總額於1952至1969年間計18年間，為4億2,200萬美元，

圖2 1952至1967年農外收入、農家收入及農業粗收益變化圖

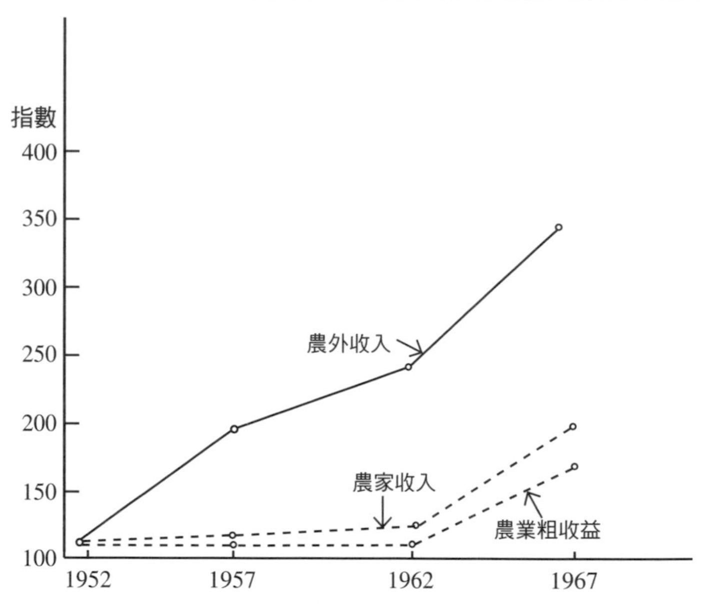

資料來源：根據JCRR, *Taiwan Farm Income Survey of 1967 with a Brief Comparision with 1952, 1957, and 1962* p.28,38製成

其85％的外資計3億6,600萬美元，係於1963年以降引進。此一期間的產業結構也是急遽工業化的結果，第一級產業從35.7％變成20.8％，第二級產業從17.9％變成32.0％，第三級產業從46.1％變成47.2％，台灣工業遂達到急速的高度化。急遽的工業化和上述外資的大湧進對台灣內部，尤其農村經濟的衝擊絕對不小。

向來從島內堅忍並強力支撐成長經濟的農業部門，雖在土地生產性的擴展及隨著多角化、兼業化帶來總收入面的補填，因而勉強維持小康狀態，但現在全面轉變農村經濟的情勢，已蜂擁而來。

農工之間的失衡和小農經營明顯暴露出來的矛盾，乃是因為1963年農地改革地價支付完了，只能說是偶然發生的1963至1964年國際糖價暴漲所產生之利潤對農民部分還原，以及1964年和1965年持續出口特用作物（以香蕉、洋菇、蘆筍為中心）好景況等，所以與上述情況相關的農家經濟似乎在某種程度上受惠而延後。

然而，由於經濟計畫主要資金來源的美援於1965年6月底中止，於是此一為了填補島內資金的強力動員，遂以增加徵收物品稅（大眾間接稅）和農民的租稅稅捐增徵之方式，轉嫁給農民。

物品稅姑且不論，關於農民以田賦為中心的租稅負擔，現在先試著加以考察。

國府徵收來自農民的財政資金概有田賦和田賦附加稅、隨賦徵購餘糧、對出口特用作物課徵出口臨時特別稅、為九年義務教育而徵收的「義務教育經費負擔金」及其他臨時特別稅或捐款等，若根據另一種說法，也還有農業所得稅之稅目，上述稅目均是合併課徵的。

未採取收稅的方式者，還有透過糧食局（相當於日本的食糧廳）施行的肥料換穀和以壟斷分配高價肥料，以及台灣製糖公司的分糖法等強制儲蓄的方式。進而在農地改革中被擠出的中小地主階層的人以及一部分退役軍人，以農民組織（農會、青果合作社、水利會等）做為其就業場所，對於上述農民組織的人事費負擔，只要是就業過剩，則此一作法是將政府應負擔的社會福祉費轉嫁給農民。此一典型的例子似乎是水租的過重負擔。

透過在後發資本主義體制可見到的進口替代工業，尤其是農業材料生產部門的產品（台灣是肥料【已出】、農業機具、農藥）的不等價交換，形成高價格負擔，農民的負擔也因此而被加重。

也許是因為根據向來戰時體制所施行的言論限制，所以關於農民負擔的議論幾乎未被公開舉行。

上述暫且不論，根據JCRR農業經濟組長王友釗的論文[13]，田賦年平均7億元、因隨賦徵購餘糧而獲得之利潤差額於1965年全年約7,200萬元，因肥料換穀而獲得之利潤差額也同樣是約11億7,000萬元。僅小計上述數值，一年間（僅1965年）也成為19億4,200萬元的高額負擔。

接著，來看看台灣田賦課徵的沿革。

如表8所示，單是看課稅標準元的徵收稻穀重量，回歸祖國（1945年）以後已漸次踏上加重之途。即使不問臨時附加稅的課徵，1968年一賦元的徵收稻穀重量是（一賦元係指田賦課徵的基本單位元，對此一單位元訂定被課徵的稻穀重量，兩者相乘的稻穀重量稱為田賦的課徵額）平均22.65公斤，實際上比1946年增稅約2.5倍。尤其是自耕農所有土地因農地改革而大幅增加，所以一賦元應以26.35公斤計算之，這樣一來，增稅率將變成近3倍的高稅率。關於1946年的標準元的稻穀徵收量，是以日據時期的地租及其附加稅以當時稻穀1公斤的平均市價重新換算的重量為根據，因此，不得不說一開始就已經過重。加上，就1946年至1968

13 王友釗著，〈台灣之農業發展〉（收入張果為主編，《台灣經濟發展》上冊），頁243，此外，此一數字出處雖是許文富先生推算而成，但因尚未取得原始資料，所以原文引用之。

表8　台灣田賦課稅標準元的徵收稻穀重量之變化表

	每1賦元徵收稻穀重量（kg）	臨時附加稅和捐款				小計
		縣級公學糧	防衛稅	八七水災復興建設捐款	義務教育經費負擔金	
1946年	8.85	(+30%)				8.85
1947年	8.85	2.655	(+30%)	—	—	11.505
1950年1月	8.85	2.655	2.655	—	—	14.16
1954年12月	14.16	（因合併至正稅而取消）				14.16
1959年12月	14.16	—	—	(+40%) 5.664	—	19.824
①自耕農地1962年	19.37	—	—	取消	—	19.37
②農地改革保留地（佃耕地）	14.16	—	—	取消	—	14.16
①自耕農地1967年※	26.35	—	—	—	—	26.35
②農地改革保留地（佃耕地）	17.65	—	—	—	—	17.65
①自耕農地1968年	26.35	—	—	—	0.65	27.00
②農地改革保留地（佃耕地）	17.65	—	—	—	0.65	18.30

資料來源：

（1）梁義文著，《台灣田賦制度研究》，頁35～36。

（2）參照《聯合報》1970年5月24日刊載〈政府積極減輕農民負擔決定降低田賦徵收標準〉等製成。

※廢除戶稅，併入田賦徵收之。

年間土地生產性最提高的水稻而言，即便比日據時期的土地生產性增加87.24%，其過重仍不容否認。由於實物課稅並未受物價變動的影響，對以實物繳納佃租的佃農頗為不利，相同的也不利於農民。

《聯合報》的報導之中（與表8資料來源相同），若以

1961年為100，1968年田賦徵收實額9億7,120元，實際上相當於267.5%。因同一時期的農業純生產額也同樣比1961年增長173.3%，所以最近八年間的農業純生產額增長了73.3%，而田賦徵收則增長167.5%，亦即是呈現2倍以上的增長，真令人驚訝。

相同的，《聯合報》引用台灣省政府的資料，也報導10等則*2水田1公頃的田賦課徵從1961年912元變成1968年1,914元，亦即是上漲2倍以上。

表9亦顯示，1968年的田賦總徵收額比1967年大幅增加約3.3億元。一年之間增徵近30%，這似乎不是只有義務教育經費臨時課徵就足以說明的金額（詳細內容不明）。讓農民的負擔更加沉重的是，1961至1968年間農業用生產材料價格上升率達到20%。由於農業用生產材料是以進口替代工業的產品為中心，比原來的國際價格高，20%的上漲遂更加重農民的剪刀狀價格差*3負擔，自不待言。

進一步說，不利於農民的是，上述許多農業材料均是透過農會採取分期付款銷售的方式，其償還以實物付稻穀的利息之故，加上低米價的不利，似乎可說蒙受雙重相對價格的不利。課稅欠合理性也如同《聯合報》（1970年7月22日）報導的，不以農業生產面的負擔能力做為估算基礎，而以農地和農家資產做為估算基礎，並且也發生稅務官只想領獎勵金及完成任務定額的恣意性（《聯合報》1970年5月23日），以及貪污等弊病。

---

*2 「等則」：水田的等級。例如10等則為最高，日據時代即使用。

*3 剪刀狀價格差：工業與農業生產品之間呈現的顯著價格差，指數圖表呈剪刀撐開狀而得名。

表9 1961至1968年田賦徵收額與農業純生產額之演變表

	田賦		農業純生產額	
	金額（百萬元）	指數	金額（百萬元）	指數
1961	363.0	100.0	17,872	100.0
1962	436.9	120.4	17,891	100.1
1963	577.8	159.2	18,844	105.4
1964	560.2	154.3	23,510	131.6
1965	619.3	170.6	24,797	138.6
1966	660.9	182.1	26,340	147.4
1967	645.0	177.1	28,336	158.6
1968	971.0	267.5	30,972	173.3

資料來源：《聯合報》（1970年5月24日）

表10係試著比較台灣農家各項租稅稅捐負擔（以516戶為樣本調查的平均值）與日本農家各項的租稅稅捐負擔。若將元換算成日圓（1：9），台灣的平均農家所得是394,974日圓，各項租稅稅捐負擔是20,898日圓。農家所得的絕對額也不及日本的一半，負擔率反而是高比率。雖說乍見負擔率並沒有什麼不同，但一想到日本的補助金農政、互助制度的普及、農業相關公共投資的政府負擔、教育費用的公家負擔比例大、農業生產材料價格相對低價、農業貸款金額利息的補貼等，則台灣農家的上述負擔率絕不低於上述數字所呈現的。

上述是湊巧在1967年度的樣本調查中，有經常出現的各項臨時負擔之課徵，之前提及，1968年田賦的課徵比1967年增徵3成，健康保險制度的欠缺，甚至是不得已使用品質低劣的農業生產材料等，上述情況帶來的負擔也似乎是不容忽視的。

甚至，關於農家人口，台灣在該調查中平均每戶8.0人，日本

表10　1967年台灣與日本都府縣平均經營耕地規模別之各項農家租稅稅捐負擔之比較

	台灣			日本		
	(A)農家所得 （元）	(B)各項租稅稅捐負擔 （元）	(C) (B)/(A)×100（%）	(A)農家所得 （千日圓）	(B)各項租稅稅捐負擔 （千日圓）	(C) (B)/(A)×100（%）
0.5甲以下（但日本是0.3～0.5ha）	29,624	1,084	9.59	929.7	83.0	8.93
0.5~1.0 （0.5～1.0）	32,379	1,821	8.82	959.5	75.9	7.91
1.0～1.5 （1.0～1.5）	48,273	2,643	8.63	1,059.6	78.4	7.40
1.5～2.0 （1.0～2.0）	54,711	3,377	8.28	1,207.6	89.3	7.39
2.0～3.0 （2.0以上）	67,109	4,462	8.68	1,480.6	114.4	7.73
3.0以上	112,496	5,201	5.16	—	—	—
平均	43,886	2,322	8.12	1,019.8	82.2	8.06

資料來源：台灣：據李慶余，〈台灣農家的稅負擔與農家經濟〉（《今日之中國》第9卷1號，1970年1月）頁46第14表製成。
日本：據農林省統計調查部編《ポケット產農林水產統計・1969》頁28分別製成。

的該項調查則是每戶平均5.14人。由上所造成的負擔量也存在著明顯的差距。

關於1967年國府稅收的間接稅收入比率占76.7%之事實，乃是因為台灣農家人口仍占42.9%的高比率，所以轉嫁給農民的部分是不能與日本做比較之高比率，此一部分並未包含在上述調查結果。

關於直接稅的農業部門負擔率，《聯合報》載云（1970年7月22日）：1967年是39.2%（產業別國民純生產之中，農業僅占24.4%，值得注意），相較於非農民每人的直接稅負擔率是3.48%，農民則是6.95%，負擔近一倍。已在國民所得的再分配中出現落差的農民，在租稅負擔面也極為不利，因此，成長經濟下的不良影響似乎可說更加重農民的負擔。

從上述的探討可知，關於戰後台灣農業的展開，雖然勤勞的農民動員滯留的大量家族勞動力，在「零星農」的條件下，被迫無可奈何地壓榨自己，但亦因應國府當局強力的強制儲蓄農政措施、高度利用土地、以多角化經營、多肥、密集勞力農法獲取農業粗收益，並尋求兼業收入的擴大，辛辛苦苦工作之結果的總反映。然而，此一情況也只是在農業外的僱用機會欠缺充分條件下成立的。

比較最近工業化的急速發展開始吸收農村的年輕勞動力，一般工資的提高反映到農村，提高農業勞動者工資。因應畜產急速展開而大量進口飼料穀物所造成之打擊、對特用作物之課稅強化和出口已到達頂點、農業生產材料之高漲、一成不變的低米價及與此相關之農產品價格相對更加不利，而使得農業經營的利潤降低至接近極限、再生產投資的欲望相繼減退、部分耕作被放棄（1967年以降開始顯示耕作指數漸次遞減）等。

對水租負擔過重之滯納及有關耕地整理事業費負擔過重的不滿頻傳，甚至連農地價格暴跌亦引起報紙關注，農村經濟疲弊的現實均使強硬的國府當局體認到其嚴重性。尤其是1969年農林漁業的成長率負成長1.0%，其中，耕種的低落為甚，正因為負成長3.8%的紀錄對國府當局而言，是戰後台灣史上的第一次，所以其衝擊很大。

農民對低米價、肥料不當昂貴（約國際價格的二倍）的不滿也以前所未有的形式，開始強烈地向各民意機關反映。

關於上述情況，國府的有力之士行政院副院長蔣經國主持之「行政院財經會報」（內閣財政、經濟、金融聯絡會議），乃以破格的速度決定大幅降低肥料分發價格，並進而決議公布前面已介紹的向來未曾有過的「現階段農村經濟建設綱領」。

在提出綱領之前不久，連第二次農地改革論亦突然被提出，如何渡過農業危機之議論，讓台灣輿論界出現前所未有的活力。第二次農地改革論大致可分成兩種。第一種論點是放領尚未解放的公有農地及解放一般私有佃耕地。關於前者，其多數是國府的重要官方企業台灣糖業公司所有地，所以實現性很低。關於後者，即使可能轉用為市街地的農地另當別論，但除此之外的農地，對正處農地價格下跌且對再投資農業生產的欲望漸次降低的農民而言，並不具有多大的魅力，所以被認為因為耕作權穩定，無法形成刺激。

第二種論點以王作榮的理論為代表，其要點概有：第一，「緩和對每一農家耕地面積的限制，例如從水田3甲（1甲約1公頃）增至10甲，或是根本地解除限制，只要是自耕農就可以」；第二，「允許自耕農之間的農地自由買賣」；第三，「放寬自耕農場的定義，經營者僱用農業勞動者從事農場經營時，也稱為自耕農」；第四，「撥給鉅額經費以全面進行耕地整理事業」[14]。王先生是台灣工業化推進政策的首位理論家，透過農地轉移的自由化，以擴大農家經營的規模、創造企業經營農家等，均是其論點的基礎，經濟合理主義者的面目躍然紙上。然而，傳統國民黨

14 王作榮，〈宜著手籌畫第二次土地改革——農業發展的新方向〉（《中國時報》，1969年12月17日刊載）。

的理論家依舊固守國父遺教「耕者有其田」政策的實現，目前似乎只考慮第一種論點的社會政策性對應。

結論

綱領發布後已快要一年。以這一年來台灣的報紙所見，實現綱領的具體措施，只是降低肥料價格及農業機械價格，並發給補助金以推動農業機械化。最近寄來的《中央日報》（1971年2月23日）根據台灣省農會理事長吳泉洤的試算，肥料價格若以運出工廠價格（當然不同於國際價格）分發的話，農民負擔約減輕3億8,448萬餘元；若將肥料換穀制修改成根據公定價格的現金支付制，農民負擔約減輕4億3,735萬餘元；若將田賦改為根據公定價格的現金繳納制，同樣負擔約減輕1億4,762萬餘元。

甚至以已降價的肥料價格試算一次，即使限定為上述三項目，一年間也約減低負擔10億元，亦即是將可減輕2.5億美元的農民負擔。關於肥料價格再降低、田賦以現金繳納等，係來自現仍堅強的農民之要求，可謂理所當然。

推動農業機械化之政策的中心，當然是以耕耘機之引進為中心；目前已知的是，4年以內將引進農村12萬台（其平均機種為14馬力耕耘機，價格可說比日本同機型貴約4成）[15]，據說向來每台6萬元的耕耘機若包含糧食局的補助金5,000元，已決定降價至47,000元（《聯合報》，1971年2月14日）；購買的貸款利息亦將

15 工藤壽郎，《台灣農業機械化問題之研究》（中國農村復興委員會，1970年9月），頁32。

月息1%以上降至平均約0.9%。

在這裡我想附帶說明的是，關於台灣的農業用貸款利息，目前係以月息計算為中心，屬於0.9%至1.5%的高利率。許多貸款期間以5年以下的短期較多。貸款的資金來源幾乎不在農會，而是以JCRR的「統一農貸基金」為中心，一部分則由台灣土地銀行、台灣省合作金庫提供。從國府財政的窘迫狀態可知，似乎也不可能會有利息的補貼。因為是相對基金，所以能比民營銀行提供些許低利（日本的農業貸款利息是年利3.5%至7.5%，可比較看看）而已。

上述姑且不論，儘管價格降低和補助金已有著落，但對農民而言仍是可望而不可及。經濟部發表去年一年間所引進的耕耘機只有3,144台（《聯合報》，1971年2月10日）。

接著，茲介紹JCRR主任委員沈宗瀚因農業機械化進展遲滯而到農村視察時，與農民的問答。地點是彰化縣花壇鄉（台灣中部的農業中心地帶）。林姓農民已與附近兩戶的農家共同購買一台耕耘能力18公頃的耕耘機。3戶的自耕地是7公頃，所以有時間被人僱用耕耘11公頃的土地。然而，受僱耕耘所得扣除購買耕耘機的貸款利息、燃料費及附屬品的消耗費，約5年內方有可能還清貸款。就算可以免費耕耘自耕地（當然無法計算自家的工資），也只是舊耕耘機留在手邊之外無法獲得什麼利益。林姓農民回答沈先生的問題，表示耕耘機的價錢應該降低至4萬元，並訴求希望購買耕耘機的貸款能夠免息（《聯合報》，1971年2月17日）。林姓農民的所有耕地面積屬於每戶2公頃以上者，且位在農業中心地帶的水田，所以其訴求完全只是上層農家的要求，一般農家的要求將比上述要求更為嚴峻，似乎不難想像。

關於租稅稅捐負擔的減輕，筆者所知者概有：自1968年7月1日起課徵香蕉、洋菇、蘆筍之5％的出口臨時特別稅，於1969年12月27日降低稅率3％，1970年7月1日起廢除之。然而，關於租稅之中最重要的田賦，也似乎只有等待當局宣布將課稅從過去以土地和農家資產，改成以農業生產及農民所得（指農家所得或農業所得均不明確）的增加率做為估算的基礎（《聯合報》，1970年5月25日刊載，參見「地方公論」一欄）。

從台灣的報紙可知，情勢的進展似乎走在國府當局將採取的各項政策之前。例如1970年7月30日《聯合報》「地方公論」欄的〈呼籲當局再度減輕農民負擔〉，表示這一年來農地價格暴跌5成；今年〔1971〕2月7日《中央日報》（國際版）亦報導，國民黨中央委員會祕書長張寶樹訪問農村，農會理事長申訴農民之中有負債者達到8至9成，抵押土地貸款1968至1969年可如預定償還的農家，進入1970年之後也感到難以償還貸款。

尤其是因為來自泰國的玉米大量進口，深受此一打擊的嘉南大圳灌溉地區的雜作地帶，其1971年度第一期水利會費（指水租，1970年8月底是規定繳納期限）的付清率至8月28日只有10％（全區平均），所以當局正感慌張（《聯合報》，1970年8月29日）。

以上可知，台灣的農業問題似乎還相當嚴重的樣子。

目前國府體制下的台灣經濟只要是捍衛確保反共反攻基地之黨的基本方針，軍事費的過重負擔在所難免，其主要財源似乎只能求之於農民。

包含稅制面的各種優待措施、低米價→低工資→如不繼續進行以勞動輸出做為利點的工業投資之誘導政策，就無法維持迄至目前的高度成長經濟。因此，國府當局躊躇的是，若向工業部門謀求稅源、課徵直接稅的方式，很可能將破壞工業化的嫩芽。

雖是以優待措施培養的工業，資本規模及工廠生產單位的零星性、勞動生產性低、技術水準低、品質管理欠成熟等情況，大多出現在本地企業（例如，因越南特需而迅速展開的鐵工廠之資本金額平均1,000萬元，近來最繁榮的電子相關工廠在狹小的台灣實際上也有263家，其中，170家工廠屬於本地企業，且多數是小工廠。台灣的工廠中僱用職工100人以上的工廠，含外資工廠，只占3.5％），所以造成產品的成本高等問題。農民不只接受進口替代工業產品的日用品，也一併承受農業資材等高成本負擔。

外資工廠一開始即是以低廉的勞動力為基礎的勞動輸出的出口導向產品製造為中心。因為即使在像電子相關工業那樣勞力集中的部門，其吸收的勞動力也有限，而且許多的年輕勞動力與其離村就業，寧可採取在家通勤型態。同時，關於其薪資，充其量也只能補助家計的金額。此一情況下，既不可能舉家離農，唯有一面從農村拉出年輕勞動力，一面留下許多小農民，繼續深化農業問題。

一般的資本主義體制下可見到的社會政策性的農政措施，台灣除了之前提及的JCRR進行小額投資之外，其餘的幾乎沒有；農民可說是反而代替國府當局，被迫負擔社會福祉事業費，於是矛盾不得不更加激化。

對國府而言，由於便於吸收的主要財源除了眼前的農民之外無他，因而即使在今日強烈的矛盾明顯化的情勢下，也不輕易透過減輕田賦政策及大量發給補助金來實施社會政策的農政，甚至也不可能提出支持農產品價格的政策等。

目前雖然仍因出口市場不穩定而飽受威脅（例如香蕉的日本市場），但國府當局之所以被迫提出新興的特用作物之引進、以不必支出資金的強化推進耕地整理事業（因大部分的經費係以受益農民負擔，引起強烈的不滿）之法制措施，阻止小農更為下降分解的政策（限制或禁止經營耕地面積因均分繼承而再分割）、只是口號的獎勵共同經營等姑息性措施政策，其主要的原因，乃是國府體制和台灣經濟承受來自外部的政治經濟規範、國府體制為了維持自己的體制，而繼續採取以商品經濟為基調之軍事色彩濃厚的資本主義發展之路，尤其是以依賴外資之急速工業化為中心的高度成長經濟政策。迨至最近，國府也開始思考採取農工之間均衡的發展。然而，此一體制和國府本身的條件並不易讓國府轉變到其所提四年計畫的口號「以工業發展農業」之階段，而不得不依然停留在「以農業發展工業（而且其多數是外資或是受外資強烈影響的合資企業）」之階段。

本文原刊於瀧川勉編，《東南アジアの農業・農民問題》，東京：亞紀書房，1971年7月15日，頁239～288

在中國「社會史論戰」介紹上所看到的若干問題
——介紹與研究之間

◎ 蔣智揚・李尚霖譯

前言

做為專攻農業經濟又喜歡歷史的一位研究者，我在業餘時間做撰寫中國近代史應有的準備。雖然筆者還未養精蓄銳到能談論中國近代史整體構想的程度，但我認為在獲致擬定構想之部分作業過程中，必須要考慮的就是自己要把近代中國的論爭史（包含人文、社會科學二方面）加以整理。做為整理論爭史的最初課題，自己所定的就是從亞洲的生產模式論爭，經過中國社會性質問題論戰與中國社會史問題論戰，以至中國農村社會性質論戰的這些論爭史的整理。

為了進行此課題的作業條件（以客觀的條件為中心），我認為最完備的「場所」，是在中國大陸、美國和日本。

能在「場所」之一的日本，而且在相關資料最為集中的東京獲得生活的空間，可能要說筆者受惠良多。受惠的事不僅是資料豐富，而且也包含能夠直接、間接求教於此道先進們的條件，真是非常感謝。

在論爭史的整理作業中，本稿是與「中國社會性質問題論戰」及「中國社會史問題論戰」相關，在日本被做為「中國社會史論戰」（以下簡稱為論戰）處理而極其受限定的部分。再者是只把相關日本人先進的論戰介紹和研究加以整理，將此整理作業的一部分筆記拿來發表的。筆者自己非常明白，這也不過是為了攻入城堡中心而在護城河填埋作業上投入的幾個石頭而已。期盼各位的指正。

一、文獻的提示

（一）戰前所發表的論文

首先來觀察一下最初在戰前的日本，論戰是如何被介紹。考察作業從相關的著作（含譯著）及論文的提示開始。

1. 主要的單行本

①田中忠夫譯，任曙、嚴靈峯等，《中國經濟論》〔《支那経済論》〕，中央公論社，1932年。

②田中忠夫，《中國經濟的崩壞過程和方法論》〔《支那経済の崩壊過程と方法論》〕，學藝社，1936年。

③平野義太郎、宇佐美誠次郎譯，魏特夫，《中國社會之科學的研究》〔《支那社会の科学的研究》〕，岩波書店，1939年。

④藤井正夫，〈社會史的論戰〉〔〈社会史の論戦〉〕（藤田親昌編《中國問題辭典》〔《支那問題辞典》〕所載，「文化運動」之項所收），中央公論社，1942年。

2. 刊載在主要雜誌的相關論文（含譯著）

（1）刊載在《滿鐵中國月誌》〔《満鉄支那月誌》〕（上海，南滿州鐵道株式會社上海事務所研究室發行）的相關論文。

⑤嘉村滿雄譯，熊得山，〈中國的土地制度〉〔〈支那の土地制度〉〕，第6年2號，1929年11月。（又本譯文為譯自熊著《中國社會史研究》，1929年，上海崑崙書店版的第二章〈中國的土地制度研究〉中之第二節至第八節者。）

⑥宮本通治，〈關於中國農村經濟的一個觀察（一）、（二）、（三）〉〔〈支那の農村経済に関する一つの観察（一）、（二）、（三）〉〕，第6年2號、3號，第7年6號，1929年11月、12月，1930年6月。（唯第7年6號刊載的第3論文之主標題為「關於中國農村社會的封建性質」〔「支那農村社会の封建的性質に就て」〕，以前的論文名成為副標題，又作者在第3論文的序言有附帶聲明：「本篇主要在邊介紹〈接受國際對於農民問題之指示的決議〉（《布爾塞維克》第2卷第10期所載）的要點，把中國共產黨對中國農村經濟相關的觀察提供給讀者（日本）而開始執筆，因此在其第一回（《滿鐵中國月誌》通刊第30號）中，我首先抄述了上記決議的開頭所提第一章〈中國農村經濟的特點〉〔〈中国農村経済の特点〉〕。在第二回（《滿鐵中國月誌》通刊第31號）中，我嘗試了關於支那社會的封建性

的一般記述。然後由於中國的共產黨把中國農村經濟關係認為是『一種半封建制度』，想要推敲其立言的內容而擱筆。現在從此點開始寫本篇續稿。」

⑦大塚令三所寫書評〈陶希聖著《中國社會與中國革命》，1929年11月，上海，新生命書局發行〉，第6年3號，1929年12月。（評論者大塚的說法為「陶希聖專為《新生命》執筆，是主要在發表與中國社會相關研究的篤學之士。《新生命》是以周佛海為主筆的國民黨右派儒教的三民主義者的機關雜誌。周氏遷居漢口後，由陶希聖、薩孟武、樊仲雲三人當編輯。由同為《新生命》的同人這點做推斷，陶的思想傾向恐怕是屬於右派吧。在《中國社會與中國革命》中所呈現的陶氏的見解，很明顯地是站在右派的意識形態上」，大塚又記述「在今年年初出版的陶氏《中國社會之史的分析》（新生命書局刊），與熊得山的《中國社會史研究》（崑崙書店刊）同是涉及關於中國社會有系統、有條理的記述，頗受好評。（陶氏的著書於10月出三版，熊氏的於10月出四版）」）傳達了當時的出版狀況及陶希聖觀。

⑧嘉村滿雄譯，李達，〈現代中國社會的解剖，①、②〉〔〈現代中国社会の解剖，①、②〉〕，第7年1號、同年3號，1930年1月、同年3月。（依譯者的註釋，為「本稿係李氏特為《滿鐵中國月誌》所執筆投稿者。刊載在本號的部分是李氏想要在《現代中國》雜誌（第2卷第4號，民國17年10月16日）中試做為社會學講座的第一講，但該講座與《現代中國》廢刊的同時，只有第一講就中斷了。現在李氏再更新稿件，嘗試在本雜誌上做關於中國社會的犀利之解剖，所以今後應該會分數次被刊載在本

雜誌上。」關於作者，則稱「李達於1920年代的初期曾屬於某政黨，長時間曾在長沙的湖南大學擔任社會學的講座。國民革命軍占領武漢後，當了中央軍官學校的教授。1927年初夏移居上海，現在專心努力著述。著有《中國產業革命概論》，《現代社會學》等，以關於社會科學的譯書居多。」

⑨大塚令三的書評〈李季著《馬克思傳》，1929年12月，上海，平凡書局發行〉，第7年1號，1930年1月。（我們的興趣不在於大塚的書評，毋寧是關於李季的介紹。大塚敘述：「雖然有很多與社會科學相關的資料或譯書【最近由中國人所做的】多從日文的再翻譯，或很可能受到其影響，但是李氏的《馬克思傳》完全是根據英文、德文書寫成的，這是值得特別指出的。」他還說：「在中國的社會運動史上，是在相當早以前就發現李季的名字。在陳獨秀所主持雜誌《新青年》上也常刊載優秀的論文[1]，如湯馬斯・奇克布（Thomas Kirkup）之《社會主義史》、維納・宋巴特（Werner Sombart）之《社會主義及社會運動》的譯書，是能夠成為關於中國近代社會科學的最初文獻之一。但是雖然如此，李氏在國（日本）人之間並沒有甚大名氣，其原因大概是因為未曾參加實踐性的鬥爭，專心做為學究之士而住在象牙塔內吧。」並說本書為「在中國共產黨相當輝煌時期（1926年12月）於上海所出版的再版，這次的出版附有南京政府大老蔡元培的題字。這明顯地說明了李氏最近思想上立場的變化。去年12月20日的《紅旗》第63號報導了李氏因墮落為托洛斯基派而被中國共產

1 例如〈馬克思傳及其學說自序〉（《新青年季刊》第3期，1924年8月所載），〈社會主義與中國〉（《新青年》第8卷6期，1921年4月所載）。

黨除名，此事實對學究之士的李氏立場不必說長道短吧。……關於李氏的經歷雖然不很清楚，民國15年冬天曾在上海大學社會學系，擔任經濟學、經濟學史、社會進化史、社會主義史的講座。民國16年上海大學被封鎖後，暫時移居到武漢，最近住在上海，專心著述。」）

⑩宮本通治的資料出版介紹〈關於中國的資本主義發達著書數種〉〔〈支那の資本主義発達に関する著書数種〉〕，第7年1號，1930年1月。（宮本對於當年在中國關於資本主義的發展之研究及出版情形做了以下六點的評論：「一、最近有關近代中國社會、經濟的發展為對象的著書，經由中國人本身，驚人大量地在生產。其主要者可數李達編的《中國產業革命概觀》（上海崑崙書店刊，1929年1月26日初版。全文譯載於東京的東亞經濟調查局經濟資料第15卷第7、8號上），侯厚培著《中國近代經濟發展史》（上海大東書局刊，1929年9月，《滿鐵中國月誌》第6年第3號中有介紹文【附帶說明，依上述介紹文之出版月份為10月】），朱新繁著《中國資本主義之發展》（上海聯合書店刊，1929年12月5日）等。其他還有郭真著《中國資本主義史》（上海平凡書局，1929年11月17日）、陶希聖著《中國封建社會史》【本書由上海南強書局於1929年6月刊行】等不勝枚舉。二、這些著書的共同特徵在於一點，就是想要把中國從前世紀的中葉開始與各國簽訂其所謂不平等的條約以來，社會的經濟發展做全盤鳥瞰性的記述。依某種看法，可以說所有這些著作不拘書名如何，都是記述關於近代中國資本主義的發展。這確實是可喜的流行之一，我想這是好的意義的模仿目前在日本讀書界盛行的日本

資本主義發展史相關的著作吧。唯在中國的資本主義，其發展本身與日本不同，相當怪異且進行緩慢，甚至統計資料破天荒地闕如。我想如今若想要妥善將中國的資本主義的發達史做記述，除非下定決心嘗試想像，否則即使能做好，也將遭遇相當多的困難。三、談論近代中國資本主義的發達並非從1929年才開始。至少據我所知，屈維它於1923年6月7日寫了〈中國資產階級的發展〉（《前鋒》創刊號，1923年7月所載，又載錄於新青年社叢書中國革命問題論文集第63頁以下）等，我想在這方面他是中國人夥伴的先覺者之一。後來所寫的書籍多少都模仿屈維它或對他加以闡釋，可為證據，至少難於否認受到他的啟示。四、在中國缺乏的事情，外國人不用說，中國人自己非常了解。關於中國自身的統計數字屢屢從日本反向輸入之事，並不令人覺得稀奇。中國自己所做的統計只有一個，那就是農商統計。因此需要數字的時候，不管喜不喜歡必須依賴農商統計。但是從中華民國3年至10年，農商統計只出8次，其中完整的據說只有3次，最新的統計是距今9年前的。而且統計中所含的資料是否具有如先進國家統計那樣的正確性，非常令人懷疑。尤其如農業統計，有很多人常常在引用，但非常不可靠。關於這點，劉大鈞在其名篇〈歷代田畝的統計〉（刊載於經濟半月刊第2卷第11期，又載錄於中國經濟學社，社刊第1卷《中國經濟》中）設了〈農商統計表中之田圃面積〉及〈農商統計之分析與比較〉二章，詳細地加以指摘。五、最近繼續出現關於資本主義經濟發達的著作，至少要論農村經濟，無例外地也將農商統計做為唯一的線索，因此其記述的正確性如何，使我們外國人有點不能遽然信任的感覺。六、這不獨與農村經濟相關，恐怕除了貿易統計，在其他方面也抱同樣的疑惑，似乎並無不當。中國的資本主義經濟發達史持續地被刊行，令我們對目前應接不暇的傾向感到欣喜，但同時我認為在其研究的方法和態度上有必要更斟酌。」）

⑪嘉村滿雄及小松重雄譯，熊得山，〈中國農民運動之史的研究〉〔〈中国農民運動の史的研究〉〕，第7年2號，1930年2月。（編輯者在註釋裡敘述：「作者熊得山為湖北人，曾經在武昌的中山大學當教授，目前在上海，為從事中國社會研究和著作的篤學之士。曾遊學日本，並由上海崑崙書店出版他的著作《中國社會史研究》，由於其考證的該博及科學的研究立場之故，成為名著而洛陽紙貴，這是眾人所知。除此之外還有很多譯著」，此外並記述「作者對農民的問題有特殊興趣，尤其為了《月誌》，傾其淵博的知識撰寫本篇，嘗試發表農民運動史的研究」。）

⑫嘉村滿雄譯，陶希聖，〈中國社會的封建性〉〔〈中国社会の封建性〉〕，第7年6號，1930年6月。（編輯者註有「本稿的筆者陶希聖是有名的國民黨中間派理論家的新進社會學者。他的名著《中國社會之史的分析》，民國18年1月出版，上海新生命書局，被譯載在東亞經濟調查局的《經濟資料》【昭和4年（1929）11月，第15卷第10、11號】。其《中國封建社會史》【民國18年6月，上海南強書局刊】之日譯由田中忠夫連載於今年1月以後的《東洋》雜誌，又其〈中國封建制度的消滅〉【連載在《新生命》雜誌民國18年3、4、5月號，後被輯錄在新生命書局出版的《中國社會與中國革命》】一文由小倉隆譯載在今

年五月以後的《滿蒙》雜誌，這些論稿在我國（日本）的中國研究家之間也相當受注目。在此列出的〈中國社會之封建性〉係陶氏為《滿鐵中國月誌》特別執筆的投稿。因為他想對專門研究對象的中國社會，解明其封建性，不管他所屬的思想傾向是如何，其銳利獨到的觀點非常值得推薦。關於陶氏的經歷，上述《經濟資料》的〈譯序〉有一些錯誤，其他多少也有誤傳之處，所以將其簡歷加以修訂如下。陶希聖，名彙曾，民國11年畢業於北京大學法科，擔任安徽省法政專門學校專任教員。後應上海商務印書館之聘來滬，擔任該館法律政治編輯事務主任，同時也在上海法政大學、上海大學講授親屬法【有親屬大綱、商人通例釋義等著作——兩者都是商務印書館出版】。1927年國民革命軍北伐部隊來到武漢後，即擔任武昌的中央軍事政治學校的政治教官，並兼任軍事委員會總政治部祕書。翌年1928年，繼續擔任中央軍事政治學校的政治主任教官，但辭職後遷居到上海。後來專門從事中國社會的研究，與周佛海、梅思平等人共同創刊《新生命》雜誌。著作有《中國社會之史的分析》、《中國社會與中國革命》、《中國問題之回顧與展望》及《法律學之基礎知識》等，譯書有《歐本海默之國家論》〔《オッペンハイマーの国家論》〕、《馬克思經濟學說的發展》〔《マルクス経済学説的発展》〕【改造社版，擔任其一部分】等」。）

⑬小倉隆譯，方峻峰，〈托洛斯基派的中國社會論〉〔〈トロツキー派の中国社会論〉〕，第7年6號，1930年6月。（又譯者小倉註記「本篇是刊載於《新生命》第3卷第5號，民國19年5月1日刊行。譯者對於方峻峰的經歷等還不清楚，但由本篇可以

判斷，就解黨的問題或就兩派的理論和工作而論，他是相當精通的人」。）附帶一提，方峻峰就是陶希聖[2]。

⑭大塚令三的書評〈朱新繁著《中國革命的過去現在與將來》，1930年5月，上海聯合書店發行〉，第7年6號，1930年6月。（大塚認為「本書是做為《中國革命與中國社會各階級》的上篇而出版，與最近即將刊行的《現代中國社會各階級》對稱而成一冊」，又「下篇的《現代中國社會各階級》受嫌疑為反動出版物【當時的國民黨稱左派為反動】，目前正在接受市黨部當局【當然指國民黨的市黨部】的查閱，所以也許出版前就被停止發行也難揣測」。除記載著本書是作者朱氏所贈外，並在介紹本書的梗概後記載著所提出的疑惑「不過應該是本書結論的〈中國革命的性質及其前途〉，並非朱氏自己的記述，其大部分是引用史達林的《中國革命與中共的任務》【《滿鐵中國月誌》通刊第36號第57頁所載，參照拙稿第113項】，不知為何理由？」）。附帶說明，令人擔心的《現代中國社會各階級》之刊行。後來由上海聯合書店於1930年7月出版。此事以未署名消息報導在《滿鐵中國月誌》的第7年8號（1930年8月）上。

⑮嘉村（滿雄）譯，李鏡如，〈關於中國農村社會的階級層〉〔〈支那農村社会の階級層に就て〉〕，第7年8號，1930年8月。（嘉村對本稿翻譯，聲稱「在最近陶希聖所發表的《中國問題之回顧與展望》【上海新生命書局，1930年5月刊行】中所

2 參照袁湧進編，《現代中國作家筆名錄》中華圖書館協會叢書第11種，中華民國25年3月，北平中華圖書館協會印行，頁66。

收錄的李鏡如以〈中國農業人口之階級的分析〉為題之一文中，其前半部充滿了北京農商部的陳腐統計。其後半之〈在農村社會的階級層之分析〉對於中國研究家，我想是相當有趣的問題，所以簡單地譯載此部分如左」。）

⑯小松重雄譯，陳菲芸，〈中國社會史上數個基本問題——對熊得山〈中國社會史研究〉的批評（一）、（二）〉〈支那社会史に於ける数箇の基本問題——熊得山氏の〈中国社会史研究〉の批評（一）、（二）〉〕，第7年9號、10號，1930年9月、10月。（從論文的內容，陳好像是站在當時中共立場的人。因此推測譯者或編輯者都不像以往那樣，介紹原論文的出處和作者。）

⑰嘉村滿雄譯，逸歷，〈讀《中國社會的封建性》（一）、（二）〉〔《中国社会の封建性》を読みて（一）、（二）〉〕，第7年10號、11號，1930年10月、11月。

⑱朱伯康，〈中國封建制度之史的考察（一）、（二）、（三）〉〔〈中国封建制度の史的考察（一）、（二）、（三）〉〕，第7年12號，第8年2號、3號，1930年12月、1931年2月、同年3月。（譯者名及譯者註都未寫明）

⑲大形孝平譯，陳翰笙，〈封建社會的農村生產關係〉〔〈封建社会の農村生產関係〉〕，第8年2號，1931年2月。（附帶說明，本稿的原論文為《封建社會的農村生產關係》，是當時國立中央研究院社會科學研究所社會學組主任陳翰笙的著作。1930年12月，做為該研究所農村經濟參考資料之一冊而被刊行。）

⑳陳菲芸，〈中國的土地所有形式（一）、（二）〉〔〈中国の土地所有形式（一）、（二）〉〕，第8年3號、4號，1931年3月、4月。

㉑天野元之助譯補，陶希聖，〈中國婚姻與家族的發展（一）、（二）、（三）、（四）〉〔〈支那に於ける婚姻と家族の発達（一）、（二）、（三）、（四）〉〕，第8年3號、4號、5號、6號，1931年3至6月。（依據譯者的說法，本論文為陶希聖對本誌特別的投稿論文。）

㉒陳翰笙、王寅生，〈中國社會結構之相關研究活動〉〔〈支那の社会の構造に関する研究活動〉〕，第8年4號，1931年4月。（未註明譯者名，但譯文後記曰「此為國立中央研究院社會科學研究所的研究員自己介紹該所之研究活動者」。）

㉓天野元之助譯，朱其華，中國資產階級意識形態之史的發展（一）、（二）、（三）、（四）、（五）、（六）〉〔〈中国に於けるブルジョア・イデオロギィの史的発展（一）、（二）、（三）、（四）、（五）、（六）〉〕，第8年8至12號，第9年1號，1931年8月至12月，1932年1月。（若依譯者天野最後譯文的末尾附記，則認為「朱其華為四川人，其本名不詳。有不少的論著是以新繁、佩我、其華等名發表的。在譯者所知的範圍內，最早出版的書應為以朱新繁之名所出的《中國資本主義之發展》（1929年12月上海聯合書店刊）。接著出版的《中國革命與中國社會各階級》（上集、下集）觸犯了當局的禁忌而被燒毀。1930年11月由新生命書局出版的《中國農村經濟關係及其特質》也遭遇被國民黨中央宣傳部禁止發行的厄運，交由上海公安

局焚毀。1931年7月他以朱其華之名，由新生命書局出版了《中國社會的經濟結構》，未被禁止發行等，得以沒事」。又天野教授在其〈消逝的歲月〉〔〈過ぎ去った歳月〉〕中記載說，本譯文是依據朱其華的稿本。）[3]

㉔Y・K生譯，朱其華，〈1925～27年中國大革命的農民運動（上）、（下）〉〔〈1925～27年中国大革命に於ける農民運動（上）、（下）〉〕，第9年1號、2號，1932年1月、2月。（未提及原論文的出處）。

㉕小島（重雄？），〈中國的社會科學作家（一）、（二）、（三）〉〔〈支那の社会科学作家，（一）、（二）、（三）〉〕，第9年5、6、7合併號，8、9、10合併號，11、12合併號，1932年7月、10月、12月。

（2）《滿鐵調查月報》（大連，滿鐵調查課發行）所刊載關係論文。

㉖山口慎一譯，朱其華，〈中國經濟的現狀與將來（一）、（二）、（三）、（四）、（五）〉〔〈中国経済の現状と将来，（一）、（二）、（三）、（四）、（五）〉〕，第12卷8號至12號，1932年8月至12月。

（3）《東亞》（東京，東亞經濟調查局發行）所刊載關係論文。

㉗周谷城，〈中國農村封建的榨取〉〔〈中国農村に於ける封建的搾取〉〕，第5卷5號，1932年5月。（依編輯部的聲明，

3 參照天野元之助教授還曆記念事業委員會，《天野元之助教授回想記著作目録》所載〈過ぎ去った歳月〉，頁2。

本論文譯自刊載於《學術月刊》第1卷第2期的〈中國農村變亂之根源及其前途〉〔〈中国農村変乱の根源及その前途〉〕的第二節。）

㉘朱其華，〈中國銀行資本的特殊性〉〔〈支那銀行資本の特殊性〉〕，第6卷1號，1933年1月。（依譯者的後記，本論文是譯自朱氏「論中國經濟」為題的論文之第四節，但沒有註明原來的刊載雜誌。）

㉙朱其華，〈中國資產階級的反革命角色〉〔〈中国ブルジョアジーの反革命的役割〉〕，第6卷3號，1933年3月。（沒有註明原論文的刊載雜誌。）

㉚池田孝譯，李季，〈中國社會的發展階段（一）、（二）、（三）〉〔〈支那社会の発展段階（一）、（二）、（三）〉〕，第7卷1至3號，1934年1月至3月。（依譯者之註釋，本論文為譯自李季〈對中國社會史論戰之貢獻及批評〉【即《讀書雜誌》之《中國社會史的論戰第2輯》第2卷第2及3期合刊所載論文】）之一節。譯者池田更於該註釋中感歎「在彼國，關於中國社會史發展階段，其論爭已經重複激烈到這個地步，但我國（日本）的中國研究家無視於此，依然大睡其懶覺，根本不想介紹。他們那些舊中國研究界中甚至有人說『要通過中國書籍以吸收知識，中國尚未發達至此』等語，此誠然在睜眼說瞎話。我不得不斷言，與其說他們是認識不足的人，不如說他們是標榜中國研究以騙飯吃的蠢賊，是不會讀中國現代語的人。我們相信至少在吸收關於中國的知識這方面，中國已經很發達了。」池田又介紹作者：「李季，字季子，出生於湖南平江，今年37歲。因家

貧得親友之助而畢業於北京大學。後赴歐洲留學德國，在當地加入共產黨。1925年一回國就當起上海大學社會學系的主任，卻招來與施存統之權力衝突而不得志。武漢政府失敗後逃到上海，以著作為業。1930年被共產黨除籍，成為取消派的一員，目前加入極端反布爾什維克的AB團，以AB團的理論家而為人所知」。）

㉛池田孝，〈在中國的中國研究之回顧與展望〉〔〈支那に於ける支那研究の回顧と展望〉〕，第7卷8號，1934年8月。

（4）《唯物論研究》（東京，唯物論研究會發行）所刊載關係論文。

㉜田中忠夫，〈中國社會科學研究之現狀〉〔〈中国に於ける社会科学研究の現状〉〕，通卷第14號，1933年12月。

㉝平野義太郎，〈對中國研究的二個路徑——關於中國研究史的現狀的若干評註〉〔〈支那研究に対する二つの途——支那研究の史的現状に関すに若干の評註——〉〕，通卷第20號，1934年6月。

（5）《歷史學研究》（東京，歷史學研究會發行）所刊載關係論文。

㉞鈴木俊，〈陶希聖與中國政治思想史〉〔〈陶希聖と中国政治思想史〉〕，第1卷2號，1933年12月。（依鈴木之後記，本稿是以北京大學出身張宋和的手記為基礎。）

㉟志田不動磨，〈最近的中國社會經濟史研究〉〔〈最近の支那社会経済史研究〉〕第1卷3號，1934年1月。

㊱鈴木俊譯，伍啟元，〈中國社會史研究之概觀（一）、（二）〉〔〈支那に於ける社会史研究の概観（一）、

（二）〉〕，第3卷2至3號，1934年12月，1935年1月。（依照譯者的聲明，「本稿譯自伍啟元著作《中國新文化運動概觀》（1934年，上海現代書局印行）中的第13章《社會史的論戰》之項，並將此多少加以補充。」關於作者，則介紹「作者伍啟元畢業於上海滬江大學，曾在清華大學研究所繼續做過研究的年輕學者。據說本書在最近的中國出版物中頗有名氣」。）

（6）《思想》（東京，岩波書店發行）所刊載關係論文。

㊲郭沫若，〈中國社會的歷史發展階段〉〔〈支那社会の歴史的発展段階〉〕，第97號，1930年6月。

以上我們不厭其煩以夾帶長文，提示戰前譯為日文發表的「中國社會史論戰」相關論文、論戰參與者的著作譯文，乃至論戰旗手的簡歷及當時中國的出版情事。

我們所採取提示的方法區分為單行本，以及將當時屬於陣痛期的中國新社會科學的動向比較敏感地掌握傳達給日本人的雜誌（雖然可想像雜誌主辦者、編輯者及執筆者有各種不同的主觀意圖）將之分類，並採用以發表日期為基準，按時序列加以列表的方法。當然這樣做，筆者的第一個目標是將「中國社會史論戰」介紹給日本做為一種趨勢，方便於掌握。做為第二個目標在期待的是，當時（從1920年代後半到1930年代前半）正是對日本人研究者在摸索著應該如何努力研究也是新科學的外國研究的時期（遺憾的是，很多有心的研究者在其所處的歷史條件下，連在主體上都不能把中國正視為外國來做研究），而且我認為也是相對地可被允許摸索的時期。這種設想若可被容納，則日本人研究者當時直接面對的中心課題是亞洲的生產模式論爭、「中國社會史論戰」（此雖取名為「中國社會史論戰」，但與其說論戰本身，其實是把成為論戰背景的當時中國驚人的革命胎動實況，與圍繞知識分子【包含學生】的種種混亂情況，以及為了掌握科學的革命理論所做的苦心著述等等，加以正視而整理之），以及接著前二者，另一課題為考慮應該如何接納「中國農村社會性質論戰」，自己如何正確地合乎科學方法致力於現代中國的研究。如先前也做了聲明，暫時把「亞洲的生產模式論爭」及「中國農村社會性質論戰」置於本稿的範圍外。對於如何接納「中國社會史論戰」，及其在研究上曾否被有效地活用，我認為我們的提示方法可提供檢驗的方便。

第三為將論戰相關資料，或關於論戰旗手之資料，以及如今已不容易調查的當時出版界情況，加以查勘並明示資料之所在。如在提示的文中已明示，有一部分的中國研究者的論稿是直接投稿到相關雜誌。尤其正因為當時的「大滿鐵」之上海事務所研究員，以日本帝國的力量為背景，應用他們在客觀上能保有的一定程度的言論自由（當然其生殺大權都是研究室成員的主觀問題。在此意義下，以伊藤武雄為核心的天野元之助、宮本通治、大形孝平等人的活動、資料與以當時的上海為中心的中國人社會科學者苦心著述的狀況，通過版面給以留下的東西，功勞不小）所做成版面的成果，如今已成為貴重的東西，所以明示資料的所在未必是無用之事。

這點暫且不談，眾所周知，我們所尊敬的日本人科學的現代中國研究者，隨著「滿洲事變」為契機急轉進入中日戰爭的時局傾向，連供科學的中國研究之資料介紹，中國革命內部實況的介紹，都未被允許，被逼入此種狀況下之科學的研究云云，已變為癡人說夢。戰後，隨著日本的民主化，言論的自由度及學問研究的自由度不僅恢復了，可以說更為擴大了，在此狀況下，我們的前輩學者在與戰前業績的關聯上做了什麼樣的研究呢？在提及此之前，為了方便展開我們的邏輯，我希望提示戰後的論戰介紹及研究。

（二）戰後發表的論文

依管見，已被公開且較有系統的介紹文與論文有以下四項。

㊳里井彥七郎，〈中國社會史論戰〉〔〈中国社会史論戦〉〕（平凡社，《世界歷史事典，第12卷》〔《世界歴史事典，第12巻》〕所收，1955年8月）。

㊴矢澤康裕，〈勞農運動和中國社會論〉〔〈労農運動と中国社会論〉〕（野原四郎等人編《講座近代亞洲思想史I，中國篇I》〔《講座近代アジア思想史I，中国篇I》〕所收，1960年12月10日）。

㊵矢澤康裕，〈中國社會史論戰〉（平凡社，《亞洲歷史事典，第6卷》〔《アジア歴史事典，第六巻》〕所收，1960年12月13日）。

㊶野原四郎，〈讀書雜誌〉〔〈読書雑誌〉〕（平凡社，《亞洲歷史事典，第七卷》所收，1961年5月20日）。

又在研究者中，有一位滋賀大學的中嶌太一，不知他是否曾發表過關於「中國社會史論戰」的論文。在我的手邊只有他的〈關於中國近代化論爭〉〔〈中国近代化論争について〉〕（1969年8月22日，亞洲經濟研究所的「中國關係新聞・雜誌的書誌研究」研究會【主任調查研究員為江副敏生，幹事為小島麗逸】中的報告摘要）。

二、介紹的內容及趨勢

在本節我們以逆時序列來接近問題，即從最新的論文開始檢討，對於介紹與研究之間的問題加以追溯思考。這是因為通常對外國的研究，從翻譯介紹，經過質的轉換而進入研究的深化，被認為是理想的，而最新的論文可設想為以往成果的累積結果。

（一）戰後——以矢澤康裕的業績為中心

以矢澤所執筆的㊵論文為檢討的對象（以後本稿在處理所提示的文獻時，為了方便，以筆者所編號碼代替）。本論文因為刊載在《亞洲歷史事典》，若以學術界上的一般的想法來想（雖然在日本的學術界上，離一般的想法似乎還很遠），應該是高濃度的精華吧。

1. 圍繞介紹之問題

矢澤首先將「中國社會史論戰」規定為「1927年中國革命失敗後，圍繞中國革命的性格所進行的論爭」。

其次，做為論爭的背景他介紹：「1927年的『大革命』因為蔣介石的反革命政變而終於失敗，這讓左派的知識分子感到失望而喚起了他們對中國革命的深刻反省」；第三並介紹論爭的經過謂「最初中國社會性質問題曾在《中國農民》、《中國工人》、《思想》、《新生命》、《前進》、《東方雜誌》上被討論，當陶希聖的《中國社會之史的分析》（1929）及郭沫若的《中國古代社會研究》（1930）出版後，兩者之間開始了論爭。又於1930至1931年，《讀書雜誌》刊行了中國社會史論戰專號，論爭便達到最高潮。此論爭做為1935至1936年中國農村社會性質論戰而持續。」

第四，矢澤所介紹的是在論爭上的問題意識。矢澤介紹謂：「中國社會史論戰的問題意識在於應該如何引導中國革命，其問題就是：⑴革命的高潮（這是王禮錫的論文〈中國社會史論戰序幕〉[4]的直譯，所以覺得生澀，或許應該譯成「高まり」〔譯註：高漲〕或「盛りあがり」〔譯註：湧起；高漲〕吧）是否會來臨？（有革命的條件嗎？）；⑵革命的性質是資產階級革命或是社會主義革命？（中國社會是封建社會或是資本主義社會？）；⑶中國革命的對象是帝國主義及封建勢力嗎？（帝國主義帶給中國的影響如何？封建勢力還存在嗎？）」。

筆者至目前所整理關於矢澤「中國社會史論戰」的介紹，發現矢澤幾乎仰賴王禮錫的前述論文及王宜昌的〈中國社會史論史〉[5]，並沒有矢澤本身特別的見解的表明。毋寧有錯誤介紹之

4 參照《讀書雜誌・中國社會史的論戰第I輯》第1卷第4、5期合刊所載，頁4。

5 參照《讀書雜誌・中國社會史的論戰第II輯》第2卷第2、3期合刊所載。

處，故願為促進今後之研究而附記之。這是說矢澤在論戰的過程中所提出的論爭相關雜誌不但數量不足，而且所提出的最初有二本雜誌《中國農民》及《中國工人》，其中《中國工人》還可以，既然他採取「中國社會史論戰」定為在1927年中國革命失敗後才開始的立場，那麼《中國農民》就不需要了吧。為什麼呢？因為王宜昌在上述的論文中，把該雜誌當作論爭刊載雜誌而提出，那是做為「五三〇前後之中國社會史論」階段的雜誌，也並非當作1927年以後的論爭相關雜誌而提出的[6]。

2. 關於評價的檢討

這點暫且不談，我們對於矢澤的論文最感興趣的部分是在於把論戰與日本資本主義論爭做比較之處，以及矢澤對論戰所下的評價。

（1）關於中日兩論爭的比較

關於與日本的論爭之比較，矢澤指出「在1929年前後，日本也有資本主義論爭，中國社會史論戰也深受其影響。但在日本的情形，則見不到如第一項（即「革命的高潮是否會來臨？【有革命的條件嗎？】」）的問題意識」。矢澤以大約可認為同一時期（從發表時期推測）所寫的㊴論文，同樣與日本做比較而寫了「圍繞中國社會的性質問題，在1931年至1933年，以《讀書雜誌》為中心，進行活潑的論爭。此稱為『中國社會史論戰』。剛好日本也刊行了《日本資本主義發達史講座》（1932

6 參照註5論文，頁21。

～1933年刊），正是『講座派』與『勞農派』之間，『資本主義論爭』方酣的時候」，接著並提出三個與㊵論文同樣的「中國社會史論戰」的問題意識之後，記述了「在這些之中，如（二）、（三）的問題意識在日本的『資本主義論爭』中也曾有過。至於（一），我想好像只有中國有這樣的問題意識。這是不是因為有無革命的經驗的差異吧。革命意識可以說在中國一向遠比在日本強」。

在上述整理重錄的「中國社會史論戰」與「日本資本主義論爭」之比較中，我們認為至少有以下三個問題。

第一個問題就是矢澤所認為中國的論戰深受日本的論爭的影響之見解。僅就矢澤以上的敘述，他是根據什麼而認為深受影響，這點並不清楚。我不願認為是從《讀書雜誌》與《日本資本主義發展史講座》從刊行年的形式上比較所提出草率的結論。雖說是這樣，曾考證中日兩國論爭起始點的痕跡也尚難以認出，在矢澤的論文中也看不到曾談及關於兩國論爭的互相關係，光是這點就留下深刻的問題。

筆者因為對中日兩國論爭史的比較研究具有興趣，所以對此頗為關心。

在此筆者想起幾年前，關於「中國社會史論戰」曾請教過某日本人中國研究者之先進，得到的回答是：「說到中國社會史論戰，是中國的一群人模仿日本的資本主義論爭所做的論爭，沒有大不了的內容，戴君。」筆者檢討了矢澤的論文，在深入研讀中所得的感想，與矢澤對「中國社會史論戰」所下缺乏活力的評價（參照後述）合在一起，認為矢澤在無自覺中繼承著日本中國研究者在傳統上持續具有的體質，雖然有程度上輕重的差別，這點不會是筆者的獨斷吧？

所謂傳統的體質，正如矢澤的前輩田中忠夫在㉜論文中確切的感歎：「這樣的中國社會科學也在××之×中，經過××××而發展出來，今後也會發展吧。但是舊中國研究界（指日本的中國研究界）視而不見，加以排擠，不接納這些事情，甚至還有中國語學者極言『要通過中國書籍以吸收知識，此事中國尚未發達到此地步』。」[7]池田孝在㉚論文的譯者註也接著說：「在彼國，中國社會史發展在什麼樣階段，其論爭已經重複激烈到這個地步，但我國的中國研究界無視於此，依然大睡其懶覺，根本不想介紹。舊中國研究界中甚至有人說『要通過中國書籍以吸收知識，中國尚未發達到此地步』等語，此誠然在睜眼說瞎話。我不得不斷言，與其說他們是認識不足的人，不如說他們是標榜中國研究以騙飯吃的蠢賊，是不會讀中國現代語的人。」[8]以如此嚴厲的言詞所指責的就是其體質。

筆者當然知道，在中國馬克思主義的發展曾經有些方面是以日本為媒介，很多像王亞南那樣著名的中國人馬克思經濟學者是河上肇博士的門生，又有中國知識分子曾經有過一段努力的歷史，依賴漢字輔以速成日語，想盡早吸收日譯的馬克思主義相關文獻或吸收日本人研究者的諸成果，把它化為自己的分析手段。

---

7 田中忠夫，〈中国に於ける社会科学の現状〉（《唯物論研究》第14號，1933年12月）所載，頁119。

8 池田孝譯，李季，〈支那社会の発展段階〉（《東亞》第7卷1號，1934年1月）所載，頁100。

不過這是到底要以「中國馬克思主義的發展及日本對此之影響」的主題做為研究的課題，但是直接從上述狀況的存在，未顯示在日本論爭的任何根據，即武斷地說對中國論戰深具影響是無法接受的。

事實上，若追溯觀察中國社會科學的發展，從1928年前後「中國社會史論戰」開始後不久，到論戰蓬勃的1930年代初做為中間期，而至「中國農村社會性質論戰」盛行的1935年至1936年為止約十年間即可劃為一個時期，這也是在1949年10月1日以前，近代中國的社會科學在飛躍的發展期[9]。

突飛猛進的發展可從在上述期間社會科學相關的出版狀況看出。在該期間所刊行的社會科學相關的古典及入門、啟蒙書的翻譯及中國人研究者自行應用社會科學的方法論所做的中國研究的成果，無論質和量都比以前任何時期優越[10]。

其次，也要提一下我所謂劃時代的意義。正如論文⑨之項中大塚令三所指出「儘管有很多社會科學相關的資料或譯書是來自

9 詳情請參照何幹之著作《近代中國啟蒙運動史》，上海生活書店，1937年12月。

10 （1）關於翻譯，君素，〈1929年中國關於社會科學的翻譯界〉（《新思潮》第2、3期合刊，1930年1月所載），其後重錄於張靜廬輯註《中國現代出版史料，2編》（北京中華書局，1957年）之頁7～18。又日譯的〈社会科学に関する翻訳出版〉（《満鉄支那月誌》第7年4號，1930年4月的頁95～100所載）於剛發表後即被介紹。

（2）關於出版，應可參考丁琨，〈記北方人民出版社——1931年（民國20年）〉（同樣採錄於《中國現代出版史料，2編》頁18～21）及王雲五〈十年來的中國出版事業——1927～1936年〉（中國文化建設協會編《十年來的中國》，上海商務印書館版 ，1937年），其後同樣重錄於《中國現代出版史料，2編》之頁335～352等。

日文的重譯或多少受其影響，但李季的《馬克思傳》完全是基於英德書而寫成的」，此時期（1928年前後）以後的中國社會科學界不僅從以往翻譯模仿出發而急速地站在自己的立場開始研究，並且朝向自己的問題深處挖掘而前進。其主要承擔者以曾為主流的日本留學生及其出身者，加入從蘇俄、德國、法國（比起馬克思主義，美國留學生較偏向非馬克思主義的社會科學）回國的留學生強力擔任其一翼，開始活躍起來。矢澤論及「中國社會史論戰」，主要是依據《讀書雜誌》中國社會史的論戰專號Ⅰ至Ⅳ，其論戰旗手大半是非日本留學生出身者，從此一事實亦可見其一斑。不但如此，亞洲生產模式論爭的蘇俄旗手之一的馬扎亞爾的一連串著作，例如，〈亞洲的生產方法〉〔〈アジア的生產方法〉〕（《滿鐵中國月誌》第7年9號，1930年9月所載），以及〈關於中國農村經濟的統計〉〔〈支那農村経済の統計に就て〉〕（同第7年11號，1930年11月所載）都是宗華的中譯《中國農村經濟之特性》（1930年7月，上海北新書局版）的重譯。即使在宗華的中文譯本中，有田中忠夫以書評[11]所指摘那樣的誤譯，此史實足可傳達中國社會科學界當時的部分新氣息而有餘吧。

話說回來，矢澤在做中國與日本的比較之第二個問題，可以在其所指出論爭的問題意識的相異中看出。如剛才所提到，日本不知是否會有像中國那樣的革命高潮之來臨，亦即日本是否有革命的條件，矢澤以日本欠缺此問題意識的理由，認為是兩國有無

11 參照《滿鉄支那月誌》第7年9號，1930年9月之「支那に関する新刊図書」欄。

革命經驗的差異。他還另舉出兩點做為兩國共同的問題意識，即「第二，革命的性質是資產階級革命或是社會主義革命？（中國社會是封建社會或是資本主義社會？）」和「第三，中國革命的對象是帝國主義及封建勢力嗎？（帝國主義帶給中國的影響是什麼樣的？封建勢力還存在嗎？）」。

即使問題意識第二可以不談，但提及第一與第三也未免失之輕率。本來關於第三「革命的對象是帝國主義及封建勢力嗎？」的問題提起，既然當時日本本身是帝國主義，就應該不能說是中日雙方共同的問題意識。想起來，錯誤的根源只能認為是把王禮錫的「帝國主義在中國所發生的作用」[12]翻譯為「帝國主義帶給中國的影響是什麼樣的？」，可想作由於僅能做不充分的翻譯所造成認識的錯誤（附帶一提，正確的翻譯應該是帝國主義在中國所扮演的角色是什麼？或是意譯為由於帝國主義侵略中國所帶來對中國的影響是？）。

很遺憾，我們不得不指出矢澤錯誤的認識是由於他沒有努力以自己真正的立場去接近問題所造成的。所以，在中日兩論爭的比較中，便可以非常簡單地說，在日本這邊欠缺問題意識第一的理由是可歸於沒有革命的經驗。

也許不待筆者贅言，欠缺問題意識第一真正的理由絕不在於有無革命經驗。在更深的根源上，是由於不得不朝向革命的迫切狀況之兩國的相異所造成的，這樣想才合乎邏輯的道理吧。雖然可能被誤解抓住別人的話柄，挑剔其毛病，但事關矢澤的「中國

12 參照《讀書雜誌・中國社會史的論戰第I輯》第1卷第4、5期合刊所載，頁4。

社會史論戰」的評價及看法的基本態度之問題，因此勉強提出。

（2）關於《讀書雜誌》發行前後之情事

再往前敘述，矢澤在㊵論文中謂：「當時中國革命運動由共產國際及中國共產黨領導。在其中有重視農村工作的毛澤東等人，與重視都市工作的瞿秋白、李立三、陳紹禹等人的對立。共產國際親近後者。這裡應該是毛澤東等人才正確，後者把俄羅斯十月革命的權力奪取之構圖依樣做為中國革命的權力奪取之構圖，未能認識中國革命的長期性。這點是中國革命的條件問題，雖在社會史論戰也有此問題意識，但社會史論戰並未做深入探討」，如此先將中共在中國革命中的動況與「中國社會史論戰」相對置，而指出論戰的否定面。對當時中共與共產國際的關係的掌握有微妙的前後矛盾及似乎有事實誤認。雖然此與本稿無直接關係而不涉及，但將革命條件問題的認識矮化為革命的長期性（反過來說，就是革命為長期或為短期）的認識問題來把握，這才是問題吧。

比這更大的問題是他把中共內部（含共產國際內部以及中共及共產國際之間）的革命戰略、戰術的論爭（含隨之而來圍繞指導權的抗爭）與「中國社會史的論戰」相對置（矢澤對此未必明確表示，但由筆者闡述其文章的前後關係的話，就可如此解讀），因為把「中國社會史論戰」主要依據的《讀書雜誌》專號I至IV而論，邏輯才有可能如此進展。在此一邏輯的延長線上，矢澤繼續上述的評價而判斷「在現實中帶有對共產國際及中國共產黨的領導之肯定與反對的性格，以及史達林主義與托洛斯基主義的對決之樣貌，而政治鬥爭化」。論戰的實態，以及其背後政治狀態，到底能否導出這樣的結論呢？

我們為了把其間的狀況再稍做明確化，於是參考其他資料把論戰的開端和《讀書雜誌》的發行周邊情事加以考證。

論戰的新生命派中大將級的陶希聖，在回憶錄謂：「湖北省黨部改組委員會（國民黨的）孔文軒及鄧初民（中共政權成立後，任山西大學的校長）等人（武漢政權崩潰後）潛入上海，創立《雙十（月刊）》，在該誌中提出〈中國社會是什麼樣的社會？〉的問題，由此為契機引起了熱烈的討論」，並敘述「（同一時期）左派分子也出版月刊雜誌，該誌最初取名為《思想》，但後來經常更改雜誌名。在該誌中也發表了長篇論文，主張中國社會為封建社會或半封建半資本主義的社會」，暗中言及後述的郭沫若等左派所據的《思想》雜誌[13]。關於自己的事，陶希聖說：「開始主辦由何公敢所組織的獨立青年黨的機關誌之一《獨立評論》（1926年創刊），並在該雜誌上標榜『民族自決』、『國民自決』及『勞工自決』，由此為契機開始與國民黨有了聯繫。」他又記述「在《獨立評論》中偶然發表了短文——提示中國的社會組織以士大夫階級及農民為主要的階層，同時把士大夫階級的產生、發展及沒落簡單加以分析——此短文得到友人的激賞，但同時也遭受到左右雙方的批判」[14]及「經過二年的『經歷』（應該稱為生活的體驗）與思考，更加深了我對社會組織的認識和分析的能力，我在《新生命》月刊中所發表的論文慢慢地

13 陶希聖，《潮流與點滴》，台北：傳記文學出版社，1964年12月頁109所收之三，所謂「社會史論戰」之頁2。又陶文中之括弧為筆者的附記。以下同。

14 參照陶同上書，頁81～82。

集中在關於此問題的論斷與論爭。從1928年8月至12月我在《新生命》中所發表的論文引起了多方的關心」[15]。

讓我回溯到1928年（即「中國社會史論戰」的前哨戰方酣時），介紹陶希聖的發言。在其暢銷書《中國社會之史的分析》緒論之六〈結語〉中，陶的積極發言：

> 作者希望這一本小書能夠引起廣大深刻的論爭（同時正準備收錄論爭中的大作來編纂《中國社會史討論集》，以供學者及同志的參考與批評）；在廣大深刻和普及於國內外的中國社會史論爭中，作者敢把這本小書作參與論爭的紀念。1928年12月1日於上海。[16]

能夠傳達那時候的狀況的另一個資料可在筆者先前所提示的文獻中的③之單行本中找到。王毓銓曾經是居留在中國期間（1935～1937年）的魏特夫的協助者之一，王在該書中對於《讀書雜誌》創刊以前的論戰表示「確實在某程度已由二本雜誌著了先鞭，其一是代表國民黨左派的陶希聖集團的《新生命》，其二是代表急進集團的《思想》，該團體包含熊得山（熊以熊子奇之名在《雙十月刊》中擺開論陣，後來集結成《中國社會史研究》一書出版，上海崑崙書店，1929年）[17]以及在1928年開始發表與

15 同註13。

16 陶希聖著，《中國社會之史的分析》，上海：新生命書局發行，1929年1月30日，頁16。又日文翻譯為東亞経済調査局發行的《経済資料》，第15卷第10、11號，「支那社会の史的分析」，1929年11月1日刊行。

17 參照《讀書雜誌・中國社會史的論戰第II輯》第2卷第2、3期合刊，頁12。

古代中國相關的論文的郭沫若」，並對論戰此後的發展，他記述「為了決定社會革新的次一階段，必須完全理解中國社會的性質……為了因應那樣的要求，年輕急進的學者集團於1930年開始刊行《新思潮》。這些投稿者一致認為中國社會在今日是半封建的。其他的集團藉由1931年創刊的《動力（Der Motor）》，堅持中國社會是半殖民地資本主義的性質之說。接著出刊的《讀書雜誌》在中國社會史的研究上劃下了新階段。」[18]。

我們終於要進入另一階段，必須透過《讀書雜誌》關係者的證言來澄清該雜誌創刊的情事。

在《讀書雜誌》的「中國社會史的論戰」專號III中上場的當時年輕論客學稼（指鄭學稼），戰後在台灣出版了《「社會史論戰」的起因和內容》（1965年台北中華雜誌社發行）。該著作的記錄謂：

> 《讀書雜誌》就在探究中國社會性質問題的氣氛中創刊。神州國光社（該誌的發行者），原是出版中國舊藝術品如字畫的店鋪，後由十九路軍的陳銘樞們收買，改出社會科學書籍（這種說法缺乏嚴密性，若以筆者所收藏的1936年版的《神州國光社簡明書目・出版目錄》觀之，雖然重點放在社會科學書上，但文學關係、藝術類書籍、書畫碑版也占了相當大的比例）。主持編輯者王禮錫是國民黨人，與江西最早反共團體AB團有關。

18 平野義太郎、宇佐美誠次郎譯，K. A. Wittfogel著，《支那社会の科学的研究》，岩波書店，同新書，1939年4月，所收的附錄〈支那における近代的社会科学文献史〉，頁166。

《讀書雜誌》是王氏到日本時開始編輯的，他聯絡了一批日本留學生，如胡秋原、王亞南、朱雲影、汪洪發等寫稿——內中還有前國民黨和前CP的要人梅電龍（龔彬），在上海負責編輯的是彭芳草。陳銘樞和王禮錫辦神州國光社或者有政治的企圖，但參加寫文章的人則方面很廣，不是都和他倆有同一的政治主張。[19]

此間之情事鄭所提及，被委託投稿者的人物之一的胡秋原（他是鄭著作出版社中華雜誌社的實質社長，形式上為該社所發行的《中華雜誌》【月刊，從1963年8月16日創刊到現在】的發行人，當然他也是論戰的旗手之一）寫著：

1930年羅貢華兄到日，他說「神州國光社」改組，由十九路軍關係人接辦，大出新書，總編輯王禮錫是他的老朋友。於是他、我，和王亞南、楊玉清四人，成立一個編譯社。我提議名曰「白沙社」。大概我對陸王與陳白沙，有興趣罷。我譯佛理采之《藝術社會學》，交神州出版，爲白沙社叢書之一。不久王禮錫兄到日本來，他主持的《讀書雜誌》，最初是在日本編輯的……[補註]。

鄭為胡的友人，鄭的著作不但是在胡所主辦的中華雜誌社出

19 鄭學稼，《「社會史論戰」的起因和內容》台北：中華雜誌社發行，1965年，頁5。
補註 胡秋原，《在唐三藏與浮士德之間》，台北，1962年（附帶說明，本書為胡的自費出版），頁4。

版，而且要成為一冊之前，曾被連載在《中華雜誌》（第3卷2號～6號，1965年2月16日～6月16日）。由以上的經過可以想像，胡在編輯的過程中，當然會把鄭記述的《讀書雜誌》及神州國光社的社團性格或王禮錫之事等等先讀過（事實上若依據鄭的著作，很多刊載在《讀書雜誌》的論文是由胡提供給鄭的），所以我想可以直接採納鄭的記述。

指出王禮錫與AB團相關的事，鄭並非頭一個，在日本也有先前所提㉕論文中，小島（重雄？）在詳細介紹王的略歷時，同時也寫著他曾參加AB團的經歷[20]。

若從十九路軍的陳銘樞和神州國光社的關係來看《讀書雜誌》，陳與蔣介石雖然保持一定的距離，但他擔任交通部長、京滬（南京和上海）的衛戍司令是在1931年至1932年，在日本軍侵略上海時，十九路軍陳部屬的蔣光鼐、蔡廷鍇，其威名遠播是在1932年1月，其後被任命移駐福建，下野後轉為反蔣，並在1933年11月至1934年1月與社會民族黨派組成福建人民革命政府。若想起此與《讀書雜誌》的創刊及特集IV的刊行日是1933年4月1日，則《讀書雜誌》是以什麼權力做為背景而大量增印論戰特集，可以一目瞭然吧。

話說回來，從論戰的前哨戰（1928年）至1931年刊出《讀書雜誌》的專號 I 為止的三年期間，隨著武漢政府的崩潰，包含中間派到左派的知識分子逃亡到上海並在此聚集。這些知識分子不但被革命的挫折感折磨，而且在國共合作的安逸環境下只要提倡

20 參照小島，〈支那の社会科学作家（三）〉（《滿鉄支那月誌》第9年11、12號，1932年12月，所載），頁37。

反帝、反封建軍閥，即使不表明自己的政治立場，尤其是階級立場，也過得去，也就是說，在「革命」錦旗下的「友好」氣氛如今已消失。很多人都寫著，共產國際的內部抗爭以及給予中共的指令之混亂造成一些被革命挫折感打垮的中共關係知識分子之動搖，也帶來對共產國際的不信任感。不但有因為中共內部的分裂而產生的「取消派」（以陳獨秀為代表）、托洛斯基派（劉仁靜等人）的反幹部派（當時的中共主流又稱為幹部派）的活動，而且社會民主主義者或國民黨內部的改組派、民族改良主義者、自由主義者等趁此機會開始積極進行宣傳活動。在此狀況下，中共所提出的是「中國社會科學家聯盟綱領」（刊載於1930年9月10日《世界文化月刊》創刊號）。

綱領的要點主張擁護「革命的馬克思主義」，排斥「非馬克思主義——民族改良主義、自由主義及似是而非的馬克思主義的理論——社會民主主義、托洛斯基主義及機會主義」，有系統地指導中國的新興社會科學運動的發展，承擔擴大宣傳正確的馬克思主義的任務[21]。

《讀書雜誌》就是如此，可以說一開始就與中共對立，先天上具有這樣的體質（王禮錫在該誌上強調著，該誌是為沒有發言的場地、孤立的人們而公開）。

在《讀書雜誌》的執筆者中，沒有中共關係者的著名人物也

21 當時的中國共產黨對社會科學界所採態度，集中呈現於「中國社會科學家聯盟綱領——1930年」（《世界文化》創刊號 1930年9月10日所載，其後重錄於前述《中國現代出版史料，2編》，頁32～34）。發表時期是在《讀書雜誌》創刊以前，但可供參考吧。

是當然的事（王亞南和李達等人我認為其當時沒站在明確的政治立場。也就是說可認為他們是一些處於未分化的狀態，對政治的實踐敬而遠之，而只對馬克思主義有興趣的知識分子）。

因為在前述的綱領發表之後《讀書雜誌》才被創刊，所以神州國光社的後援者陳銘樞、《讀書雜誌》的總編輯王禮錫的政治意圖何在，直到如今還無法查明。

此事暫且不談，執筆者中有著名的托洛斯基派的鏡園（劉仁靜），屬取消派而與陳獨秀一起被除名的李季、嚴靈峯，以及論戰時站在托洛斯基派的立場對立的杜畏之，他是與嚴同樣從莫斯科回來的。在同仁和執筆者中，王禮錫是AB團的關係者，胡秋原是反幹部派的論客，還有與胡共同編輯神州國光社所出《文化評論》且曾為共產黨幹部的梅龔彬（聽說1931年7月他自日本的監獄獲釋後脫離了幹部派[22]）等人，如果說他們是神州國光社（包含十九路軍為後援者之事）的有力幹部，會遭受到中共及處於其周邊之文化人的集中砲火攻擊也是理所當然的事。

矢澤先前所述「帶有對共產國際及中國共產黨的領導之贊成與反對的性格，以及史達林主義和托洛斯基主義的對決之樣貌，而政治鬥爭化」，這個見解首先必須分成兩部分來考慮。政治鬥爭實質的場所並不在《讀書雜誌》上（該誌內部的政治鬥爭在某意義上應該可以認為像是茶杯裡的風暴），毋寧是中共關係者的旗手採取在外（在其他雜誌）的形式迎擊反幹部派利用《讀書雜誌》所做言論，這種看法並不會有太大的錯誤。

22 參照前述小島論文（二）（《滿鐵支那月誌》第9年第8、9、10號，1932年10月所載），頁81。

托洛斯基主義派以外，在《讀書雜誌》上場的代表性人物有：因1927年革命而與郭沫若一起循武漢到廣東之途而流浪，最後還是隱身上海的獨行俠朱其華（新繁），以及先前所提陶希聖等人。包括另具社會民主黨理論家面貌的王、胡等，是當時的南京政府所不能容納的人物集團。在「上海事變」的對日抗戰中，觸到南京當局的逆鱗而由此發展的「閩變」（指先前所提福建人民革命政府成立運動），是對抑止抗日、優先掃共之南京主流派的反抗，也可認為是王、胡等人透過論戰而摸索到（他們這樣認為）的國共以外第三條政治實踐之道，與十九路軍結合而演出的。《讀書雜誌》隨著後援者陳銘樞的下野被右派施壓而窒礙難行，促使王禮錫出國，接棒繼續編輯的胡也參加了「閩變」，在如此過程中，曾因社會史論戰而廣受年輕學者及學生們喝采的《讀書雜誌》終於走上廢刊之路。

在此所想起的是，在㊶論文中野原四郎教授把該誌寫成「日本的左派與他們對福建革命（指閩變）的評價相關聯，把本誌視為純托洛斯基派的機關雜誌」，日本左派是根據什麼而做了這樣的判斷並不清楚，但從目前的說明也可明瞭，它很難說是純托洛斯基派機關誌。又野原在該論文中也寫著「論爭的焦點在於把中國的社會仍視為半封建社會，或視為資本主義社會。代表前者（正確應是後者）的執筆者為王宜昌、任曙、嚴靈峯等人，後者（正確應是前者）的執筆者為朱其華、胡秋原、劉夢雲等人……」，應該如文中的括弧加以補正。

《讀書雜誌》絕不是純托洛斯基派機關誌，這一點至目前已經充分說明了。當時日本的政治情況是把所有的反對派混在一起稱呼為托洛斯基派，只能視為這種反應依然未做整理而放置著。冷靜地想想看，神州國光社所扮演角色不但沒有直接支援中共，毋寧藉由積極展開批評，把政治或思想的混亂帶給學生和知識分子階層，這是事實。但是，只因有了十九路軍的支撐才認為可能達成之合法的馬克思主義宣傳（將其出版物之一覽徵諸先前所提「簡明書目」，就很清楚吧），所扮演角色我想也可把這點合在一起重新評價不知如何呢？附帶一提，聽說陳銘樞目前在北京度餘年，書齋派馬克思主義研究家的李季也仍健在，現在大陸忙著翻譯事業，對於政治的複雜性、微妙性，抱著更深一層的感慨是否只有筆者一人呢？

我們已用相當長篇幅把《讀書雜誌》的周邊情事加以整理了。若我沒有記錯的話，社會史論戰開始不久的1928年，距離五四運動開始的1919年不到十年，又距離中共創立的1921年只不過七年。在此之間，僅屬主要的政治、軍事大事件就有五卅慘案（1925年）、1926年3月的中山艦事件。接著又有北伐、1927年4月12日的上海政變（在此之間發生共產國際的分裂、史達林與托洛斯基的抗爭，及中國革命對其之反映）、同年8月7日中共的八七會議（其間的南昌暴動及湖南、湖北、廣東、江西四省的秋收暴動）、同年11月的海陸豐蘇維埃的建立、1928年7月的中共六全大會（莫斯科）。《讀書雜誌》的論戰方酣之時，正當國民黨對蘇維埃區的包圍作戰（1930年末～1933年10月）。在此期間，接連不斷地發生滿洲事變（1931年）、上海事變（1932年）等等，的確短期間內在中國有著驚濤駭浪般的動盪。可以推想到的是，在其中包含國民黨左派在內的進步知識分子，必須站在自己的立場，深入追究以何種思維探索中國應走之路，應向何人尋求革命的能量。

在掌握上述整體的狀況後，再嘗試將論戰加以定位，若有如此態度的話，就不會把論戰局限在《讀書雜誌》的四冊專號，而且也不會犯下把評價靜態地判定的錯誤。又對於圍繞著革命實踐的戰略、戰術論，可避免性急而輕率地將其創出過程與社會史論戰加以結合而在欠缺實況把握之下，對兩者之關聯下判斷。

（二）戰前——以田中忠夫、池田孝的成果為中心

由資料的提示也可知，對當時中國社會科學界的動向有敏感的反應，而努力要把它反映到日本的，就是《滿鐵中國月誌》和《東亞》。

談到研究主體，就是以伊藤武雄為中心的滿鐵調查部上海事務所研究室的成員——天野元之助、宮本通治、大塚令三等人。當時他們在考慮什麼，有何意圖而進行此事？解開此疑點要靠小島麗逸（亞洲經濟研究所所員）對《滿鐵中國月誌》詳細的解題及研究的公開出版[23]，不過該雜誌所留下資料性價值將成為學界的貴重遺產。但要使該遺產發生正面效用，到底需要把學術前輩的成果活用在現代中國的，進而在亞洲的研究上，然後才能確立正確的中國、亞洲認識而開始做評價，那是不用贅言的。

23 亞洲經濟研究所調查研究部之〈中國關係新聞・雜誌研究會〉（預定最近刊出，做為主任調查研究員江副敏生【中央大學教授】、幹事小島麗逸【該研究所所員】成果的一部分）。

這個暫且不談。一看文獻清單，翻譯介紹偏重於《新生命派》（國民黨左派）的陶希聖，與接近中共幹部派即論戰史上的《新思潮派》的朱其華（新繁）——但朱絕非當時能代表《新思潮派》的人物——至於會偏重的理由是什麼呢？是只因為該雜誌的同仁之一天野與陶及朱有交情嗎？《新思潮》的王學文和潘東周等人的論文（可說是接近或反映當時中共的立場）未被譯載於本雜誌是由於當時的政治情勢（與學術自由之關聯）？或是因為個人的喜好？甚或因知道田中忠夫在進行該派的代表性論文的翻譯而有所「偏頗」呢？我不明白。我認為後者較有理由。

在介紹的整體過程中，很難得地看到當時中國學界的動向，或研究者的簡歷（未必所有都被正確報導，但加以評論後可供使用），或出版事宜的敏感報導，是可貴的。這些流傳當時活生生狀況之資料如今就在我們身邊，但非同時代研究者的戰後世代之研究者將它們拿來運作，充分培養歷史的「臨場感」後再來寫論文，這樣的例子依我的管見未曾知悉。說到社會史論戰即《讀書雜誌》，我們目前所見似乎橫行著像這樣安逸的作法，這正是忽視外國研究的介紹與研究之間的有效繼承發展的可能性。

筆者認為，要從介紹的階段蛻變出來，必須批判性地攝取前輩的各項成果，有效地將其融入自己的研究才有可能，而且要經過這種手續才能促進研究的深入。

我們在不知道當時整體的狀況、論戰旗手的簡歷、關聯雜誌的性格等條件之下，僅以四冊特輯來搬弄文字，提出中國社會史論戰結論的研究，即使能成為解釋（那絕對不是正確的解釋），也絕對不能成為原來的意義的研究。

這個暫且不談，讓我們進入主題吧。田中忠夫的論戰介紹，其最大功勞再怎麼說還是①的單行本《中國經濟論》的翻譯刊行。當然本書是論戰關係的代表性論文，稍微偏重中共幹部派的編譯而集結成書的。

順便把其結構及論文的原題與出處合併重錄如下。

第一篇潘東周，〈中國經濟之性質〉（《新思潮》第1卷5期——中國經濟研究專號——）。

第二篇王學文，〈中國資本主義在中國經濟中的地位、其發展及其前途〉（同原刊載第一篇）。

第三篇嚴靈峰（峯），〈中國經濟問題研究〉（譯自《中國經濟問題研究》【1931年，上海新生命書局】的〈自序〉、〈中國是資本主義的經濟還是封建制度的經濟？〉及〈再論中國經濟問題〉，而可說是最後一章的〈我們的反批評〉被割愛）。

第四篇伯虎，〈中國經濟的性質〉（《布爾塞維克》第4卷2期，1931年4月）。

第五篇夢飛，〈《中國經濟研究》之研究〉（《理論與批判》第1期）。

第六篇劉夢雲，〈中國經濟之性質問題的研究〉（《讀書雜誌》第1卷4、5期合刊中國社會史的論戰第一輯，1931年8月）。

第七篇任曙，《中國經濟研究緒論》（1931年，上海東明書社版，將其中第七章第二節〈我們的自信〉及〈附錄〉割愛，其他全譯）。

第八篇劉鏡園，〈中國經濟的分析及其前途之預測〉（《讀書雜誌》第2卷2、3期合刊，1932年3月）。

第九篇沈澤民，〈第三時期的中國經濟〉（《布爾塞維克》，第4卷2期，1931年4月）。

第十篇亦如，〈中國經濟問題〉（《研究》第一號，1932年4月）。

由以上一覽可知，屬中共機關報之一的《布爾塞維克》刊載論文有二篇，屬親中共的社會科學者團體「中國社會科學家聯盟」所出雜誌《新思潮》刊載的論文也同樣有二篇，該聯盟出版的《問題與研究》與《研究》兩雜誌各一篇，也就是《新思潮》派系的論文共占六篇。如今這些論文不但不易取得，連閱覽都不易，譯文雖有避諱不公開的字，仍可說是寶貴的資料。

如先前所述，嚴與劉都是屬於托洛斯基派（雖然有論點的對立）的人物。我預定不久的將來把論戰旗手們的略傳做出筆記來發表，嚴目前仍健在，不但在台灣當國民政府的國大代表，而且好像業餘從事著老莊關係的研究（也是《中華雜誌》的執筆者之一）。

關於任與劉夢雲二人未調查好，好像都沒有參加任何的黨派。

田中是直接參加《讀書雜誌》論戰的唯一日本人，值得大書特書。也有一說在武漢政府時代曾經跟隨在鄧演達旁。王禮錫也經常在《讀書雜誌》的文章上把田中當作知己的日本人。若有哪一位在做田中的經驗談、研究拾遺，但願能請其公開發表。

田中的另一個成果為㉜論文。該論文所運用的多方面資料，相信是依據豐富的當地臨場感及廣闊的人脈所收集的，另一方面也站在原理性的立足點，確實把中國社會科學的現狀活生生地傳達給我們。我認為其對傳統的中國研究者所鳴放的警鐘（參照前述）至今還有效，這樣看算是冒昧嗎？

池田孝的成果為㉚論文和㉛論文。前者為抄譯自李季的論文〈對中國社會史論戰的貢獻與批評〉，所以不予置評，而㉛論文可能是戰前在日本把社會史論戰做最具綜合性介紹的論文吧。但過於急切地加以政治主義性圖式化，連陶希聖都被判斷為已轉換成托洛斯基主義者[24]，各位以為如何？

在戰前，田中和池田都積極地把論戰置於中國的具體狀況下，做動態的評價，但此新芽在戰後不知為何總無法紮根。如果去吟味論戰的關係論文，問題應層出不窮吧。中國的社會科學在當時還太幼嫩。但是他們多數因革命失敗，在極端失意下開始自我思考，這在當時對學生的接近中國問題上，可以說至少起了開竅的作用。的確，供論戰交鋒的言詞本身並非當時最重要的問題，言論活動本身如何使年輕學生啟蒙而把他們與革命實踐結合在一起，這才是對他們來說當時的緊急問題。即使他們所說的，在開始只不過是應急的雕蟲小技，但因為他們的議論是站在中國的立場，只要他們保持經常持續挖掘自我內部的態度，最後挖到的不是石頭而會是寶玉吧。

我們的意識中有個習性，就是往往會把開發中國家的政治家或研究者的言論，或政治主張認為只不過是雕蟲小技而一笑置之。對我們而言，即使他們的言論或政治主張有如雕蟲小技而令人要付諸一笑，如果其言論在他們的實際社會裡起著現實的作用，那麼我們是否該基於我們學術性的興趣，依據我們的尺度對

24 參照池田孝，〈支那における支那研究の回顧と展望〉（《東亞》第7卷第8號，1934年8月所載），頁41。

其加以評論，不如更應該探究他們的言論或政治主張在當地起著什麼作用來做為我們的研究課題？

結論

因篇幅有限，本稿也可說是兼提供資料，持續以筆記的形式，專心地寫下在過濾社會史論戰周邊過程中所獲得的些許成果。在寫作過程中，急切地想踏入論戰的內容，被這種衝動所逼不只二、三次而已。說現在還在被逼也不為過。但是手不沾濕就撿不到水底的石子，何況對於一個夢想撿到玉塊的男子，不得不持續苦行，並為了抑制焦急的心情而痛苦著。

填埋護城河的石頭即使只是一個，如果確實投入，必能發揮作用。空中樓閣、玩言詞遊戲或剪剪貼貼的邏輯展開，在欠缺整體狀況掌握下急著加以定位，或搬弄文字以綴接文章等等，我不想掉入這些陷阱。因而在此為了鍛鍊自己寫下血脈相通的歷史，除了站穩自己的立場，挖掘自己的洞穴，我想別無他法。

我對矢澤的成果也不無過於執著之感。在與矢澤的對話中，自己其實有錐心之痛。敬請寬容。

在整理的過程中，所發現的最大寶物就是只要有問題意識，無論如何都有查明的方法，雖然說來乃常識性之事。

我非常明白本稿所提出的文獻目錄還不夠充分。對於中國方面的文獻，何幹之把所謂的社會史論戰分成《中國社會性質問題論戰》和《中國社會史問題論戰》二冊而進行他自己的總結，這也是在這次的作業過程中發現的（兩者都是生活書店，1937年的刊行）。

下面的話不是我說的，是我親近的年輕日本朋友對我的詢問，不，應該可以說是感歎發言的紙上再錄：「戰前日本的中國學界沉迷於亞洲的生產模式且被魏特夫操弄，他們認為社會史論戰研究太貧乏，這樣說會太過分嗎？或說是因為中國革命成功了就變得沒有問題嗎？或說是因為忙於解釋中國社會主義的建設而無法騰出時間的關係嗎？若在歐洲提起亞洲的生產模式，則老師們又會爭先恐後撲向亞洲的生產模式，為什麼我們總是這樣呢？」在寫此再錄時，不知有多少次把它撕毀又重寫，心裡充滿矛盾。膽敢毅然再錄是因為希望在致力於本課題時能做為警惕自己的話語而有效地活用，並希望藉由留下該再錄做為與年輕日本學者的心靈感應的一個紀念。對於上述的詢問，我做了下述不像是在答覆他的回答，並希望一併做為紀錄留下來：「其實我也不太明白。不過現在的中國熱會變得如何？並非從政治，而是在研究上應該如何考慮才好呢？」

遺憾的是，最初所預定對於戰前的介紹和研究的推移，將其與滿鐵上海事務所研究室集團、田中忠夫（暫時稱為在中國集團）及在東京的池田孝、平野義太郎、鈴木俊、志田不動磨等人的成果及當時的發言，找出發掘關聯性而加以整理，以及正要發芽的科學性亞洲研究、對亞洲的認識後來變為如何，與戰後的研究有無關係，本來想將其弄清楚，卻因心有餘力不足而未能達成。〔以上蔣智揚譯〕

本文原刊於《アジア経済》第13卷第1號，東京：アジア経済研究所，1972年1月，頁57～72

問與答

本報告於11月6日發表當日，由於報告者（戴國煇）突然身體不適而中止。之後，1972年2月22日於現代中國學會關東部會（東京大學社會科學研究所）報告。參加者有20人。由於內容刊載於《亞洲經濟》第13卷第1號，因此省略本文。

主要之提問與回答：

問：日本的主流看法視中國社會史論戰為日本講座派與勞農派論爭之移植，關於這點，你們如何看？

答：由於現時點尚無法斷定，因此最好看做毫無關係。輕易地認定中國的論戰是日本論爭之移植版，此想法不是反而值得研究嗎？

問：毛澤東的《中國革命和中國共產黨》是否與此論戰有關？

答：一般認為不太有關係。——詳細說明論戰參與者之後的生活方式。

問：研究作品與作者在文學史研究的關係上極具功效。社會科學最好也能引進這種方法。另外，日本戰後十數年間的中國研究，視中國革命的純粹性與普及性為一體。文革所披露不正是這種方法？

答：所有的歷史，在包容異端向前走才會產生活力。日本的中國研究為何缺漏台灣？為何缺漏國民黨？如能包容這些研究，再試著建構中國近代史，自然會指向到新的研究方法，或可說要不要把歷史臨場感這東西納為己用，不是重要的要素嗎？

（小島記）〔以上李尚霖譯〕

本文原刊於《現代中国》第47號，現代中国学会，東京：1972年6月15日，頁100。原題「関東部会ニュース」

戰後台灣農業之發展

◎ 蔣智揚譯

前言

依據1970年2月12日《中央日報》的報導，1969年農業綜合成長率（包括耕種、林產、水產及畜產）下降了0.2%，其中耕種大幅下降了2.6%。

台灣經濟至目前能夠維持高度成長的主要原因之一，是台灣農業在開發中國家間開展了一般難以見到的高度生產力。

有關成長的內容後面再談。台灣農業於1953年至1968年之間的綜合平均年成長率維持在5.2%，耕種為稍低的4.5%。在此期間呈現負成長率的僅有1963年綜合的0.5%一次，耕種則有1955年的1.5%及1963年的1.4%兩年。

尤其最近五年（1964年至1968年）之綜合平均年成長率為7.8%，耕種也特出高達7.1%，但1969年的成長卻大幅下降，對台灣當局不啻為晴天霹靂。

國民政府的上述發表，認為造成成長率下降之原因，主要為受到1969年9月及10月之兩次颱風帶來的災害之影響。但如果從台灣報章雜誌之報導做詳細檢討，則可知情況絕非如此樂觀，並不能僅以天災說明。

事實上，一些有識之士對於農業生產的停滯傾向及農民經濟的疲弊所發出的警訊，是以「危機」來明白表示的[1]，又政府當局要員也曾於颱風發生之前就婉轉地提出相關問題[2]。

上述問題在秋收後被提出，接著開始以過去未有的形式，就農業不振有關之問題一起進行公開討論。政府當局也接二連三地提出前所未見之漂亮的（？）各種農業對策。

本章就此等對策所進行1953年以來全面性的農業發展加以探討，並且將日本統治期之經濟尖峰期的1939年設定為比較基準之一。

再者，預定將戰後之開展以三個時間點為中心加以考察介紹。其一為1953年，此時一般認為農業生產已恢復到戰前之水準。其次為1963年[3]，此年為台灣經濟之發展期的開始。最後為1968年，此時為可能取得最新資料之年度。

第一節　台灣經濟與農業

如眾所周知，戰前台灣的經濟是以農業為中心，當時的農業

1 陳哲三，〈當前台灣農村危機及其解決途徑〉（《中國經濟》，台灣發行，第227期，1969年8月10日刊載）。字下圓點係引用者所加。

2 沈宗瀚（中國農村復興聯合委員會主任委員），〈當前農業發展幾項重要問題之檢討〉（《中央日報》，1969年2月23日刊載）。

3 詳細請參照拙稿〈戰後台灣經濟的發展與未來〉（《アジアレビュー》1970年第2號刊載），頁40〔參見《全集》7〕。

是以稻米和甘蔗為主。首先讓我們查看農業生產在台灣總生產價格上所占的比例是如何變化。

1939年之各種產業生產總價格約為12億4,300萬日圓，其詳細項目如下[4]：

工業：5億7,100萬日圓（占總額之45.94%）。分為：

1. 特產（砂糖、鳳梨罐頭、製茶）：3億2,450萬日圓（占總額之26.11%，占所有工業之56.83%）

2. 一般工業：2億4,650萬日圓（占總額之19.83%，占所有工業之43.17%）

農業（含耕種及畜產）：5億5,200萬日圓（44.40%）

水產業：3,500萬日圓（2.81%）

林業：2,500萬日圓（2.01%）

其他：6,000萬日圓（4.80%）

依照上述的統計，工業占第一位。但若考慮廣義的農林水產業，則第一位為農業部門，其比例占49.22%。又上述所稱之工業中，農產品加工比例超過半數（56.83%），所以農業在全台灣經濟上所占比重，依然極為重要。為觀察戰後農業部門及非農業部門占台灣經濟的比重的變遷，茲提供國民所得依產業別之占有比例，以供參考。

4 依台灣總督府殖產局，《台湾の工業》（昭和16年10月15日）頁8及該局《台灣農業年報・昭和16年版》頁22～23計算編成。又在總生產價格中，農作物及農產品加工品之價格認為有重複，本文稿由於時間匆促，而照樣引用之。

表1　國民所得依產業別之結構比例（%）

年次	第1級產業	第2級產業	第3級產業
1953	38.0	16.9	46.1
1963	26.7	25.6	47.7
1968	23.8	28.7	48.1
1969	20.8	30.2	49.4

資料來源：1953年及1963年取自C.I.E.C.D., *Taiwan Statistical Data Book*, 1969, 頁18。1968年及1969年取自自由中國之工業發行委員會編印《自由中國之工業》第33卷第5期，頁153～154。附帶說明，第1級產業包含農業、水產、畜產業；第2級產業包含礦業、製造業、建設業；第3級產業包含運輸、通信、電氣、天然氣、商業、金融、公務及其他服務業。

由表1可見，雖還處於低所得水準，第3級產業之結構比例不合理地偏高，由此可見台灣產業之結構正在走向高度化。

尤其由第1級產業及第2級產業之結構比例可知，前者很明顯地往下降，後者則急速往上提升，二者成對比在進展。在1963年第1級產業及第2級產業之結構比例開始有了轉機，工業部門逐漸超過農業部門而占優勢。1969年後者占30.2%，而前者占20.8%。

以下再來查看，隨著上述急速的工業化，就業人數依產業別之結構比例發生如何變化。表2顯示就業人數之結構比例。在此表中，1963年以前之統計對象為12歲以上的就業人數，而1968年之統計對象為15歲以上的就業人數，所以難做嚴謹的比較。儘管如此，至1968年第1級產業的就業絕對人數不斷地在增加可說是最大特徵。

有關農民戶數及農民就業人數待後再談。在此可以明確地斷言農民就業人數的變動，與國民所得依產業別的變動（所謂產業

表2　就業人數依產業別之結構比例（%）

年次	總就業人數		第1級產業		第2級產業		第3級產業	
	（1,000人）	（%）	（1,000人）	（%）	（1,000人）	（%）	（1,000人）	（%）
1953	2,954	100	1,812	61.3	271	9.2	871	29.5
1963	3,617	100	1,972	54.5	424	11.7	1,221	33.7
1968	4,337	100	2,144	49.4	681	15.8	1,512	34.7

資料來源：依C.I.E.C.D. *Taiwan Statistical Data Book*, 1969頁7～8製成。唯1963年以前之統計對象爲12歲以上的就業人數，而1968年之統計對象爲15歲以上的就業人數。

結構之高度化）之間並未充分對應。

在1953年農林水產業占國民所得38.0%，而現在（1968年）占23.8%，下降了14.2%，可見農業在台灣經濟上的比重有明顯的下降。但在此期間，就業人數的比例僅下降了11.9%，由此可想像出，農業就業人數與其他產業就業人數之間，每人所得有相當的差距。尤其在台灣，農民的稅捐負擔（參照後述）遠大於非農業部門，我們由此逆推，其差距更大。這是用簡單的算術就可了解的不爭事實。

以上我們從產業結構及國民所得概略觀察農業，其次也可從貿易結構面窺探農業在台灣經濟上所占的地位。

如表3所顯示，1953年至1968年之16年期間，其總輸出額為從1.3億美元增加至8.4億美元，增加約7倍弱。在此期間，農業及農業加工品之絕對額從1.2億美元增加至2.8億美元，增加2倍以上。但隨著絕對額不斷地增加，相反地其占有比例從1953年92.7%之絕對優勢下降至1968年之33.6%，下降了一半以上。值得注意的是在此下降趨勢中，農產品獨自維持在13%的輸出比例，

表3　農產品及農產品加工之輸出額

年次	總輸出額（1,000美元）	農產品	農產品加工	工業產品
1953	129,793 100（%）	17,019 13.1	103,275 79.6	9,499 7.3
1963	363,467 100（%）	48,204 13.3	158,617 43.6	156,646 43.1
1968	841,775 100（%）	109,261 13.0	173,365 20.6	559,149 66.4

資料來源：依C.I.E.C.D. *Taiwan Statistical Data Book*, 1969，頁136製成。

在金額上從1,700萬美元增加至1.1億美元，大幅增加6倍強。儘管稻米的輸出額減少（參照表4），當時能夠繼續維持看好的行情及增加輸出，完全是由於蔬菜、果實類、豬肉及魚類等對日本、香港及新加坡之輸出急速成長所致。由於這些資料對判斷今後的動向很重要，所以在此附記之。

對此暫且不提，農業部門在1953年的輸出額占92.7%，賺取金額1.2億美元，其在輸出方面所完成的任務，對於當時處於外匯存底絕對不足、內戰失敗下，不得不退守台灣孤島的國民政府之困境而言，具有甚大意義。的確，國民政府自1953年開始實施的四年經濟建設計畫，其所提出「以農業培養工業」的口號已獲得充分回應的事實，在輸出方面亦可充分印證之。即使台灣經濟於1963年進入發展期，農產及農產加工品之輸出占總輸出額之56.9%，仍扮演重大角色。

有關農業生產之具體內容待後再詳細說明，不過傳統的二大農作物當然是稻米及甘蔗。關於稻米和砂糖兩種產品的輸出變化將於表4說明。

表4 砂糖和稻米之輸出額

年次	總輸出額（1000美元）	砂糖	稻米	小計（砂糖＋稻米）	其他
1953	129.793	90,255	11,354	101,609	28,184
	100（%）	69.5	8.8	78.3	21.7
1963	363,467	105,987	23,525	129.512	233,955
	100（%）	29.1	6.5	35.6	64.4
1968	841,775	50,525	13,930	64,455	777,320
	100（%）	6.0	1.7	7.7	92.3

資料來源：依C.I.E.C.D. *Taiwan Statistical Data Book*, 1969，頁137製成。

台灣農業二大商品的稻米和砂糖，1953年輸出約1億美元（總輸出額之78.3%），而1963年之輸出稍微增加，約1.3億美元（總輸出額之35.6%），但1968年之外匯收入僅6,500萬美元，約為1963年之一半（僅占總輸出額之7.7%）。想起1963年及1964年為世界砂糖市場景氣最好的時期，就知道砂糖和稻米的輸出會降到如今的地位，早已開始出現徵兆。

從表3及表4可知，農產及農產加工品中之砂糖和稻米在輸出總額上所占的比例，我們可將其變遷情況整理如下。農產及農產加工品在1953年之輸出總額上占92.7%的比例，其中78.3%實際為砂糖和稻米，其他僅占14.4%。到了1963年，同樣地56.9 %之中35.6%為砂糖和稻米，以往曾為二大輸出商品之砂糖和稻米所占的地位，呈現大幅的下降。此地位下降持續到1968年時，農產及農產加工品整體還占輸出總額之33.6%，其中砂糖和稻米實際上僅占7.7%，在結構上不得不說發生了很大的變化。造成稻米和砂糖地位滑落原因之一可說是由於向日本稻米的輸出不振及世界砂糖過度生產造成糖價下降所致。不僅在此比例上，在其金額上也一樣，1968年農產及農產加工品之輸出額約為2.8億美元，其中砂糖和稻米總計卻僅有6,400萬美元。很明顯可知道，不僅農業與工業之間在輸出結構上有了變化，在農業部門內也有顯著的變化。

讓我們觀察在貿易另一方面的輸入。

在日據時期尖峰期的1939年，農產品之主要輸入只限於大豆（約650萬日圓），做為飼料及肥料之大豆糟，及由日本移入的小麥粉（約760萬日圓）。當年的輸入及移入總額約4億900萬日圓，其中大豆及小麥粉（合計金額約1,400萬日圓）實際僅占其3.4%之極少量[5]。

在此做一比較，戰後農產品之輸入，不但輸入來源地不一樣，而且金額也增加很多。農產品之項目則為未加工的小麥及玉米，並新加入豌豆。

其輸入額從1953年約3,000萬美元（以小麥、大豆、豌豆及玉米為主）增加到1963年5,000萬美元，再急增至1968年約1.1億美

表5　輸入肥料及農產品之變遷　　單位：1,000美元

產品項目	1953	1963	1968
化學肥料	18,381	15,609	9,345
小麥、穀物類※	11,826	29,411	61,222
小麥粉	6,416	—	287
大豆、豌豆	14,890	20,661	44,718
小計　(肥料除外)	33,132	50,072	106,227

資料來源：C.I.E.C.D. *Taiwan Statistical Data Book*, 1969，頁140。
※穀物主要爲玉米。

5 由台灣總督府《台灣事情・昭和15年版》，頁662～682計算出。

元。因為1968年之輸入總額為10億美元強，所以其比例為10%，所占的重要地位為日據時期所不能匹敵。尤其小麥和玉米的輸入從1967年3,000萬美元到1968年6,000萬美元增加一倍，1969年更將邁進7,000萬美元，預料未來還具有增加的趨勢。大豆及豌豆的增加傾向幅度雖然略小於小麥和玉米，但仍從1967年3,800萬美元增加到1968年4,500萬美元，強烈顯示到1969年更有超越5,500萬美元的增加趨勢。

上述的輸入農產品當然主要為美國的剩餘農產品[6]。國民政府不但一方面考慮依480號公法（PL480）以輸入剩餘農產品運用相對基金，並藉由以此等輸入來交換輸出諸如稻米、鳳梨及香蕉等高價農產品，而採賺取外匯之政策[7]。但由於這二、三年日本發生稻米生產過剩，又台灣香蕉的相對優勢也逐漸在喪失中，上述的優勢當然也與以前不同。在此狀況下增加輸入的傾向實際上已引起雜作農民的強烈反感。

新的消費需求（對麵食、植物油以及動物蛋白質的需求），其擴大也可算是輸入增加的另一個原因，但若僅就貿易方面而言，今後能否充分配合，將飼料相關農產品的輸入增加，透過迂迴生產轉為輸出（例如豬隻等），其問題將會有所不同。

---

6 上述1967及1968年之數字均引用自C.I.E.C.D. *Taiwan Statistical Data Book*, 1969，頁140。1969年為自由中國之工業發行委員會編印《自由中國之工業》第33卷第5期（1970年5月），頁84～85，以40元= 1美元換算而得。

7 參照由笹本武治及川野重任編，《台湾経済総合研究》上卷之拙稿〈台灣經濟發展與美援〉，頁326〔參見《全集》7〕。

第二節　農家人口及農業勞動力

戰後台灣農業還有另一個明顯的特徵，無關乎急速工業化的進展，僅以統計觀察，至1968年，不但農家戶數、農家人口及農業就業人口之絕對數都未呈現減少，甚至還有微增的傾向。

自1953年以來台灣經濟已達到驚人的高度成長。實質經濟成長率為1953至1968年平均8.5%，1950年代（1953至1960年）平均6.9%，1960年代（1961至1968年）平均10.0%，尤其1963年以後年平均為10.7%之高成長率。

農、工業生產在1953至1968年間之平均成長率，前者為5.2%，後者則為其2.6倍多的13.9%。

若將1952年的生產指數當作100，觀察生產指數的動態，則1968年的工業生產指數：綜合（含建設）為801.1，製造業竟為908.8，在16年間約成長了9倍。與此相較，綜合農業生產指數為226.0，其順位為水產業403.9占第一位，第二位為畜產業之305.7，第三位為林業248.0，最末位為耕種之202.3，在該期間僅成長了2倍。

工業化的具體的展開正如眾所周知，1950年代已達成輸入替代工業之扶植。尤其在其初期，纖維（以棉紡織為主）扮演了火車頭的角色，不久後，化學肥料、水泥、PVC及玻璃工業也繼之興起。進入1960年代之後，有引入外資的製藥，以及本地資本的食品加工和家電都呈現急速的開展。1963年以後，在上述工業之外，由於大幅的引入外資，像家電尤其電子工業之新興工業，開始呈現發展。目前之實況為正要從輕工業階段轉移到重化學工業

表6　農家戶數及農業人口之變遷

年次	總戶數（戶）	農家戶數	總人口（人）	農家人口	農業就業人口（1000人）	農家每戶平均人數（人）	農家每戶平均就業人數（人）
1939	1,007,624	428,492	5,895,864	2,924,781	1,474	6.8	3.44
（%）	100	42.52	100	49.61			
1953	1,535,125	702,325	8,438,016	4,381,816	1,812	6.2	2.58
（%）	100	45.75	100	51.93			
1963	2,118,281	824,560	11,883,523	5,611,356	1,972	6.8	3.39
（%）	100	38.93	100	47.22			
1968	2,465,965	877,114	13,650,370	5,998,797	2,144	6.8	2.44
（%）	100	35.57	100	43.95			

資料來源：

(1)總户數、總人口

1939年爲摘自台灣省行政長官公署統計室編印《台灣省51年來統計提要》。

1953年爲摘自行政院主計處編印《中華民國統計提要》（1957年）。

1963年及1968年爲摘自行政院主計處編印《中華民國58年統計提要》。

(2)農家户數及農家人口

1939年爲摘自台灣總督府殖產局《台灣農業年報・昭和15年版》。

1953年爲摘自台灣省政府農林廳《台灣農業年報・1959年版》。

1963年及1968年爲摘自同《台灣農業年報・1969》。

(3)農業就業人口

1953，1963，1968年爲摘自前引 *Taiwan Statistical Data Book*, 1969。

1939年之農家就業人口是以當年的農家户數乘上3.44人，該3.44人爲取自台灣經濟年報刊行會編《台灣經濟年報・昭和16年版》頁119所載「依台灣總督府的農家勞動調查換算成男性成人，農家每户平均就業人數爲3.44人」，希望不久能查得原資料加以補正。

階段之時期。

如此進行了工業的多樣化，與此同時也為各個企業多多少少帶來了其規模之擴大。

以如上述台灣經濟的變化為背景，我們希望追蹤考察農家戶數、農業人口及農家就業人口之變遷。

首先為農家戶數的動態，自1939至1968年為止之約30年間，增加了1倍多，這一點希望能喚起注意。增加特別激烈的是在1939至1953年。其增加的原因一般可舉因戰爭而歸鄉及傳統的均分繼承。特殊原因可舉對應「耕者有其田」（即農地改革，自1953年5月開始正式實施）之中小地主的歸農（其中不難想像也有僅為形式而已）。如後所述，台灣農地改革分三階段實施。第一階段之「三七五減租」於1949年實施，此不論在主觀上或客觀上，具有政府對地主預告實施農地改革的意味。 其結果，1949年的62萬戶農家戶數，在四年後的1953年急增了8萬戶，突破70萬戶大關。

暫且不提農戶之絕對數目的動態，農家戶數占總戶數的比例在1939年為42.5%，除了只有一次在1953年約增加3.3%成為45.8%外，其他為減少傾向，目前1968年為35.6%。

其次為農家人口的動態，由於平均每戶農家人數自1939年以來幾乎穩定維持在6.8人，其增加趨勢可說大略與農家戶數保持平行的變動，目前1968年約有600萬人（占總人口之43.95%）屬於農家人口。

農家人口占總人口數的比例，在1910年為63.25%[8]（自本世紀初開始即顯示這麼低的比例，這種情形若不提台灣社會經濟史的背景就無從想像）[9]，到1939年降為低於5成的49.61%。1953年

8 參照Rural Economics Division, JCRR, *Taiwan Agricultural Statistics, 1901～1965*, p.7。

9 有關此社會經濟史之背景請參照仁井田陞博士追悼論文集第3卷《日本法とアジア》所收之拙稿〈晚清期台灣的社會經濟——並試論如何科學地認識日人治台史〉〔參見《全集》6〕。

恢復到5成，1957年再下降，又低於5成，目前（1971年）可說快要低於4成，確實只呈現在緩慢下降。

在此引起我們注意的，是農業就業人口之增加趨勢比農家戶數及農家人口增加趨勢明顯地緩慢。自1939年的147萬人，成為1968年的214萬人，僅增加了67萬人。因此平均每戶農家就業人數從3.44人降至2.44人，即減少1人。

其減少之原因可被認為：在1950年代初期，就有關農家戶數增加的性質而言，幼少年人口在家庭成員年齡結構上的比例較高，1950年代下半期以後義務教育更加徹底，農地改革後所見升學率之普遍提高，還有隨著工業化之勞動市場（尤其僱用年輕女子勞動者機會之擴大）的發展，增加了在家就業的機會。當然每戶平均耕地面積之減半也可說成為將上述年輕勞動者從內部擠出之力量。

如上所述，儘管達到了極快速的工業化，但農家戶數、農家人口以及農業就業人口之絕對數都未減少，像這樣的情形，在世界上也沒有例子吧？尤其就業人口之動態舉日本為例，從明治8年到昭和5年，可說是包括日本產業革命及產業資本確立期在內之時期，在此期間農林業人口大約維持在1,400萬人，只有稍減沒有增加，更談不上增加5成。

如上所刊載之表2中所示，台灣的農林水產業就業人口占總就業人口的比例，從1953年的6成有減少之傾向，但目前1968年僅稍破5成降至49.4%。此情形與農林產業就業人口之絕對數的增加傾向相互作用，其實從工業在台灣所帶來的僱用結構，以及新僱用機會的勞動力供應來源有特殊性，可看出其原因。

若將至目前台灣工業化之主要承擔者以企業的公私別來觀察，論生產額則至1957年公營企業占5成以上，自此以後私營企業占優勢，目前1968年公私營之比例為3：7[10]。私人企業的成長當然由純粹的民間資本強力支持而來，但其中也有採民營形式者，實質上是由「行政院國軍退除役官兵輔導委員會」（簡稱退輔會）所創立之企業，該會策劃大陸出身退役軍人的救濟並輔導他們在生產事業投入勞動力及技術而呈現了近年來急速的成長，這一點是不可忽略的。

退輔會主任委員趙聚鈺在該會創立15周年紀念日（1969年11月1日），表示「退輔會15年來處理了182,997位退役軍人之社會復歸，創設了19個事業機構」（《中央日報》，1969年11月1日）。

據說至1950年從大陸遷移到台灣的軍隊約有60萬人。因為已經過了21年，推想其中5成以上已達到退除役年齡是甚為合理的。

筆者雖未明確掌握復員的確實人數，但因為復員都幾乎未歸農（只有極少數在橫貫公路沿線一帶從事高冷地農業），相信其大部分都流入到第二級及第三級產業。不難想像也有相當多數不經過退輔會的社會復歸人員。

公私營企業（尤其退輔會相關企業）之新增僱用人員中，有

10 參照C.I.E.C.D., *Taiwan Statistical Data Book*, 1969，p.52。

相當多的人是由上述退除役軍人所供應的，這也是可以推理而知。另一勞動力的供應來源可看出是來自原為寄生於社會，屬於非生產性人口之舊地主階層的子弟，他們由於農地改革被擠到勞動市場而發揮機能。在其他國家案例中難以看到有此二種勞動力之供應來源，筆者認為在相當範圍內牽制農村勞動力的外流。

阻擋農家人口外流的另一個要因可認為是，纖維、罐頭工業（食品加工業之中，鳳梨、蘆筍及洋菇等）以及製藥和電子工業中幾乎所有部門都仰賴農村女子年輕階層的勞動力，單身就業且工資低，很難維持生活，而停留在補助家計的就業結構，由於此關係而使相當多的勞動者不得不住在家通勤工作。

由上述的情形，認為可說明農業結構，尤其農業人口結構，即使在快速的工業化進展下也未呈現很大的變化。

又從這些情形具體反映出台灣經濟在工業部門顯現規模的擴大及激烈的變化，但在農業部門呈現幾乎無變化的緩慢變化，只要實地去察看，就可了解都市與農村之間有明顯的生活落差。

在高度成長經濟之下，平均每人實質國民所得的成長率，1953至1968年平均為4.6%，1950年代（1953至1960年）特別低為2.9%，1960年代（1961至1968年）為6.4%，可說是1950年代的倍數以上。然而從產業別國民所得的比例推測，農村經濟已受到相當大的不良影響，以後預計還會繼續受到影響。

1953年的農業就業人口為6成多，由於只生產了國民所得的38%，所以不難想像農業部門平均每人國民所得從2.9%之成長率停頓在更低的成長率。即使在成長率為倍數以上的1960年代，農業就業人口也依然只稍微低於5成，只生產了23.8%之國民所得（雖然就業人口之比例減少1成，但只因產出國民所得減少近2成【參照表1及表2】，就應該看成農工間的所得落差更加擴大了），所以應該看成農村經濟已受到更大的不良影響。在國民政府的四年計畫中有「以農業培植工業，以工業發展農業」之口號，筆者以上述為依據認為後者尚未實現，但前者確實已實現。

由於這些背景，雖然耕地減半，但平均每戶的農業就業人數並未照樣減半（僅從1939年之3.44人減少1人成為2.44人【參照表6】），其所產生機制使農民加速走向勞動密集、多肥農業，進一步推行土地利用的高度化，傾向以商品作物為主的多角化農業及加強兼業化。

接著也來看一下持續上述漸增傾向的農家及農業人口，及其經營規模。

耕地面積在1939年約為86萬公頃，1953年增為87萬公頃，1963年一樣為87萬公頃，目前1968年約為90萬公頃弱，比1939年僅增加4萬公頃而已。所增加的4萬公頃也是將邊際效用的山坡地及經排水開墾的溼地〔譯註：如海埔新生地等〕變為耕地而增加的部分（若加上農地的轉換為工業用地或是住宅用地的填補部分，則新開墾的低生產力耕地所增加部分更多），所以其土地生產性並不高。

對於幾乎未增加的耕地，農家戶數由1939年的約43萬戶，變為1953年的70萬戶，1963年為82萬戶，目前1968年為88萬戶，平均每戶的耕地面積在1939年約為2公頃，1953年為1.24公頃強，

表7 經營規模別農家戶數比例之變遷

平均每戶耕地（公頃）	1939年	1955年	1960年	1965年
0.5公頃以下	25.61	30.15	33.97	37.86
0.5～1.0	20.62	26.17	27.02	28.76
1.0～2.0	25.91	26.65	24.17	23.08
1.0～1.5	—	16.83	15.17	14.97
1.5～2.0	—	9.82	9.00	8.11
2.0～3.0	13.17	9.33	8.16	6.66
3.0～5.0	9.56	5.06	4.54	2.99
5.0～7.0	3.01	1.18	1.18	0.65
7.0～10.0	1.36	0.58	0.57	
10.0以上	0.76	0.34	0.39	
計	100.00	100.00	100.00	100.00

資料來源：
1939年：前列《台灣農業年報・昭和15年版》。
1955年：台灣省農業選樣普查委員會編印，《台灣省農業選樣普查報告・中華民國四十五年》。
1960年：台灣省政府農業普查委員會編印，《台灣省農業普查報告・中華民國五十年百分之十選樣普查》。
1965年：同上《台灣省農業普查報告・中華民國五十五年百分之五選樣普查》。
註：1939年和1955年之單位爲甲步，因1甲＝0.9699公頃，故照樣引用。
〔譯註：「步」爲日本尺貫法之面積單位。與「坪」相同，約爲3.3平方公尺。「反」約爲993平方公尺。「畝」爲「反」的十分之一〕

1963年為1.06公頃，目前1968年變為更狹小，僅0.9公頃，不到1公頃[11]。

在此也討論一下在平均每戶耕地減少為一半以下的過程中，有關經營規模別農家戶數比例的動態。

台灣的農家與日本一樣，若與外國比較，則屬於以經營規模

11 參照C.I.E.C.D., 頁30。

極小的家族勞動經營為中心。其經營規模雖小，在1939年階段與日本的9反8畝（除北海道之外）做比較，面積卻為2倍。

由表7可見，在平均耕地面積減半之下，0.5公頃未滿的超零星農家比例從1939年之25%，急增了5%而達到1955年之3成，1960年再增加約4%弱成為33.97%，1965年更行大幅零星化傾向，接近4成而成為37.86%（戰後農業年報不知何故忽略了有關經營規模別農家戶數之統計，因此很遺憾無法做出至目前各年度之比較）。面積0.5至1.0公頃之區間也與0.5公頃未滿之區間一樣有增加傾向，尤其在1955年增加了6%，與0.5公頃未滿做比較反而增加幅度稍大一點。但若將1960年與1955年做比較，則增加之勢趨緩，僅見增加1%強。但1965年增勢則接近2%，占28.76%。至於1.0至2.0公頃之農家動態，在1955年雖然中農也曾一度有壯大的跡象，但到1960年就減少了，甚至比1939年更為減少，1965年再滑落到23.08%。2.0公頃以上的農家也跟著有減少傾向，其減少幅度從1939年至1955年特別大，其理由可考慮為舊殖民地時期一部分農園之解體（農地改革時公有地之開放放領），以及為應付農地改革，又因均分繼承而更行分割等。

從1955年到1960年的動態過程中，令人注目的應該是5.0公頃以上的戶數趨向穩定。但此趨勢在1965年也起了變化。1965年以5%做抽樣調查，雖然不能確實斷言，但可以發現與3.0至5.0公頃階層的農家戶數比例同樣，大約減少一半，或者比此更為減少，實在令人驚訝。

無論如何，僅觀察戰後可提及的是，5公頃以下的農家都有零星化傾向，如此目前到1965年的台灣農家實際上有4成為超零星農家，2公頃未滿的農家約占總農家數之將近9成，事實上是在執行家族勞動經營。

第三節　農業生產的發展

（一）由生產額觀察農業生產之發展

我們前面曾使用國民政府經濟部所發表之數字，將1952年農林水產業的生產指數當作100，而記載了1968年綜合成長達成為226.0，同年的耕種為202.3，林業為248.0，水產為403.9，畜產業為305.7。

在此希望進一步利用台灣省農林廳的資料，有關其總生產額、各部門（為了與1939年做比較，加上養蠶）之生產額，以及各部門生產額各占總生產額之比例，追蹤其變遷。

表8　農林水產業生產額及各業種占總生產額比例之變遷

年次	耕種	林業	水產業	畜產業	養蠶業	合計
1939年（1,000元）	479,206	24,814	35,089	72,543	77	611,729
（%）	78.34	4.06	5.74	11.80	0.06	100.00
1953年（1,000元）	7,470,299	524,817	768,022	1,209,949	1,164	9,973,087
（%）	74.90	5.26	7.70	12.13	0.01	100.00
1963年（1,000元）	19,065,232	1,400,382	2,608,995	6,985,536	5,107	30,065,252
（%）	63.41	4.66	8.68	23.23	0.02	100.00
1968年（1,000元）	29,399,177	3,044,357	5,193,417	11,225,758	6,144	48,868,793
（%）	60.16	6.23	10.63	22.97	0.01	100.00

資料來源：

1939年：前引《台灣農業年報．昭和16年版》。

1953年：前引《台灣農業年報．1959年版》。

1963及1968年：由前引《台灣農業年報．1968年版》計算編撰。

從1953年到1968年之16年間，名目總生產額從約100億元增加到490億元，耕種從75億元增加到294億元，林業從5億元增加到30億元，水產業從8億元增加到50億元，畜產業從12億元增加到112億元，養蠶業從小額之116萬元遽增到614萬元。暫且不提各部門的倍率與前述的生產指數各有相異，但各部門占總生產額的比例，其變遷卻隱藏著耐人尋味的事實。

比例之變遷由表8來看，在日據時期及復歸祖國後之1950年代前半期，可以說幾乎維持了未改變的結構。1953年可說是台灣農業已恢復到戰前階段之時期。在此期間由美國引進剩餘農產品（以小麥、小麥粉、大豆及煙葉為主），一部分之砂糖輸出取代了以往向日本的移出。再者除了有人口之社會增加（來自中國大陸的軍人約60萬人，民間百姓80萬人）[12]和自然增加之外，在農業生產方面未有引起大變化的因素，由此可說明比例結構維持不變。

從1953到1963年這段期間，有輸入替代工業的培育，有對外貿易的重新開始和規模之某種程度的擴大，還有隨著經濟成長之飲食生活的變化，因而部門別的構成比例呈現非常激烈的變化，尤其耕種後退10%，畜產業上升破2成。

12 當時有關流入人口有種種的說法，被認為較正確的有⑴陸光良（台灣省社會處專門委員會，師範大學兼任教授）之民間男性424,724人，女性215,348人，合計640,072人（1945至1955年）（同氏所著「人口與就業」，張果為主編《台灣經濟發展・下冊》所刊載583頁），及⑵館斉一郎（東京農業大學助教授）之民籍人口80萬以上（1947至1949年）（同氏所著「戦後における台湾人口の分析」，《アジア経済》第10卷第1號（1969年1月號）所刊載，頁11）之二說法。軍籍人口約60萬大概成定論，所以本稿採用定論的軍籍人口60萬人及民籍人口80萬人。

目前1968年各產業之構成比例如下：耕種持續後退接近6成，畜產業再成長為23%，水產業也以遠洋漁業為中心，快速成長破1成，實際上比戰前占有增加了2倍的地位。林業也由於深山的開發（例如大雪山林場）稍微增加，破6%，養蠶業戰後幾乎維持平穩的地位。

現在把農業生產再分類成普通作物、特用作物、園藝作物、養蠶及畜產五個部門，以觀察其生產狀況之變遷。

台灣本島南半部屬熱帶，北半部屬溫帶，其氣候為溫暖的熱帶性或亞熱帶性，年平均22至24℃，最低月平均溫度也幾乎不會低於10℃，在平地也很少有下霜之情形。降雨量每年平均大約為2,000毫米，通常夏季多雨，冬季少雨，唯雨量的分布南北差異甚大，北部夏季晴天多，降雨量適度，但從10月到翌年3月通常為陰天，降雨量也較多，尤其最北部基隆一帶以多雨而聞名。南部在冬季通常為晴天，幾乎不下雨，所以有較多的「看天田」，而且也常有乾旱的情形。在夏季相反地天氣晴朗，降雨量多，會在短時間內下起類似熱帶暴風雨之雷電交加的豪雨。

在以上的氣候條件下，台灣自清朝末年以來除了糧食作物外，特用作物（尤其甘蔗）之栽培也很興盛。在台灣農業生產的特徵不僅止此，除飲食習慣及祖先祭祀的傳統，也盛行飼養豬和家禽（尤其雞和鴨）。首先利用表9，觀察一下以普通作物為首的5大生產部門的盛衰。

5大部門的順位和比例為：在1939年，第1位的普通作物（糧食作物）占5成。第2位為特用作物（甘蔗、茶、花生、黃麻及菸草為主）約占3成。第3位為畜產業占13.15%。第4位為園藝作物，合計占8%弱，果實（以香蕉、鳳梨和椪柑為主）占4.4%，蔬菜（以蘿蔔、甘藍及大芥菜為主）占3.6%。養蠶為最下位占0.01%，幾乎無關痛癢。

在戰後之1954年，由於輸出結構的變化及人口快速的增加，不但甘蔗在北部及在優良水田，其耕種有減少的現象，香蕉、鳳梨和椪柑等對日輸出減少或被禁止，產量也大幅減少。與此相反，以稻米為主的普通作物及蔬菜、畜產則呈現增產。各部門所占的順位也隨著上述的變化而改變，畜產代替特用作物而成為第2位。

到1963年在總生產額中居首位的普通作物，其比例開始下降。目前1968年下降破5成，占45%弱。特用作物之下降更為激烈，於1963年曾為15%，現在好不容易才維持在1成。相反地，成

表9　部門別農業生產額及其構成比例之變遷

年次	普通作物	特用作物	園藝作物		小計	養蠶	畜產	合計
			果實	蔬菜				
1939年（1,000日圓）	279,841	155,556	24,207	19,602	43,809	77	72,543	551,826
（%）	50.71	28.19	4.39	3.55	7.94	0.01	13.15	100.00
1954年（1,000日圓）	4,392,981	1,169,624	190,025	320,782	510,807	1,120	1,356,111	7,430,643
（%）	59.12	15.74	2.56	4.32	6.88	0.01	18.25	100.00
1963年（1,000日圓）	12,650,219	3,707,276	1,110,254	1,580,377	2,690,631	5,107	5,454,801	24,508,034
（%）	51.62	15.12	4.53	6.45	10.98	0.02	22.26	100.00
1968年（1,000日圓）	18,170,616	4,252,968	3,599,172	3,376,361	6,975,533	6,144	11,225,758	40,631,019
（%）	44.72	10.47	8.86	8.31	17.17	0.01	27.63	100.00

資料來源：

1939年：前引《台灣農業年報．昭和15年版》。

1954年：因手邊無《台灣農業年報．1954年版》，故採用《台灣農業年報．1955年版》。

1963年：採用前引《台灣農業年報．1964年版》。

1968年：採用前引《台灣農業年報．1969年版》。

長率為2倍的畜產業不但於1963年提升破2成，而且現在已趨近3成。在果實和蔬菜方面，香蕉和鳳梨對日再輸出，新興作物之洋菇及蘆筍等也開始成長，挽回了1954年所呈現的下降傾向，1963年首次上升破1成，目前1968年正接近2成，上升至17%強。

其次，由於反映島內外農產品的需求及國民政府的低米價政策，部門內的各品目的生產額呈現極大的變化。

表10列出在農業總生產額（普通、特用、園藝【果實和蔬菜】、養蠶、畜產物等生產額之合計）中，生產額占有1%以上的產品之變遷。圖1〔參見本冊頁42〕是以上表為基礎（唯不列入低位的新產品、大豆、蘆筍、鴨、雞蛋、鴨蛋等）所編撰而成。

日據時期稻米（以糙米計算）為43.80%占第1位，第2位為甘蔗（21.32%），第3位為豬（9.80%），第4位為甘薯（6.04%），第5位茶葉（2.78%），第6位為香蕉（2.30%），第7位為雞（1.62%），第8位為花生（1.29%）。對於台灣曾經被稱為稻米和砂糖之島，至今記憶猶新。

到了戰後，由於以往被保護關稅所保護的砂糖市場，不得不重新以自由競爭向日本輸出，以及香蕉、鳳梨、椪柑受到日本輸入的限制或輸入的禁止，加上與中國大陸斷絕移出入的關係，帶來了台灣產品生產額的大幅消長。

在1954年稻米占有比例曾一度上升至5成弱，但後來一路滑落，到目前1968年大幅下降破4成，滑落到34.7%。甘蔗的下滑令人不忍卒睹，在1954年不但被養豬趕過而奪走第2位，甚至被甘薯追過，掉到第4位。1963年國際糖價情況良好，一度再活躍起來，恢復到第3位，但目前1968年更被香蕉趕過，跌落到第5位。

戰前排名第3位的養豬於1954年進入第2位，此後順利地穩固地位，目前1968年占18%。受惠於飲食生活的高度化及輸出市場的新開展，相信今後其比例將再提升上去。

第4位的甘薯雖與新興作物有競爭關係，但目前還維持穩定，保持第3位。居第5位的茶葉在戰後一直維持低地位，目前1968年後退到戰前的一半以下，甚至目前的實況為勉強呈現在總生產額的1%以上的14種產品中的第13位，即從後面算來第2位。

香蕉在日本市場具有優勢，戰前占2.3%，排名第6位。由於日本的輸入限制，1954年曾一度低於1%，但1963年以後日本又開放市場，恢復到1.5%。此後快速成長為4.5%，確保了超出戰前的地位，目前進入第4位。

戰前雞占1.6%，排名第7位，以往雞都以家禽飼養做為農家副業，後來並引進食用雞（人工飼養適合於燒烤用）及飼養生蛋雞，成長為第6位占3.6%。

戰前花生在1%以上的生產額產品中排名最末（第8位）。戰後至1963年雖有上升傾向，目前1968年被大豆等競爭作物壓下而有後退趨勢，最後僅上升1位，勉強維持在第7位。

以上敘述有關戰前排名前8位產品的消長。戰後1954年菸草雖被列入成長率達到1%的地位的產品，但同年香蕉低於1%，所以品目數不變。1963年除了洋菇搶先菸草而成為新產品外，與菸草大約同地位的大豆也顯示上升。香蕉於同年再度復活，總共11種產品開始強烈顯現農業生產內部的重點分散及多角化傾向。

上述的傾向到1968年更加進展，蘆筍、鴨、雞蛋及鴨蛋四種新產品可說只各占1.6%至1.3%弱的地位，但由於該4種新產品的

表10　主要農作物生產額及在農業總生產額所占比例之變遷（農作物的生產額占總生產額1%以上的產品）

年次	1939年（1,000日圓）(%)	1954年（1,000日圓）(%)	1963年（1,000日圓）(%)	1968年（1,000日圓）(%)
稻米（糙米）	241,673 43.80	3,531,383 47.53	10,362,151 42.28	14,104,701 34.71
甘蔗	117,665 21.32	513,704 6.91	1,619,555 6.61	1,703,300 4.19
豬	54,093 9.80	1,092,567 14.70	4,627,265 18.88	7,329,342 18.04
甘薯	33,315 6.04	648,223 8.72	1,572,770 6.42	2,890,106 7.11
茶葉	15,325 2.78	177,443 2.39	370,052 1.51	500,769 1.23
香蕉	12,689 2.30	65,506 0.881	364,351 1.49	1,824,839 4.49
雞	8,955 1.62	120,414 1.62	379,147 1.55	1,475,766 3.63
花生	7,136 1.29	199,701 2.69	616,683 2.51	803,113 1.98
菸草	— —	99,587 1.34	333,720 1.36	515,781 1.27
洋菇	— —	— —	471,699 1.92	693,083 1.71
大豆	— —	— —	322,620 1.32	481,645 1.19
蘆筍	— —	— —	— —	648,341 1.60
鴨	— —	— —	— —	565,836 1.39
雞蛋	— —	— —	— —	536,842 1.32
鴨蛋	— —	— —	— —	517,998 1.28

資料來源：同表9。

加入角逐，占農業生產額之1%以上的產品數變成總共有14種，顯示產品數比戰前增加1倍以上。當然凝集這樣重點分散及多角化傾向的一部分原因，可能是因為受到稻米及甘蔗主作物不振之影響，其他原因可說是隨著農家現金支出的增加，為確保收入來源及帶來可能性的島內外對台灣農產品需求的結構變化。

目前為止，我們主要以生產額為中心而對農業生產的發展做考察。為了更明瞭情況，也必須從主要作物的播種面積、收穫量、單位面積之生產量及土地利用等各方面加以分析。

（二）耕地的利用

台灣與日本相似，山岳地帶占全國土地面積的比例很大。由於一萬尺以上的高山連綿的山脈，沿著紡錘形的台灣中央縱走南北，所以少有餘地可做耕地利用。由表11可知道，從1939年至1968年約30年期間，耕地面積僅增加4萬公頃。因為總面積無變化，耕地率（耕地面積÷總面積×100）僅從23.9%升至25%，只有1%強的變動幅度。因此我們的興趣毋寧是對此30年間耕地利用型態的沿革。

在台灣耕地利用的型態大略可分水田和旱田兩大型。但由於自然條件的特殊性及日據時期以來的灌溉用水的分配關係，水田可再分為兩期作田及單期作田兩種。所謂兩期作田之意為由於灌溉設施完善或有適當的降雨量的季節性分布，每年可栽培兩次水稻的水田。所謂單期作田之意為因缺少適當降雨量的分布或由於灌溉用水的關係，每年僅可栽培一次水稻的水田，其中在第一期作中可栽培水稻的水田稱為第一期單期作田。在第二期作中可栽培水稻的水田稱為第二期單期作田。

表11　耕地面積、耕地率、各種水田及旱田之變遷　　單位：1,000公頃

年次	總面積（A）	耕地面積（B）	耕地率（$\frac{A}{B}\times 100$）	水田					旱田
				中計	兩期作田	單期作田			
						小計	第1期作	第2期作	
1939	35,961.1	859.6	23.9	530.1	323.2	206.9	11.5	195.4	329.5
		100%		61.7	37.6	24.1			38.3
1953	35,961.1	872.7	24.3	533.3	326.1	207.2	16.3	190.9	339.4
		100%		61.1	37.4	23.7			38.9
1963	35,961.1	872.2	24.3	528.7	329.3	199.4	14.8	84.6	343.5
		100%		60.6	37.8	22.8			39.4
1968	35,961.1	899.9	25.0	535.3	336.4	198.9	12.5	186.4	364.5
		100%		59.5	37.4	22.1			40.5

資料來源：
1939年：前引《台灣農業年報．昭和15年版》。
1953年：前引《台灣農業年報．1955年版》。
1963及1968年：前引《台灣農業年報．1969年版》。

首先概略地查看耕地利用的型態。

1939年當時兩期作田、單期作田及旱田占耕地面積的比例為37.6%、24.1%及38.3%。目前1968年該比例改變為37.4%、22.1%及40.5%。

從比例上觀之，兩期作田保持穩定，單期作田稍減，相反地旱田稍微增加。但單期作田實質上的稍減與旱田實質上的稍增當然並無直接關係。

從過去30年以來台灣農業的一般變遷來推想，除了有一部分水田被做為非農業用地，及1963年以後為了展開香蕉的種植面

積，除有一部分的種植利用了水田外，一般而言，並未將水田轉換為其他用途。事實上，戰後在1963年水田面積曾一度減少了約2,600公頃，但一般有增加的傾向。目前1968年與1939年比較，顯示增加了5,200公頃。旱田則與水田不一樣，不但沒有減少，而且始終有增加傾向。1939年之面積為329,500公頃，目前1968年增加了35,100公頃而成為364,600公頃。因此很明顯地，先前所提及增加的40,000公頃耕地面積大部分為旱田。旱田所占的比例變大的原因可能來自邊際效用土地的開墾、隨著橫貫公路通車之沿途開墾，及由經排水開墾的溼地〔譯註：人工填土或排水拓殖，例如海埔新生地〕而造成的耕地。

至於水田部分的變遷，首先要指出兩期作田的絕對面積自1939年以來有增加的傾向。1939至1968年期間，兩期作田約增加13,000公頃，單期作田減少8,000公頃。兩期作田的面積增加的原因大概可說是由於隨著灌溉設施的增設，由單期作田轉換成兩期作田所造成的。

至於戰後灌溉面積之變遷，從1954至1968年15年期間觀之（由於未取得與戰後的統計可適切連貫的戰前資料，所以只限於此期間內），總灌溉面積由466,000公頃擴增到500,000公頃弱，顯示7.1%的增加。尤其從表12可見兩期作田的灌溉面積始終有增加傾向，證實了前面所提及的兩期作田的增加。

在戰後的水利事業中，特別要注意排水面積的大幅擴大（從1954至1968年實際增加了約7倍），及中南部單期作田地帶地下水抽取即深井灌溉之普及（附帶說明，筆者並未掌握有關深井灌溉面積的明確統計數字，但幫浦台數由1960年之8,000台【首次出

表12　農田水利會灌溉排水面積之變遷

	年次	1954	1963	1968
	埤圳數	3,262	3,636	2,603
	總計（公頃）	473,294 100	484,499 102.4	553,461 116.9
灌溉面積（公頃）	小計	466,360 100	470,837 101.0	499,659 107.1
	兩期作田	281,027 100	284,617 101.3	321,053 114.2
	單期作田	46,530 100	47,927 103.0	43,977 94.5
	旱田	12,999 100	9,847 75.8	11,987 92.2
	輪作田	125,804 100	128,446 102.1	122,642 97.5
排水面積（公頃）	小計	6,934 100	23,662 341.2	53,802 775.9
	水田	3,582 100	20,957 585.1	1,188 33.2
	旱田	3,352 100	2,705 80.7	52,614 1,569.6
幫浦（台）		※60年　8,378 100	19,728 235.5	49,310 588.6

資料來源：

1954年：前引《台灣農業年報．1955年版》。

1963年及1968年：前引《台灣農業年報．1968年版》

※雖然深井灌溉面積不清楚，但爲姑且反映其擴大趨勢，乃提示幫浦之台數。此台數於1960年以後才出現於統計上。

現在統計上】至目前1968年約有50,000台，實際增加了5倍強）。前者為採用新的灌溉方式，後者為由於擴大缺水地帶之地下水灌溉面積，對戰後單位面積之收穫量增加有所貢獻。

最後與耕地利用有關而必須提到的是耕地利用率（在台灣被稱為「複種指數」【Cropping Index】）。在台灣已廣泛實施多茬作（在同一塊土地每年種植多茬作物），將此多茬作物具體的統計數字來表現的就是耕地利用率。

再加上自戰前即為眾所周知的「糊仔」耕作方式，1939年的耕地利用率已經保持在133.4%之高比例[13]。戰後由於農家人口不斷增加及平均每戶耕地面積之縮小傾向，以及受到後述的社會經濟性諸重要因素的限制，土地利用的高度化更行進展。依據《台灣農業年報・1969年版》，1953年的耕地利用率為172.5%，1963年為184.7%，目前1968年更上升至188.2%，一直維持在驚人的高比例，可說足以說明此情形。

此耕地利用率依農業地帶別及經營規模別，其農家在目前1967年的實況從表13觀察，已遠超過上述的188.2%（1968年）。1967年之全省平均為191；0.5甲以下的平均為216；0.5至0.99甲為206；1.0到1.49甲為197；1.50至1.99甲為193；2.0至2.99甲為190；3.0甲以上為161。由上述可知，經營規模越小，耕地利用率越高，反之，經營規模越大，耕地利用率越低。

又觀察被區分為13個農業地帶之地帶別平均耕地利用率，最高紀錄為台中稻作地帶之239，該地帶最高者為0.5甲以下之經營農家所顯示的258。

地帶別平均排名第2位為高雄稻作地帶，比首位僅少了1個百分點而保持在238。該地帶最高者為1.5至1.99甲經營規模農家所見263，顯示與經營規模別耕地利用率的平均傾向有不同的動態。第3位為台北稻作地帶。前3位都屬稻作地帶值得注意。又台北稻作地帶雖位於北部，但能夠保持在207，可能是受到近郊

13 本文所引用的耕地利用率全部依據《台灣農業年報・1969年版》，頁21。

表13 農業地帶別、經營規模別耕地利用率 抽樣調查總農家户數1640户

	地帶平均	0.5甲以下	0.5～0.99甲	1.0～1.49甲	1.50～1.99甲	2.00～2.99甲	3.00～甲以上
全省平均	191	216	206	197	193	190	161
1. 宜蘭稻作地帶	198	204	186	200	200	200	201
2. 台北稻作地帶	207	221	212	207	198	212	201
3. 台中稻作地帶	239	258	250	245	219	230	178
4. 高雄稻作地帶	238	234	230	234	263	255	215
5. 東部稻作地帶	179	172	202	191	181	204	110
6. 茶作地帶	176	189	185	190	180	181	153
7. 苗栗混作地帶	173	184	174	159	202	172	158
8. 台中混作地帶	164	197	199	163	155	148	126
9. 阿里山混作地帶	165	181	192	162	171	153	148
10.香蕉、鳳梨地帶	136	167	158	146	135	135	125
11.嘉南混作地帶	204	211	202	213	203	206	143
12.西部蔗作地帶	168	199	187	155	173	167	148
13.東部蔗作地帶	161	156	152	160	168	174	158

資料來源：Rural Economics Division, Joint Commission on Rural Reconstruction, *Taiwan Farm Income Survey of 1967 with a Brief, Comparison with 1952, 1957 and 1962, mimeo.*, p.43。

農業有利性的影響。第4位開始由非稻作地帶之嘉南混作地帶上場，同樣地顯示超過200%的高比例的204。

（三）主要作物的種植面積與生產之變遷

有些新作物從未種植或幾乎不成探討對象，如洋菇、洋蔥、油菜籽、短莖高粱、雜種玉米、蘆筍及葡萄、晚侖夏橙（Valencia orange）等蔬菜、雜糧及水果，其種植正與前述土地

利用高度化並行，快速地成長。這些都是戰後所呈現之新動向，值得注目。

茲將新作物及既有作物前10位的種植面積、收穫量及單位面積收穫量等列成表14。以下就有關各作物加以檢討。在進入全面檢討之前，首先要指出有關耕地利用率之高成長，以實際數字所表現之合計多茬種植=合計多重種植面積的紀錄。1939年合計多茬種植面積為114.7萬公頃，1953年增為150.6萬公頃，增加31%；同樣1963年增為161.1萬公頃，增加40%；1968年再擴增至169.4萬公頃（比1939年實增47%）。

1. 稻米

在此做為討論對象的稻米只限於陸稻以外的水稻。如眾所知，在台灣所栽培的水稻品種中，大體來分有Japonica系的蓬萊種和Indica系的在來種兩大類。1939年約有60萬公頃的水稻栽培面積，其中蓬萊種占31萬公頃，在來種占24萬公頃，剩餘為糯米（含圓糯與長糯）。

戰後拜蔗作自北部衰退及人口急遽增加之賜，水稻種植面積自1947年開始走向擴大一途，1950年打破台灣史上首次70萬公頃的紀錄，至1953年增加到73萬公頃。目前1968年種植面積為78萬公頃，為至目前的最高紀錄。若將1939年的面積當作100，則1968年的指數為129.20，約增加30%。從1953年至1968年種植面積約在73萬公頃至78萬公頃之間，以5公頃之幅度起伏變化。

在此特別要提到在種植面積上，蓬萊種和在來種的競爭。有關二者的競爭大略可分為以下3期來觀察。

第1期為從蓬萊種首次出現在台灣的農業統計上的1922年第1

期作至戰爭正要結束前1944年為止。由於稻米趁著日本本土稻米騷動的機會成長，其向日本之移出，蓬萊米的種植面積至1944年始終有擴大的傾向，1944年實際達到40萬公頃，比18萬公頃的在來種超過22萬公頃。

第2期為從1945年到1949年，由於受到戰禍的影響，化學肥料的絕對量不足，以及美援肥料未充分輸入，再加上台灣稻米的移出市場從日本轉換到中國大陸（即縮小蓬萊米的需求），顯現了在來米種植面積的擴大。1949年蓬萊種33.8萬公頃，比在來種34.3萬公頃稍低，可說二者保持均衡。

第3期為自1950年至1968年之期間，由於化學肥料的輸入（含美援之肥料），及對日輸出之恢復，再加上來台定居的大陸系中國人口味之台灣化，重新擴大對蓬萊米的需求而促進種植面積的再度擴大傾向。目前1968年，蓬萊米建立了種植面積為56.9萬公頃的絕對優勢，相反地在來種卻落後在19.3萬公頃，約占蓬萊種的三分之一[14]。

由於近來日本稻米生產過剩，蓬萊米向日本輸出受到阻礙，所以不得已轉為向東南亞輸出，同時並會連帶改變米的輸出品種。應付在來米之需求擴大，在生產方面支撐其可能性的重要條件之一，可舉台中在來米一號之出現（栽培之正式普及是在1959年以後）[15]。

在台灣稻米的單位面積收穫量之綜合成長率，其受到抑制的

14 以上的數字均依據台灣糧食局《台灣糧食統計要覽》，頁5～8。

15 詳細參照〈台灣光復20年農業生產專輯，糧食作物，壹、稻作〉（台灣省政府農林廳發行《台灣農業》，第1卷第5期【1965年10月】所刊載），頁3。

根本要因之一為在來種的低生產性，在來種每公頃的收穫量只有蓬萊種的約90%弱。在殖民地時代，台灣稻米的品種改良徹底地以應付日本本國的要求為中心課題，因而全力著重在蓬萊米，此自不待言。

從殖民地統治下被解放後，在來種的改良也被賦予關心，台中在來一號的栽培成功可視為其成果之一。 在1958年蓬萊種與在來種的單位面積收穫量所見到的等級差別為8.68%，但在1964年縮小至1.28%。附帶一提，1964年在來種種植面積中，台中在來一號占48.19%。

由以上種種情形可推想，蓬萊種與在來種的競爭不久將進入第4期。

其次再觀察有關收穫量之變遷。戰前的尖峰是在1938年，因差異不大，所以首先姑且以1938年為中心考慮之。如表14所示，年產量約134萬噸，平均每公頃收穫量為：第1期作稍高，為2,286公斤；第2期作為2,164公斤，年度平均為2,217公斤。此大體為戰前所達到的水稻生產水準。1953年每公頃的收穫量大略恢復到戰前的水準，種植面積也增加了13萬公頃，所以總收穫量超過戰前的最高量，約增加了160萬噸。其後由於肥料的投入增加與投入方式的改善，水利設施的擴充（尤其使用地下水的幫浦深井灌溉、新設水壩等），以及在來種的品種改善等。單位面積收穫量乃飛躍地成長（目前1968年年度平均3,213公斤，比1939年約增加45%，第1期作為3,594公斤，一樣增加了57%，第2期作的增收稍微緩慢，停滯於2,919公斤，然而也顯示約增加了35%）。其結果在1968年糙米產量約接近250萬噸大關。因目前1968年的人口

（軍人除外）約為1,370萬人，若每年1人的糙米消費量以155公斤計算，不考慮儲備及軍隊用，則可完全自給自足。

除上述之外，有關水稻之生產有兩個明顯的動態。第一個動態可舉水稻種植面積占合計種植面積的比重之降低（在1939年占52.49%，但在1969年降低至45.92%）。此變化應可藉前述耕地利用率的高度化反映在水稻種植面積的事實加以說明。第二種動態為第1期作與第2期作水稻間之單位面積收穫量之差距呈現擴大傾向，此相較於蓬萊種與在來種之間的單位面積收穫量之差距有縮小傾向，兩者正好相反。

其可推想之原因，第一是被認為以往主要適用於甘蔗及甘薯的「糊仔」種植方式，由於耕地利用的高度化，也廣泛地適用於其他作物上，因此第2期作水稻受到其影響。例如在北部所見到的紫雲英（Astragalus Sinensis，第2期作水稻收割前15日至20日以前播種於株間）、蠶豆（同樣地收割的四週前播種於株間）之種植、中部的油菜（同樣地收割的一週前移植到水田）、大豆（同樣地收割的10天前播種於水田）之「糊仔」種植和第1期作與第2期作之間作的瓜類種植，以及在南部可見到的玉米之種植（第2期水稻收割前之10月裡播種於株間）等。

第二個可舉之原因為對於中部的大豆糊仔種植，以不妨礙大豆的培育為主要目的而引進早熟品種的如台中150號、台中178號及台中180號來種植，由此更加縮短了成長期間[16]。

第三可舉以往尚屬3年輪作地帶的嘉南大圳地區引進了輪流

16 參照沈宗瀚，《台灣農業之發展》（台灣，1963年12月），頁141。

灌溉方式，擴展了相當勉強的第2期作水稻的種植。

隨著戰後農業經營的多角化及勞力的密集化之傾向更形進展，必須盡量在短時間內提高個別作物的最大收穫量（增大土地生產性），「糊仔」就是以此為主要目的之種植方式。在此我們對於「糊仔」種植之普及，有必要將其意義簡單附記一筆。

說起來所謂「糊仔」就是在未成熟的水稻株間，以泥土黏貼蔗苗，等發芽後收割水稻，再堆上泥土而開始栽培。也就是在某期間將某作物當作水稻之間作，在同一田圃與水稻同時栽培之方式稱為「糊仔」種植。此種植是依作物而採播種、插植或移植。

「糊仔」種植帶來土地利用的高度化及輪作的有利性，但相反地，對於被黏貼「糊仔」的水稻（針對1期作、2期作水稻，但現在的糊仔幾乎是對2期作水稻進行）之成長及成熟不免有某些程度的不良影響。

只要是米價不利於農民時，要如何選擇糊仔作物的適當栽種期（此同時關係到確保培育之適時與最低必要期間），此問題容易牽涉到水稻栽培管理的粗放化及引進單位面積收穫量較低之早熟水稻品種。尤其因為水稻的陰影可能會阻礙糊仔作物的成長，所以要選擇矮小早熟的品種。依此以確保糊仔作物的最大收穫量，一般而論此乃農民的目的。

接近適當栽種期圈內的另一可能性，也可從糊仔作物本身的品種改良或從栽培方法之改善找出。但目前台灣並不從這方面去尋找出路，而比較有意趨向於新發現或引進有利的糊仔作物，即朝向糊仔作物的多樣化。

總之，相信就是由於上述糊仔種植的普及與擴大，第2期作水稻之單位收穫量的成長比第1期作水稻相對較差。除以上原因外，也可認為是由於米價相對的不利，農民對水稻栽培管理的努力不及對其他作物，而抑制第2期作水稻收穫量之成長。

2.甘蔗

如前所述，台灣向來為甘蔗之島，由於輸移出結構的變化以及人口的自然增加與社會增加，而產生了種植的大幅衰退。在1939年曾為16萬公頃的種植面積，目前1968年減少了4成而退步到97,000公頃，隨著收穫量也比1939年約減產了36%。僅有一點得以補救的，就是戰後所引進之新品種N：Co310由於水稻種植之擴大，甘蔗被趕到低級地，但藉由N：Co310成功地克服了此不利情況，使甘蔗能夠維持在1939年的水準而有餘（雖然只有9%，但收穫還是增加），提升收穫量至每公頃86,000公斤。

尤其採取種植方式的轉變，以強化戰後國際市場上的競爭力為目標，做為合理化的一環，亦即從插植（也等於新植）到株出〔譯註：利用砍伐後的母株長出的芽〕的重量移轉，激烈地顯現了省力栽培的開展。順此一提，1964年至1965年蔗作年度的插植（新植）：株出：糊仔之比例為48.03%：40.28%：11.68%，尤其台糖公司的自營農場之株出栽培，其比例很高（39.07：58.25：26.75），但一般農家（即契約栽培農家）可能有意保留對應糖價之空間，其比例為52.51：31.30：16.17，株出的比例顯然很低[17]。

如上述株出栽培面積在擴大傾向中，並提高了前例所舉每公

17 依台灣糖業公司祕書室，《台灣糖業公司統計資料輯錄》，第17號，頁4算出。

頃的收穫量，此多虧蔗農及相關技術人員的辛勞。株出栽培法不但省力，也涉及田圃栽培期間的縮短（新植的話從18個月縮短到14個月），配合目前更為普及的傳統糊仔甘蔗之種植，符合戰後對農業土地利用高度化的絕對要求，顯現了急速的開展。

3.甘藷

甘藷向為台灣旱地廣為栽培的食用作物。不僅是中農及下層農家的重要食用澱粉來源，其莖葉也是在農家一般副業的養豬上不可缺少的飼料。又將甘藷切條曬乾稱為「甘藷簽」，除了供儲藏食用外，也可做釀造用。

如表14所示，種植面積於1939年約為13萬公頃，目前1968年為24萬公頃，大增90%。收穫量增加率為169%，比種植面積增加率更大，每公頃收穫量達到14,000公斤，比1939年增加約42%，做為粗放栽培作物而言，真是令人驚訝。

引起我們注意的是，目前甘藷的生產額遠超過甘蔗，除確立成為第2位作物的優勢之外，種植面積占合計多茬種植（合計多重種植）面積之比例，比1939年增加了3%。

生產額的飛躍成長當然是由於種植面積的擴大及每公頃收穫量的增大，不過也不能忽略國內市場需求增加亦為誘因。養豬業戰後的明顯成長及原料用澱粉的需求增加支撐著上述之誘因。

4.茶

台灣茶自清末以來以生產紅茶系而著名，尤其烏龍茶在美國已持有穩固的市場。紅茶及包種茶也從日據時期就開始向日本移出及向外國輸出。然而由於茶價在國際市場變動大，茶農的風險也大，問題很多。也許因為這個關係，目前1968年的種植面積比

1939年減少2成，僅維持在36,000公頃。尤其戰後始終有縮小傾向是值得注意的。近年來由於日本原料茶的不足，對日輸出有增加傾向，但若不加以改善而使茶價穩定及流通過程合理化，就難期待種植面積之擴大。

5.香蕉

戰前香蕉為日本眾人所喜愛的水果。戰後因為台、日的政治關係起了變化，香蕉輸入日本也受到限制，種植一直呈現衰退的現象。恢復到1939年階段的種植面積20,000公頃，要等到1960年初期。1963年3月由於輸入自由化，日本市場呈現快速開展而成為新的誘因。1964年種植面積增為31,000公頃，比去年增加5成。1965年再增加5成，進入40,000公頃。1966年也增加了8,000公頃。1967年終於創下了50,000公頃的新紀錄。由於1966年在日本國內開始有了香蕉輸入體制的整備，以及開放從台灣以外地區之輸入（尤其中南美香蕉的首次輸入），還有打出自東南亞的開發輸入政策，目前1968年呈現比前年減少了1,500公頃的種植。與1939年比較，1968年的種植增加了1.5倍，收穫量增加了2.5倍，每公頃收穫量也由於水田香蕉的急速成長，增收了60%。這個暫且不談，由於50,000公頃的種植，在1968年賺取了約6,000萬美元的外匯，事實是農產品本身的輸出，對台灣經濟就有非常大的正面意義。以香蕉取代稻米、砂糖，尤其對於砂糖輸出的衰退，不得不說具有充分的力量可說是珍貴的。此好景是在賣方市場的好條件下培養的，今後為了加強對其他產地香蕉的競爭力，必須像以往那樣要合乎日本消費者的口味，應克服全面依賴距離近的有利性階段，並要強力推展流通過程等之合理化及近代化，這是多

表14（上） 排名前10位作物的種植面積、收穫量及每公頃收益之變遷

		種植面積（公頃）	指數	種植面積合計 多重種植面積 ×100（%）	收穫量（1,000公斤）	指數	每公頃收益（公斤）	指數
水稻（糙米）	1939年	602,172	100	52.49	1,335,189	100	2,217	100
	1期作	260,438			595,445		2,286	100
	2期作	341,734			739,744		2,164	100
	1953年	730,962		48.53	1,589,187		2,174	
	1期作	326,976			721,177		2,206	
	2期作	403,986			868,010		2,149	
	1963年	733,139		45.50	2,093,064		2,855	
	1期作	313,107			1,014,374		3,236	
	2期作	420,032			1,078,690		2,568	
	1968年	778,017	129.20	45.92	2,499,993	187.24	3,213	144.93
	1期作	339,087			1,218,662		3,594	159.22
	2期作	438,930			1,281,331		2,919	134.89
甘蔗（食用甘蔗除外）	1938／1939年	162,295	100	14.14	12,822,222	100	79,000	100
	1952／1953年	113,230		7.51	8,394,348		65,950	
	1962／1963年	95,039		5.89	6,506,590		69,145	
	1967／1968年	96,779	59.63	5.71	8,268,439	64.48	86,218	109.14
甘薯	1939年	126,398	100	11.01	1,278,967	100	10,119	100
	1953年	237,788		15.78	2,276,942		9,576	
	1963年	235,737		14.63	2,148,171		9,469	
	1968年	240,437	190.22	14.19	3,444,619	269.33	14,334	141.65
茶葉	1939年	44,798	100	3.90	14,030	100	313	100
	1953年	44,654		2.96	11,903		305	
	1963年	38,372		2.38	21,104		581	
	1968年	36,113	80.61	2.13	24,418	174.04	712	227.48
香蕉	1939年	19,509	100	1.70	181,968	100	9,327	100
	1953年	12,718（收穫面積）		0.84	96,101		7,556	
	1963年	21,167		1.31	132,489		9,002	
	1968年	48,953	250.93	2.88	645,467	354.71	14,735	157.98

表14（下）

		種植面積（公頃）	指數	種植面積合計多重種植面積×100（%）	收穫量（1,000公斤）	指數	每公頃收益（公斤）	指數
花生	1939年	29,334	100	2.55	27,637	100	942	100
	1953年	82,580		5.48	60,104		728	
	1963年	97,675		6.06	91,438		967	
	1968年	95,421	325.29	5.63	106,489	172.53	1,117	118.58
菸草	1939年	2,168	100	0.18	4,012	100	1,897	100
	1953年	5,477		0.36	9,897		1,807	
	1963年	8,694		0.53	17,413		2,003	
	1968年	11,141	513.88	0.65	20,644	514.56	1,853	97.68
洋菇							（每平方公尺收益）	
	1962／1963年	7,998,489（m²）	100	—	38,639	100	4.83	100
	1967／1968年	12,530,314	156	—	52,400	135	4.18	86.00
大豆	1939年	5,148	100	0.44	3,163	100	614	100
	1953年	28,225		1.87	17,426		617	
	1963年	55,223		3.42	52,645		976	
	1968年	49,461	960	2.91	72,995	2,307	1,476	240
蘆筍	1964年	270	100	0.016	616	100	2,280	100
	1968年	6,385	2364	0.37	51,583	8373	8,079	354

資料來源：

1939年：前引《台灣農業年報．昭和15年版》，唯稻米、花生和大豆之原計算單位爲石，採用加用信文編《日本農業基礎統計》第654頁所刊載農業相關諸換算表換算出，稻米1石 = 150公斤，花生（附有豆莢）1石 = 112.8公斤，大豆（乾燥豆粒）1石 = 129公斤。

1953年：前引《台灣農業年報．1955年版》，香蕉僅有當年爲收穫面積。

1963年及1968年：同前引《台灣農業年報．1969年版》。

註：洋菇係藉土地的立體利用而栽培，故單位爲m^2。

數識者所提出之見解。

6.花生

花生為台灣的主要油料作物，在其種植面積僅次於水稻和甘薯，正與甘蔗競爭第3位。依記載，花生的戰前尖峰並非在1939年，而是在1937年，當時種植面積約有31,000公頃，產量約31,000噸。除可供直接食用之外，榨油之副產品的豆粕可使用做為飼料及肥料用。

在戰爭結束第二年的1946年，種植很快就達到50,000公頃（比尖峰期的1937年增加61%），收穫量為3.7萬噸，增收率僅比上年度成長18%（以上的數字依據JCRR, *Taiwan Agricultural Statistics, 1901～1965*, 頁39）。種植面積如上述，不但達成戰後重建，而且呈現快速的擴大，其原因不但由於島內提高了消費的需求，而且最重要的是其性質能勝任在貧瘠土地上的粗放栽培，有利於在戰爭剛結束後的肥料不足期間，做為蔗作衰退的替代作物。

又花生為豆科植物，適合於輪、間作，尤其可與甘薯在旱田輪作，以謀維持地力。而且也不能忘記，隨著甘薯種植的擴大，花生的種植也會增大。

戰後在耕地利用高度化的傾向，種植也會擴及到邊際土地之利用，這些邊際土地為平常不被利用的河川用地、砂地、及山坡地等。如表14所示，種植面積也成為戰前的3倍強（附帶說明，種植面積占共計多茬種植面積的比例，由1939年之2.55%，成為1968年之5.63%，實際上增加了2倍強）。但其每公頃的收穫量之成長小於其他作物卻值得注意。

這大概可解釋為由於過度擴大邊際土地種植所造成。

7.菸草

戰前在台灣的消費也曾大部分仰賴由日本國內移入，種植面積約小於2,200公頃。戰後雖然有美援過剩菸葉的輸入，但以當時的種植面積，當然不足充分供應人口倍增的消費需求。隨著外匯不足，奢侈品之輸入也須受到管制，所以開始在島內追尋擴大菸草種植面積之途徑。

與1939年比較，目前1968年的種植面積增加了514%，為 1.1萬公頃，收穫量也略平行成長515%，約2萬噸。1963年每公頃收穫量比戰前雖略有超過的動向，但還是始終保持在平穩的狀態。

8.洋菇

洋菇被引進台灣，溯自1930年代，當時曾以馬糞做栽培實驗，但因實驗沒有成果而未達到普及。

戰後台灣省農業試驗所很快地著手進行實驗，尤其於1950年由JCRR之援助自美國及日本引進菌種，利用人工、合成堆肥代替以往的馬糞，並使用廢棄的礦坑順利地栽培繁殖成功（1954年）。

1956年正式進入普及，雖然農民也積極地開始栽培，但不僅島內的需求未成長，而且未見輸出市場的開拓，造成生產過剩而導致種植的衰退[18]。

進入1960年代後，採取加工輸出政策，當時因為只有4,000坪餘（1956年），所以未被列入農業統計中之品種，但到1960年至

18 參照前引《台灣農業》，第1卷第5期 ，頁31。

1961年，成長為19.5萬坪，收穫量為3,800噸，輸出約14萬箱，開始呈現急速的發展。

到了1962至1963年，種植更加飛躍成長，面積為800萬平方公尺（約240萬坪，在兩年間實際增加了12倍強），產量也接近4萬噸，輸出也變為約138萬箱，賺取了達1,600萬美元的可貴外匯，

目前1967年至1968年度種植面積比1962年至1963年度增加56%之1,253萬平方公尺，同期之產量比增加了53%之5.2萬噸，同期之輸出額比達到約2倍之3,000萬美元。

9.大豆

大豆也與花生一樣為台灣主要油料作物之一。1917年其種植面積雖約有17,000公頃，但在1939年實為5,000公頃，減少了三分之二強。戰後很快地呈現了種植面積的擴大，目前為5萬公頃，遠超過戰前的紀錄，即約比1931年擴大10倍。由於戰後優良品種的普及，每公頃收穫量比1939年增加了2.4倍。因此總收穫量也從1939年的3,000噸大幅增加到73,000噸。

大豆為戰後種植增加最快的作物之一。支持大豆擴大種植之市場主因與香蕉或洋菇不同，而是由於島內的需求。

由目前1968年島內需求量可推測約為14至15萬噸，可知以5成以上的輸入供應市場。有關戰後的需求量總要提到前述自大陸新移入人口約140萬人的新增需求。支撐上述種植發展的市場因素為新移入住民（含軍人）的部分主食是豆漿、以豆腐為材料的副食品的多樣化及多量消費、及隨著大豆油消費的擴大與畜產業的發展而造成大豆粕消費量的急速增加等等。

我們也不能忘記，為了應付這些需求，曾發生過農業內部生產條件的變化。

在先前所提戰後甘蔗種植的衰退中，首先發生問題的為中北部的新竹及苗栗一帶達到1萬公頃的看天田。把一向為甘蔗及甘薯的耕地轉換成水稻田因為是看天田，所以在7月至12月間雨量不充分之期間，第2期作水稻經常受到歉收或收穫量不穩定的威脅。甘薯的單作之經濟價值低，不能維持農家經濟。日本的「三國」為被考慮而引進的替代作物。「三國」不但比向來為台灣主產地的屏東、高雄地區的在來種更具有耐旱性，而且每公頃的收穫量可確保為倍數的1,500公斤。在1956年首先被引進到當時尚無大豆栽培經驗的苗栗縣。此後也普及到新竹、桃園、雲林、嘉義甚至東部的花蓮縣，而造成今日的盛況。

1960年在屏東、高雄的大豆主產地出現了從美國引進的「百美豆」（Palmetto）品種，取代了以往的在來種，呈現出正式的種植普及。

10.蘆筍

戰後種植增加最大的還是要數蘆筍。1968年占總多茬種植的比例僅為0.37%，但實際上卻賺取了3,300萬美元的外匯，只有令人驚訝不已。蘆筍的栽培出現在農業統計上，1964年為嚆矢。同年的種植面積為270公頃，收穫量為616噸，輸出額僅有41.1萬美元。

如表14所示，種植面積實際為23.6倍，每公頃採收量增加了35.4倍，因此總收穫量比1964年大增83.7倍。在過度競爭及外商的全面掌控下，輸出運作未必理想。儘管如此，輸出量增加了75

倍，彌補不少稻米、砂糖在輸出上的衰退。

以上針對排名前十位的產品，以種植面積、每公頃收穫量，及總收穫量為中心，觀察了生產的發展。

其次在表15中算出各作物每1,000公斤的價格、每公頃的生產額，及各年次每公頃生產額與稻米生產額的比例，並觀察個別的變遷。

（1）每1,000公斤價格之變遷

由於戰前與戰後的貨幣單位不一樣，戰前與戰後不可能直接比較，所以僅對戰後試做比較。

若將1953年當作100，則至1963年為止約10年間米價之上漲率為75.9%（以算術計算平均為年7.6%）。同樣地，若將1963年當作100，則至1968年為止約5年間，米價之上漲率為14.04%（以算術計算平均為年2.8%）。若將上述二系列的米價指數與各作物做比較，則甘蔗在前期（自1953年至1963年，以下同）為307.41%，甘蔗種植在項目價格上暫且比稻米有利。但必須記得由於1963年國際糖價異常昂貴，才帶來有利的價格。後期（自1963年至1968年）顯示價格下降，雖然下跌了將近2成弱，但如表14所示，並未見種植有縮小，這是因為台糖公司對蔗農做出少部分的讓步以及創設「糖價平衡基金」的結果。

甘薯在前期之上漲率為167.15%，在後期為14.62%。姑且不談後期，前期所呈現甘薯價格的大幅上漲率之有利性，很明顯地誘導了種植的急速擴展。

茶葉在前期比稻米稍微不利，在後期雖相差甚小，但還是有利。茶葉之主要產地在北部的丘陵紅色酸性土壤地帶，該地區之土地貧瘠，除了種植茶葉外，不易找到能夠耐粗放栽培的替代作物。所以雖然種植面積減少將近2成，而且始終有縮小傾向，但很難看到大幅減少。

香蕉在後期，雖然因為在日本的優勢減退，且無法維持對米的相對有利性，然而在前期的有利性為所有作物中最高的。在10年間主要靠輸出就能達到274.6%的上升率，可見農民不但能確保有利性，而且從價格方面也可證明在1960年代前半對台灣的經濟為最有力的作物。種植面積比1939年擴大2.5倍，而且在數年之間就成形，原因其實也在此。

花生在前期價格的上升率為接近甘薯之162.72%，由於花生屬於豆科植物，所以能將未顯示在價格上的有利性提供給農民，就是能部分阻止隨著耕地利用率高度化而導致地力減退，將此利益提供給農民。但是近年因為大量輸入飼料農產品，在後期顯現不利的花生價格，由此導致種植面積縮小的傾向。

菸草的栽培是與台灣省公賣局簽訂契約。由於菸草為財政收入主要來源的香煙原料，確保原料的供給穩定是最高指令，其價格經常訂得比米價稍有利。因為是屬專賣，所以操作容易。為了以配合消費需求擴大的形式來擴大種植，可能在契約栽培上活用價格操作。

洋菇如前述，在初期由於過度競爭及島內需求成長緩慢，所以種植較衰退，但後來由於輸出市場的開拓，至今種植乃呈現飛躍的開展。價格的問題多隨著加工業者的購買價格及外商在輸出上的壟斷而定，據說有種種弊端。

大豆也和花生一樣，在前期比米價有利，但近年隨著飼料農

表15（上） 排名前10位作物之生產額、每1,000公斤價格及每公頃生產額之變遷

		1939年爲1,000日圓生產額1953至1968年爲1,000元	每1,000公斤價格1939年爲日圓1953至1968年爲元	指數		每公頃生產額1939年爲日圓1953至1968年爲元	每公頃生產額／稻米每公頃生產額×100
糙米	1939年	236,884	177			393	100
	1期作	106,080	178			407	
	2期作	130,804	177			383	
	1953年	4,437,867	2,793	100		6,071	100
	1期作	2,251,841	3,123			6,887	
	2期作	2,186,026	2,518			5,411	
	1963年	10,283,583	4,913	175.90	100	14,027	100
	1期作	5,025,510	4,954			16,050	
	2期作	5,258,073	4,875			12,518	
	1968年	14,007,352	5,603		114.04	18,004	100
	1期作	6,947,940	5,701			20,490	
	2期作	7,059,412	5,509			16,083	
甘蔗	1938/1939年	117,665	9.17			725	184
（食用	1952/1953年	513,704	81.41	100		4,536	74
甘蔗	1962/1963年	1,619,555	249	307.41	100	17,040	121
除外）	1967/1968年	1,703,300	206		82.73	17,599	97
甘薯	1939年	33,315	26.00			264	67
	1953年	624,034	274	100		2,624	43
	1963年	1,572,770	732	267.15	100	6,672	47
	1968年	2,890,106	839		114.62	12,020	66
茶葉	1939年	15,325	1,092			342	87
	1953年	126,152	10,598	100		2,825	46
	1963年	370,052	17,534	165.45	100	6,643	68
	1968年	500,769	20,508		116.96	13,866	77

表15（下）

		1939年爲1,000日圓生產額1953至1968年爲1,000元	每1,000公斤價格1939年爲日圓1953至1968年爲元	指數		每公頃生產額1939年爲日圓1953至1968年爲元	每公頃生產額／稻米每公頃生產額×100
香蕉	1939年	12,689	69			650	165
	1953年	70,560	734	100		5,548	91
	1963年	364,351	2,750	374.6	100	17,213	122
	1968年	1,824,839	2,827		102.80	37,277	207
花生	1939年	7,136	116			243	62
	1953年	154,264	2,567	100		1,868	30
	1963年	616,683	6,744	262.71	100	6,314	45
	1969年	803,113	7,542		111.83	8,417	46
菸草	1939年	4,114	1,025			1,897	482
	1953年	105,249	10,630	100		19,216	316
	1963年	346,248	19,884	187.01	100	39,826	283
	1968年	515,781	24,985		125.65	46,295	257
洋菇						（每平方公	
	1962/1963年	471,699	12,208	100		尺生產額）	—
	1967/1968年	693,083	13,227	108.35		58,974	—
						55,313	
大豆	1939年	806	255			157	40
	1953年	54,830	3,146	100		1,943	32
	1963年	322,620	6,128	194.79	100	5,842	42
	1968年	481,645	6,598		107.67	9,738	54
蘆筍	64年	7,874	12,796	100		24,163	208（唯稻
	68年	648,341	12,569	98.23		101,541	米爲63年）
							564

資料來源：與表14同。其他爲筆者所算出。又1,000公斤未滿100日圓或100元者算到小數2位。

產品的大量輸入，失去往昔的有利性（同時期之米價上漲率為14.04%，大豆止於7.67%），種植面積為5,000公頃，即減少了將近1成。順便一提，1963年小麥、穀類（以玉米為主）的輸入額為2,900萬美元，在1968年為6,100萬美元，同樣地1963年大豆、豌豆為2,000萬美元，在1968年為4,400萬美元，分別呈現倍數以上的增加（參照前表5）。

蘆筍的價格僅以其後期做為檢討的對象，同時期的價格可說顯示著相當平穩。要找出種植的急速擴大在經濟上之誘因，可追究前述每公頃收穫量的大幅增加，及後述各作物每公頃生產額與稻米每公頃生產額的比例上堪稱絕對的有利性（將1964年的稻米當作100【但稻米以1963年之統計為依據】，蘆筍為208，同樣地1968年紀錄竟上升為564）。

（2）各作物每公頃生產額與稻米每公頃生產額的比例

有關下列所提比例的變遷，當然是以假設在各年度包含栽培技術、肥料投入量之生產費用不變為前提。

甘蔗在1939年相對於稻米之100為184，此比例於1953年為74。由於國際糖價高漲，1963年急速恢復到121，目前1968年再降為97。這當然反映著甘蔗是稻米的競爭作物，糖價可視為受到米價強力牽制而決定的。事實上，至今採取低米價政策的國民政府，以國家獨占肥料經營的高價格（參照後述），透過壟斷分發而實施強制儲蓄。和稻米一樣，決定糖價之機制及對蔗農的肥料分發，亦為國民政府強制儲蓄機制之一部分。

甘薯從1939年之67降到1953年之43，1963年為47，有稍微恢復的徵兆。目前1968年顯示已恢復到66，接近戰前的水準。

茶葉在1939年為87， 1953年跌落到接近5成的46，1963年為68。1968年好轉為77。

香蕉在1939年為165，戰後受到對日輸出的限制降為91，1963年好不容易恢復到122，目前1968年竟然成長到207，在傳統上位作物中保持最有利的地位。

花生在1939年為62，在1953年減半為30，在1963年稍微好轉為45，目前1968年為46。

菸草在戰前的紀錄為482，每公頃生產額比稻米占更高地位。但戰後始終顯示衰退傾向，1953年為316，1963年為283，目前1968年甚至顯示257之降低傾向。

洋菇栽培因為是土地的立體利用，所以不做比較。

大豆接在香蕉之後，在傳統的作物中不但恢復到戰前的比例，而且值得注意的是於1963年早就達成恢復。從1939年之40到1953年僅下跌為32，1963年為超過戰前的42。在1968年維持在高比例的54。在不利的看天田中，引進高收穫量品種應該是其重要的原因。

蘆筍為代表性的新興作物，雖然不能與戰前比較，但與1963年之208相比較，1968年為將近3倍弱之564，其有利性可在名目數字上做說明。

以上從極單純的算術比較可知，與稻米做比較，目前1968年已恢復到戰前水準的只有香蕉和大豆。維持平平的只有甘薯，其餘都比戰前下跌。雖然有下跌，但可以說除了菸草和不穩定的甘蔗外，茶葉和花生都在恢復階段中。

第四節　農家經濟之概況與變遷

將台灣之農家經濟加以時間序列追蹤，其較好的資料有中國農村復興聯合委員會（JCRR）與台灣大學、中興大學三者共同實施之「台灣農家收益調查」。

以往，甚多識者言及戰後之台灣農業時，經常遺漏農家經濟剩餘與租稅雜捐等負擔之項目。

對農地改革之成果、農業生產之成長率、農家收入或農業收入之增加率，雖有強調，但這些成果、成長率及增加率，對農民有何意義，依然至為模糊。

農家支出之中，租稅雜捐等負擔是否全額都被包含而計算在內，許多資料並未顯示。因此農家經濟剩餘之計算是否正確，不無疑點。茲以公開資料具有以上之局限為前提，利用《民國56年台灣農家收益調查》之英文版（JCRR:Jan, 1970）來回顧農家經濟之變遷。

首先就表16之統計項目說明筆者的疑點。

第一點，就是如剛才所指出，租稅雜捐等負擔之項目在農家支出之中，並未另外列出。僅就上述報告書（參照p.19與p.21）所見，農業經營費之中雖有Land Tax and Surcharge之項目，但未能發現房屋稅、所得稅之項目。又家屬家計費之中雖有Tax之項目，但其範圍並不清楚。

第二點，是報告書中之Farm Family Earnings（本稿暫譯為農家收益），其概念並不清楚。報告書中之定義為農家收入與農業經營費之差額，或是Farm Earnings（暫譯為農業收益）與農外收

表16　農家經濟概況之變遷　　1952年價格＝100

年次		1952	1957	1962	1967
所調查農家概況	農家成員（人）	8.14	8.39	8.58	8.34
	家族從事農業者（人）	3.21	2.80	2.15	2.15
	經營耕地面積（公頃）	1.30	1.19	1.15	1.11
農家總收入	計（元）	12,500	14,671	15,826	24,275
	農業粗收益（元）	10,873	11,501	11,864	18,539
	農外收入（元）	1,627	3,170	3,962	5,736
農家支出	計（元）	—	14,003	14,456	23,177
	農業經營費（元）	5,139	6,059	6,144	10,491
	家族家計費（元）	—	7,944	8,312	12,686
農家收益（Farm Family Earnings）（元）		7,361	8,612	9,682	13,784
農家剩餘（Farm Family Surplus）（元）		—	668	1,370	1,098

資料來源：依據Rural Economics Division, JCRR, *Taiwan Farm Income Survey of 1967with a brief comparison with 1952, 1957 and 1962*, pp.28, 38製成。

入之和，但二者都不是我們一般所使用的農家所得或農業所得。

報告書將Farm Family Earnings做為測定農場經營或農家事業之成功、失敗的尺度（參照報告書p.21），但這是極為原始的尺度，甚至可說在某種意義上有點妨礙農民經營計算之精密化。

第三個疑點是雖有農外收入，卻無農外支出之項目。

最後一點，相當於農家經濟剩餘之項目，在該報告書為Farm Family Surplus，但其計算是自農家總收入減去租稅雜捐等負擔之一部分與不含農外支出之項目的農家支出（很難說是農家總支出）的差額，這點是有問題的。

疑點暫且不提，從所調查農家之概況來看看。

自1952年至1967年的15年間，農戶成員數維持在8人，幾乎未見變化，不過從事農業人數在1962年之前步上減少傾向。就其減少來講，1950年代5年間（1952～1957）減少0.41人，比起1957年至1962年之第2個5年間的減少0.65人，其減少度也稍大而已。而第3個5年間（1962～1967）則保持平穩。

關於經營面積，本調查是以農業地帶別（13區）進行經營規模別之農家抽樣調查，可見一貫之縮小傾向。此不用說，應該是反映一般的縮小傾向。

農家收入在15年間顯示94.2%的成長率，年平均記錄了4.52%的成長。由各5年間為1期以連環指數來看，第1期為17.4%，第2期為7.7%，第3期為53.4%。

第3期大幅成長53.4%，此報告書（該書p.29）本身提出懷疑，舉出其原因為1962年之評估過少。1962年之評估過少另做別論，筆者認為其主要理由為該期間，即1962年至1967年包含越南特需與外資引進之急遽工業化提供了大量的僱用機會，而帶來以前沒有過的兼業收入之成長。此外，加上新興作物之輸出成長，農產加工品輸出之榮景（香蕉、鳳梨罐頭、蔬菜類）等，亦為理由之一。

事實上如圖2〔參見本冊頁44〕所見，該期之農外收入為急速右升之曲線，而農業粗收益也步向前所未見之右升趨勢。剛才所述1963年至1968年期之農業生產急速開展也足以證實這點。

其次來觀察「農家剩餘」。1952年由於沒有統計而無從比較，但1962年比1957年增加約2倍。細看其增加內容的話，相對於農家支出之大略平穩，農外收入之急增就成為上述倍增之原因。

值得注意的是，1967年的「農家剩餘」比1962年的減少了。減少的主要理由在於農業經營費與家屬家計費之急增，應推測為農外支出之租稅雜捐等負擔，將其未算入部分加在農家支出的話，農家剩餘之減少幅度就變得更大吧！

如圖3所示，1952年以來農業支出之成長，經常超過農業收入之成長，其差距在逐年擴大。

因篇幅的關係，無法觸及經營規模別及農業地帶別之農家經濟的變遷，茲就報告書所說農家收益之每人金額（此如剛才所說比農家所得金額較大）與每一國民所得，嘗試加以比較。

如表17所示，每人之實質農家收益為自實質國民所得之51%關卡，至如今跌破5成。

農業部門之低所得，其基底當然具有資本主義經濟下之古典

圖3　1952至1967年間的農業收入及農業支出之變遷

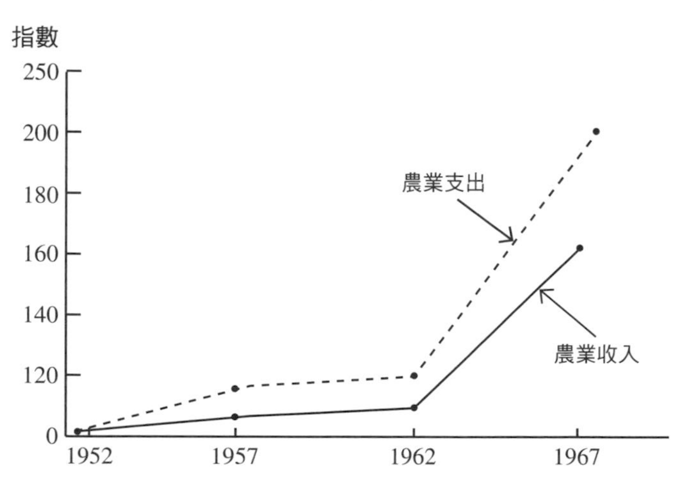

資料來源：與圖2相同。

表17 每人農家收益與國民所得

年次	每人農家收益（元）		每人國民所得（元）		A／B×100（%）
	名目	（A）實質 1952=100	名目	（B）實質 1952=100	
1952	904	904	1,716	1,716	51.88
1957	1,680	1,024	3,198	1,974	51.87
1962	2,810	1,128	5,189	2,316	48.70
1967	4,866	1,661	8,461	3,358	49.46

資料來源：與表16相同，依據p.37製成。

的低所得要因，但在台灣，再加上租稅雜捐等負擔過重，還有以米肥交換為中心之台灣特有的肥料專賣制度，以及米穀管理制度，由於此等措施使農民犧牲而強制使其所得更加偏低。

第五節　國民政府農政與農民的稅負擔

我們不厭其煩地用了很多篇幅追蹤台灣農業戰後之發展。自1949年以後，國民政府在美援之強力協助下，實施所謂「耕者有其田」政策，亦即在大陸時代經常僅止於紙上計畫的自上而下之農地改革，藉此防止大陸的農民運動波及台灣，而巧妙地提升台灣農民的生產意願。

衝著一時提升的農民生產意願，更於1951年至1965年會計年度間，自美國經援中撥出約1,000萬美金，以及相對基金約40億元，將其透過「中國農村復興聯合委員會」投入台灣農村（參照表18）。美援停止後（1965年6月底），與美國重新協定，由「中美經濟社會發展基金」繼承以往之相對基金，並轉一部分給JCRR接手，將其投入農業相關施策。自1965年至1968年會計年

表18　JCRR經費支出概況表（1951～1965年會計年度）

支出項目	金額（美金）	在台灣之支出項目	相對基金（元）
美國人顧問	2,070,000	專案支出	4,025,113,000
物資器材	7,106,400	國外派遣人員在台費用	23,050,002
在美國之訓練	1,003,850	美國專家之在台出差費	37,855,000
在第三國之訓練	419,300		
小計	10,629,550	小計	4,086,018,000
		（但是包含1950年會計年度之20,008,000元）	

資料來源：中國農村復興聯合委員會編《廿年紀實》所載「經費報告」。

表19　根據JCRR之「中國經濟社會發展基金」的運用概況　　單位：元

	補助部分	借款部分	家庭計畫（生育限制）	統一農業貸款	技術援助及行政費
耕種	104,189,702	10,050,000		農業貸款	技術援助
蓄產	39,219,687	177,740,000		52,000,000	46,240,000
漁業	23,770,193	155,778,000		農業貸款指	行政費
林業	8,795,500	4,400,000		導、監督	43,902,000
林地	7,763,200	38,350,000		1,780,000	
斜坡可墾地	52,478,337	—		（本項目之	
平地可墾地	50,647,700	12,119,000		資金來源爲	
灌漑	36,556,793	123,847,000		借款部分之	
研究、訓練	46,963,608	3,950,000		利息收入的	
調查、企畫及試驗	27,020,682	—		累積金）	
農民指導	38,894,832	49,752,627			
鄉村生活	18,119,539	—			
其他專案之支持	42,034,665	—			
外島（台灣的）	26,657,977	21,259,000			
小計	523,112,415	479,245,948	44,000,000	53,780,000	90,142,000
合計	1,308,280,363				

資料來源：同表16。

度間，合計補助金、借款及其他，投入約13億元（參照表19）。

由表18與表19來看所投入資金的運用概況，對農業生產所發揮最直接效果的，應該是包含品種改良之新品種的普及與新作物及新技術引進的普及。

對於已提升生產意願的農民，國民政府當局以新品種與改良品種，以及新興作物之引進，不斷給予刺激，另一方面並規劃肥料之台灣島產自給化，而在壟斷獨占分發之下也獎勵多投（肥料）使用。

國民政府透過農地改革，藉由排除介於中間的地主，而能夠創出與農民直接接觸之體制。其意義在於，對農政之直接實施與有點阻塞之財政資金吸收，暢通其管道，並為所謂「以農業培養工業，藉工業發展農業」的四年經濟建設計畫，建構其資金調度之機制。

財政資金吸收，係透過田賦與田賦附加稅，以及田賦附加實物收買、對輸出之作物（例如香蕉、洋菇、蘆筍等）的輸出臨時特別稅等來課徵。

為「經濟建設計畫」之資金調度與財政資金吸收，兩者之間有何區別無法明確化，而藉由稻米肥料交換制與高價格之肥料壟斷分發、分糖法等，是不設稅金名目的強制儲蓄方式，因此我們的理解是為了工業化的資金調度機制。

關於戰後以來，由農業部門對財政、工業資金之籌款額及其運用之詳情，由於國民政府之中央預算未公布，目前無法做明確分析。以下所述為根據報紙、雜誌所發表片斷部分。

依據王友釗（JCRR農業經濟組組長）之論文[19]，田賦年平均為7億元，田賦附加實物收買之收益金1965年1年約為7,200萬元，稻米肥料交換在1965年1年就有約11億7,000萬元之龐大收益金。這些合計年間約為19億4,200萬元。此外尚有田賦附加稅與輸出臨時特別稅、農業所得稅、水租之過重負擔部分、稻作以外作物所使用肥料之差益金等，實際上可認為籌款遠超出上述金額。

這點暫且不提。農民稅捐負擔中最重的稅目，不可言喻當然是田賦了。其在台灣之沿革如表20所示，僅以課稅標準元之徵收稻穀重量而論，祖國回歸以後一直都在加重。即使不問臨時附加稅之課徵，1968年當時之1賦元的徵收稻穀重量為平均22.65公斤，比1946年實際為2.5倍強之增稅。尤其，由於農業改革中自耕農所有的一般地在大幅增加，應該以1賦元26.35公斤來計算，這樣一來增稅率就迫近3倍高的高稅率。1946年標準元之稻穀徵收量，其根據[20]是僅將日據時期之土地稅（田賦）與其附加稅，以當時之稻穀1公斤的平均市價重新換算之重量，這從一開始就應該說過重了。再加上，1946年至1968年間之土地生產性有最大成長的水稻為日據時期之87.24%（參照表14），其過重應該也是無可否認的。另外由於是現物課稅，不受物價變動之影響，這點也要充分注意。

如此之過重負擔，由1969年秋以來農村經濟之疲弊來看，國民政府當局也不得不承認了。

19 王友釗，〈台灣之農業發展〉，張果為主編，《台灣經濟發展》上冊所載，頁243。又此數字之出處推測為許文富氏，但因原始資料無法取得而直接引用。

20 參照梁義文，《台灣田賦制度之研究》，頁35～36。

表20 台灣田賦課稅標準元之徵收稻穀重量變遷

	每一賦元的徵收稻穀重量（公斤）	臨時附加稅、捐款（公斤）				小計（公斤）
		縣級公學量	國防稅	八七水災復興建設捐款	義務教育經費負擔金	
1946年	8.85	（＋30%）				8.85
1947年	8.85	2,655	—	—	—	11.505
1950年1月	8.85	2,655	（＋30%）2,655	—	—	14.16
1954年12月	14.16	（因合併於正稅而取消）				14.16
1959年12月	14.16	—		（＋40%）	—	19.824
①自耕農一般土地1962年	19.37	—	—	5,654	—	19.37
②農地改革保留地	14.16	—	—	取消—	—	14.16
同①1967年※	26.35	—	—	取消—	—	26.35
同②	17.65	—	—	—	—	17.65
同①1968年	26.35	—	—	—	0.65	27.00
同②	17.65	—	—	—	0.65	18.30

資料來源：

①梁義文著《台灣田賦制度之研究》，頁35～36。

②參照《聯合報》1970年5月24日所載〈政府積極減輕農民負擔決定降低田賦徵收標準〉等製成。

※廢止户稅而合併於田賦來課稅。

《聯合報》所載（同表20之資料來源②），以1961年為100的話，在1968年之田賦徵收實額9億7,120萬元，竟然相當於267.5%。同時期之農業純生產額，同樣與1961年比為173.3%，因而最近8年間之田賦實顯示了167.5%的增加，真可說令人驚異。

同樣地，《聯合報》引用台灣省政府之資料，報導了10等則水田1公頃之田賦課徵，由1961年之912元到1968年為1,914元，提高了110%。

如表21所示，1968年之田賦總徵收額比較1967年，記錄著3.3

表21　最近八年之田賦徵收額與農業純生產額變遷

年次	田賦		農業純生產	
	金額（100萬元）	指數	金額（100萬元）	指數
1961	363.0	100.0	17,872	100.0
1962	436.9	120.4	17,891	100.1
1963	577.8	159.2	18,844	105.4
1964	560.2	154.3	23,510	131.6
1965	619.3	170.6	24,797	138.6
1966	660.9	182.1	26,340	147.4
1967	645.0	177.1	28,336	158.6
1968	971.0	267.5	30,972	173.3

資料來源：《聯合報》，1970年5月24日。

億元之大幅度增加。1年之間有近30%之增收，可能無法僅以義務教育經費之臨時課徵來說明。想想並非只有標準元之稻穀徵收量而已，應該還有每公頃之標準元本身的增額。農民之負擔更形加重，是在1961年至1968年間之農業用生產資材的價格上升率甚至達到了20%。因為是以稻穀之現物徵收，在相對價格方面亦蒙受不利，自不待言。

近日（1970年7月22日）《聯合報》（可能）根據表22指出，農民租稅雜捐等負擔比以往任何時期都過重。

據此報導所傳，1967年度每戶農家租稅雜捐等負擔平均為2,322元，直接稅之農業部門的負擔率為39.2%（產業別國民純生產之中，農業為24.4%，故指摘過重），每人之直接稅負擔率，農民為6.95%，非農民則不過約為其半，僅3.48%而已。

2,322元之稅負中，農業相關稅（田賦、房屋稅、所得稅、田賦附加實物收購之差益金【徵購差額】）為1,976元，占總額之85.1%，一般稅（地價稅、契稅、牌照稅、營業稅）為134元，占

表22 1967年農家所得規模別每戶之平均租稅負擔

農家所得	1.0萬元未滿	1.0-1.9	2.0-2.9	3.0-3.9	4.0-4.9	5.0-5.9	6.0-6.9	7.0-7.9	8.0-8.9	9.0-9.9	10萬元以上	平均
一、耕地面積（ha）	0.7728	0.6599	0.776	0.8821	1.1336	1.2184	1.7238	1.6564	1.793	2.3168	3.3442	1.1224
二、農家人數	5.69	6.3	7	7.92	8.33	9.15	9	10.37	11.5	10.50	12.73	8.0
三、農家收入	29,738	36,646	45,026	58,817	74,046	92,046	111,381	117,191	150,107	165,598	256,864	74,389
1. 農業收入	27,218	30,191	34,258	44,160	57,638	69,944	87,752	93,588	119,925	147,434	214,336	59,114
2. 農外收入	2,520	6,455	10,768	14,657	16,408	22,102	23,629	23,603	30,182	18,164	42,528	15,275
四、農家支出	46,531	45,125	44,921	52,587	63,462	79,771	83,558	87,296	113,074	120,848	168,844	64,620
1. 農業支出（不含農業相關稅）	21,697	20,063	18,684	22,495	28,286	35,001	44,664	38,687	61,219	67,371	100,493	30,504
2. 農家生活費（不含一般稅金）	24,834	20,062	26,237	30,092	35,176	44,770	38,894	48,609	51,855	53,477	68,351	34,116
五、農家所得	8,041	16,583	26,342	36,322	45,760	57,045	66,767	78,504	88,888	98,227	156,371	43,885
1. 農業所得	5,521	10,128	15,574	21,665	29,352	34,943	43,088	54,901	58,706	80,063	113,843	28,610
2. 農外收入	2,520	6,455	10,768	14,657	16,408	22,102	23,629	23,603	30,182	18,164	42,528	15,275
六、租稅雜捐等負擔	1,747	1,262	1,618	1,862	2,331	2,979	3,654	3,850	4,736	5,441	5,072	2,322
1. 農業相關	1,534	1,062	1,377	1,651	1,980	2,501	3,323	3,057	3,652	4,560	4,245	1,976
⑴田賦	1,121	735	1,083	1,288	1,553	1,961	2,383	2,220	2,653	3,570	3,425	1,510
⑵房屋稅	131	118	82	99	105	153	187	229	202	222	244	128
⑶所得稅	209	163	135	169	199	243	570	404	562	520	360	228
⑷實物收購差益金	73	46	77	95	123	144	183	204	235	248	216	110
2. 一般關係	51	67	71	87	133	250	187	320	632	157	271	134
⑴地價稅	—	14	26	9	27	46	29	32	—	65	21	22
⑵登錄稅	—	1	1	42	—	64	—	6	216	15	2	18
⑶牌照稅	51	52	44	36	68	62	67	141	211	77	117	61
⑷營業稅												
3. 其他捐款	162	133	170	124	218	228	144	473	452	724	556	212
七、租稅雜捐等負擔／農業所得×100	31.64	12.46	10.39	8.59	17.94	8.53	8.48	7.01	8.07	6.80	4.46	8.11
1. 農業相關稅負擔／農業所得×100	27.79	10.49	8.84	7.62	6.75	7.16	7.71	5.57	6.22	5.70	3.73	6.90
⑴田賦／農業所得×100	20.31	7.26	6.95	5.95	5.29	5.61	5.53	4.04	4.52	4.46	3.01	5.27
⑵其他項目／農業所得×100	7.48	3.23	1.89	1.67	1.46	1.55	2.18	1.53	1.70	1.24	0.72	1.63
2. 一般關係稅／農業所得×100	0.92	0.66	0.46	0.40	0.45	0.72	0.43	0.58	1.08	0.20	0.24	0.47
3. 其他捐款／農業所得×100	2.93	1.31	1.09	0.57	0.74	0.65	0.34	0.86	0.77	0.90	0.49	0.74
八、租稅雜捐等負擔／農家所得×100	21.72	7.61	6.14	5.13	5.09	5.22	5.47	4.90	5.33	5.54	3.24	5.29
1. 農業相關稅負擔／農家所得×100	19.08	6.41	5.23	4.55	4.33	4.38	4.98	3.89	4.11	4.64	2.71	4.50
⑴田賦／農家所得×100	13.94	4.44	4.11	3.55	3.39	3.44	3.57	2.83	2.98	3.63	2.19	3.44
⑵其他項目／農家所得×100	5.14	1.97	1.12	1.00	1.94	0.94	1.41	1.06	1.13	1.01	0.52	1.06
2. 一般關係稅／農家所得×100	0.63	0.40	0.27	0.24	0.29	0.44	0.27	0.41	0.71	0.16	0.17	0.31
3. 其他捐款／農家所得×100	2.01	0.80	0.64	0.34	0.48	0.40	0.22	0.60	0.51	0.74	0.36	0.48

資料來源：中國農村復興聯合委員會、台灣大學、中興大學農業經濟學系三者合作之《民國56年台灣農家收益調查》。

表23 農家所得規模別農家經濟剩餘

	1.0萬未滿	1.0～1.9	2.0～2.9	3.0～3.9	4.0～4.9	5.0～5.9	6.0～6.9	7.0～7.9	8.0～8.9	9.0～9.9	10萬以上	平均
農家總收入	29,738	36,646	45,026	58,817	74,046	92,046	111,381	117,191	150,107	165,598	256,864	74,389
農家總支出	48,278	46,387	46,539	54,449	65,793	82,750	87,212	91,146	117,810	126,289	173,916	66,942
（1）農家支出	46,531	45,125	44,921	52,587	63,462	79,771	83,558	87,296	113,074	120,848	168,844	64,620
（2）租稅雜捐等負擔	1,747	1,262	1,618	1,862	2,331	2,979	3,654	3,850	4,736	5,441	5,072	2,322
農家經濟剩餘	–18,540	–9,741	–1,513	4,368	8,253	9,296	24,169	26,045	32,297	39,309	82,948	7,447

資料來源：由表22製成。

5.8%，其他之宗教、教育、交通建設、水電設施、慈善、軍隊慰問金與其他之捐款為212元，占9.1%。又，報導也指出農家之稅負為農業所得之8.11%，占農家所得之5.29%，農業相關稅為農業所得之6.9%，占農家所得之4.5%。

然而此處所說農家所得（參照表22），如剛才所指出，好像與一般所說農家所得之概念有異。

《聯合報》也進一步指出，農業相關租稅是以農地與農家資產為課稅基礎，不根據負擔能力來定稅率，這是不合理的。事實上由表22可看出，農家所得之規模愈小負擔率愈高。

不僅稅負擔之不公平，《聯合報》也提及重複課稅之弊端，如戶稅與房屋稅、田賦與所得稅之重複，還有田賦附加稅之恣意性等。

《聯合報》所未提及而為我們所注意者，關於所得規模未滿30,000元之農家（其經營耕地面積為0.8公頃以下），三組之農家經濟剩餘的紀錄都是負數。

結語

由以上之觀察，關於台灣農業戰後之發展，台灣農民將相對的過剩人口含括於農家內部，在狹小耕地面積下，配合國民政府當局的強力之強制儲蓄農政，藉由耕地利用之高度化，經營之多角化，多肥料、多勞力農法而追求多收益與兼業收入增加[21]，我們只能說他們這種無以復加之辛勤，不過是歷史過程本身而已。但是此汗水滲透過程，到底也是在農業外未出現僱用機會之條件下才能成立的。

以越南特需與外資之大量引進為核心之工業化的急速進展，開始提供農業外之僱用機會，而上述之增稅政策與飼料農產物之大量輸入所造成的衝擊，迫使農村的青年男女開始流向都市、非農業部門，或一部分保留住在家通勤工作的型態。一般上班者的薪水提升，反彈回農村而招致農業勞動者的工資亦高漲。農業生產資材的高價，加上米價趨低，其連帶之農產物價格的相對不利，亦牽涉到農業經營之收益降低，結果造成農民生產意願大幅低落。

21 附帶說明，台灣之兼業化傾向於1960年代前半有突飛猛進的進展。

年次	專業	兼業	第1種兼業	第2種兼業
1960	47.6	52.4	29.9	22.5
1965	31.92	68.07	40.94	27.13

資料來源：1960年：前引《台灣省農業普查報告．中華民國五十年》。
1965年：前引《台灣省農業普查報告．中華民國五十五年選樣報告》。

此現象就是本章開頭所論述農業成長遲滯的真正原因。

農村經濟之疲弊已達不能說是颱風所造成自然災害的結果來敷衍了事。這是促使國民政府當局修訂稻米肥料交換比率與分發辦法，降低肥料價格，甚至制定「現階段農村經濟建設綱領」的原因。

以往認為禁忌的農民租稅雜捐等負擔過重問題的談論，現在一部分也被公開議論，而強烈要求國民政府當局修改此項缺失之輿論亦甚囂塵上。

專供輸出之特用作物，對其10%之臨時特別課稅亦自1970年7月1日被取消，而田賦附加稅之一的義務教育經費負擔金之取消，亦開始被議論。

但是事態之發展，似乎走在國民政府當局所推行各種施策之前面趨於嚴重，農地價格已傳暴跌[22]，嘉南大圳之水租到8月31日截止期，其未繳納者已達九成之紀錄，正使當局非常著急。

依據《聯合報》1970年8月30日所報導（國民政府行政院經濟部發表），1970年上半期之農業成長率綜合為負1.7%（與前年同期比），耕種為負4.4%（但畜產與林產各增加9%，水產增加0.03%），尤其冬季複種〔譯註：二茬，例如收了稻子種麥子〕、第1期雜作種植面積減少20,000公頃，甘藷、落花生、小麥、油菜，每樣都可見種植縮小。這樣不久可能將耕地使用率大幅降低平均近200%。

一旦離開農業的農民，就不容易回來。以往以糊仔種植方式

---

22 依據《聯合報》（1970年7月29日）所載，台南縣之上等水田以前為每甲25萬元（換算日幣約為225萬日圓），但現在降為15萬元（135萬日圓）也找不到買主。

接近極限地進行多茬種植之農村，即使引進農業機械，糊仔種植農法也將不得不作廢。無法藉由多茬種植而期待多收入的話，農民會呈現什麼樣的動向呢？站在轉捩點的台灣農業，要注目於其今後之動向者，恐非筆者一人而已。

本文原刊於斎藤一夫編，《台湾の農業・上》，東京：アジア経済研究所，1972年2月15日，頁63～122

《台灣民報》的故事

——《台灣青年》、《台灣》到《台灣民報》一脈相承的辛酸經歷

◎ 林彩美譯

在此要討論的《台灣民報》並不是戰後在日本由台灣獨立運動派所出版的同名報紙。

《台灣民報》以一句話來說，就是在日本統治下的台灣（1895～1945）唯一被公開的台灣人言論機構在某時期的稱呼。對台灣史研究者是不可或缺的資料之一的《台灣民報》，據筆者所知，其全貌在日本所知不多，從而至今一直未被介紹。其原因是在日本的公家機關幾乎未有收藏之故。據管見，現在（1972年2月）收藏《台灣民報》的公家機關只有亞洲經濟研究所（原本的一部分與復刻本的全部）與東京大學資料編纂所（僅原版少數幾部）的樣子。

記得是矢內原忠雄博士過世半年後的事。《日本帝國主義下之台灣》的第三章「教育問題」，第四章「政治問題」，第五章「民族問題」等有片斷的《台灣民報》介紹，也以資料被引用，況且，矢內原與《台灣民報》的幹部是親交，據說《日本帝國主義下之台灣》所據相當部分的資料是由那些幹部所提供的，由此我想或者矢內原藏書的一部分有《台灣民報》的席位，我便通過

某日本評論家向遺族的一人打聽。很遺憾，回答是「否」。如上所說《台灣民報》也是筆者十數年（筆者1955年赴日）來緊追不放的資料之一。

追求《台灣民報》的理由無他，對於有意以研究日帝下台灣的政治社會史特別是抗日運動史的學者，《台灣民報》與日本特高警察為首的有關當局所編寫的非公開資料同樣是必須、不可或缺的資料之故。

特高警察等所做成資料的一部分已由台灣史料保存會以《日本統治下的民族運動》〔《日本統治下の民族運動》〕上下兩冊即「武力抵抗篇」與「政治運動篇」，又みすず書房有《現代史資料（21）台灣（一）》與《現代史資料（22）台灣（二）》的各二大冊的編輯復刻的刊行以解我們求知飢渴。

在此所要介紹的《台灣民報》的復刻版全十大冊是如前面所講在抗日運動史台灣人的言論紀錄中位置於最重要的部分，其復刻刊行對於研究者的我們，可說有如在沙漠中發現綠洲。

《台灣民報》的歷史要溯源到1920年（大正9年）7月16日創刊的《台灣青年》。

《台灣青年》經歷日本當局的鎮壓與幾次曲折，到終刊（1922年2月15日）共出版19冊。即第1卷包含受內務省發行禁止處分的第4號到第5號共5冊，第2卷有第3號訂正版的再發行，包含第5號共6冊，第3卷同樣出版6冊但其中第6號受發行禁止處分。最終卷的第4卷發行到第2號共2冊，但第2號又受到發行禁止。

《台灣青年》創刊後第3年，即出版第4卷第2號之後不久的

1922年4月1日，因同誌的幹部們完成學業步上社會，以及島內情勢的諸般理由，而削去青年兩字改題為「台灣」刊行第3年第1號。

《台灣》的第3年（即《台灣》第1卷）第9號正好是12月，所以共出版9冊。第4年出版到第8號，第9號到第12號因震災〔譯註：關東大震災〕而休刊，但實質上被活用於後述的《台灣民報》日文欄。這暫且擱下，《台灣民報》是在第4年第3號的《台灣》均以日文、漢文兩欄構成的《台灣》誌上，預告《台灣》的第4年第5號起單以日文發行，漢文欄割離移到與《台灣》並行的新刊《台灣民報》而創刊。

所以《台灣民報》可說是相當於當時《台灣》的漢文欄。不同的是《台灣》是月刊誌，相對的《台灣民報》當初則是維持半月刊。

《台灣民報》於1923年4月15日發行創刊號，順利發行到第3號，第4號遭到台灣總督府惡質的妨礙，不得不延遲相當久，到同年7月15日才能發行。之後第7號（同年9月1日）的印刷完成，卻遭遇關東大震災，據說差不多都燒掉了。

相當於震災後復刊第1號的第8號（自本號起改為旬刊）在同年10月15日發行，但如前所述《台灣》因找不到印刷所等原因而處於停刊中，《台灣民報》便從第8號起到第14號止附設相當於《台灣》的日文欄以補之。

過了震災之年的1924年，《台灣》又復刊，因此《台灣民報》的第2卷1號又回復為單一的漢文版。

據我所查《台灣》應是在1924年的第5年第2號（1924年5月

10日）為終刊。一共出版19號。

《台灣民報》自第2卷第8號（1924年5月11日）以降，名符其實成為唯一公開的台灣人言論機構，但其發行依舊在東京（因台灣總督府一直到1926年7月15日仍未許可其台灣發行），從而受檢閱先在東京一次，搬入島內之際在更加嚴格的基準下受台灣總督府的再檢閱。亦即《台灣民報》要與它親愛的讀者相見之前必須通過雙重關卡。因此被耗費的勞力、財力以及相關者所經受的精神上的痛苦是不可計量的，此自不待說。本誌由半月刊改為旬刊，繼而在1925年7月12日即通卷第60號又改成週刊，於每星期日發行。

對於機關報在島內發行的強烈要求運動是《台灣民報》的前身《台灣》以來的事，但一直不被許可。不許可的理由無須贅言，是懼怕《台灣民報》等對民眾影響力的波及吧。然而因情勢的進展與日本政界的矛盾（政友會與憲政會之爭）等關係，在憲政會系的伊澤多喜男總督的到任後，在1926年7月16日島內發行始被許可。（但實際的島內發行因準備等情事，到許可的一年後，即1927年8月1日，以通卷第167號的發行為嚆矢。）

獲得島內發行權的《台灣民報》同仁們的新目標當然是放在由週刊躍進為日刊之上。

掌握日刊發行運動的主導權而積極活動的，是1928年自美國留學回來的羅萬俥其人。

為日刊發行的募款順利進行，於1929年1月13日，在台中市大東信託株式會社舉辦資本金30萬日圓的「株式會社台灣新民報社」創立大會。翌年3月2日更以「台灣民報社」與「台灣新民報社」合併的結果，誌名也由「台灣民報」改為「台灣新民報」，繼續以週刊發行。

之後經過諸多阻礙與曲折，能以日刊第一號發行則要到1932年4月15日。

在此要介紹的復刻版《台灣民報》是創刊號（1923年4月15日）到月刊第1號發行前所出版的週刊最終號（即通卷第410號，1932年4月9日），真是跨越10年、共410號的縮刷復刻本（但是，總目次上有目錄記載，欠缺實物的有第2卷13號、第3卷8號、10號、13號、14號；通卷第59號、第284號、318號等8冊）。410號之中，8冊的缺漏對於窺知全容之上不免是一瑕疵，但也不致於是致命傷。不管如何本復刻本是筆者所知範圍之內最近於完整的《台灣民報》。

筆者在前面強調《台灣民報》是台灣史研究必須的資料，但如能詳細檢討其內容，也十分可充當為日本近代史以及中國近代史的資料，在此順便指點一下。

同誌的羅馬字題名「THE TAIWAN MINPAO」不是福佬話（閩南話），而是依北京官話的發音，還有在極早的時期便積極翻譯介紹胡適、陳獨秀、魯迅、郭沫若等的作品與論文也引起我們無窮的興趣。

登場於誌上的大正民主主義明星選手吉野作造，推行和平運動的阪谷芳郎，當時還是明治大學教授的泉靖一的父親、（泉）哲的台灣論爭等等的「開明日本知識分子」與台灣本地資本家階級的所謂「連帶」是怎樣的一回事，可讓我們窺知其一斑。

知名的沖繩學者比嘉春潮的友人，而且是山川均系的左翼實踐家，同時也是台灣世界語學會的指導者連溫卿的論文也包含在內。

非常有趣的是羅素的《中國的問題》的一部分，比如是〈中國的將來〉也甚早在創刊號到2號（1923年4月15日與5月1日），又〈中國國民性〉在77號（1925年11月1日）與81號（同11月29日）上被譯載。

魯迅〈阿Q正傳〉的載錄是自81號，由魯迅翻譯的盲眼俄羅斯詩人愛羅先珂（Vasili Eroshenko）的童話，是在愛羅先珂訪中歸國（1923年4月）未久的1925年9月6日號（即第69號）即被轉載等，在在對我們顯示本誌對應快捷與安排周全十足而有餘。猜想這些動靜表示當時台灣知識分子強烈對應中國革命的共鳴，以及抱有對祖國熱烈志向的反映。上面所記述的實錄不僅是要知曉大陸的輿論是如何敏感地反映到台灣的好資料，也不能不說，現在已變成應紀念的歷史紀錄。

本文原刊於《龍溪》創刊號，東京：龍溪書舍，1972年2月，頁8～11

社會史問題論戰

◎ 蔣智揚譯

所謂社會史問題論戰是在中國第二次國內革命戰爭期間（1927年8月～1937年7月）所發生一系列論戰（社會性質問題論戰、社會史問題論戰、哲學史問題論戰、農村社會性質問題論戰）之一部分。

論戰之系譜

若僅由現在的觀點來看，上述之論戰為五四運動以來，馬克思主義對反馬克思主義在論壇上所呈現之抗爭，並可認為涉及歷史之發展法則（歷史唯物論）能否在中國貫徹，在各領域所呈現之一連串鬥爭。

第一次國共合作所引起的第一次國內革命戰爭，由於上海政變（1927年4月12日）與武漢政府之崩潰（1927年夏）而失敗，期間所發生的共產國際之分裂、史達林與托洛斯基之抗爭、共產國際指令之混亂，還有中共內部之部分混亂等等，包含中間與左翼在內之革命戰線上的知識分子們，在此紛擾中產生對革命的失望與挫折感而一籌莫展。其中有一部分人反省1927年大革命的失敗，乃以「中國社會之性質為何？」、「中國革命之性格應是什麼？」、「中國革命之motive power何處覓？其對象為誰？」、「革命應繼續發展乎？應停止乎？」等為主要課題，自1928年起展開「社會性質問題論戰」。

論戰之主要承擔者

從論戰之主要動機而言，最初問題的提出是對革命的長期展望沒有自信而動搖，為數眾多的國民黨左派知識分子之一，亦即當時尚居國民黨左派之立場的鄧初民基於受挫感所發起。

鄧在《雙十月刊》提出〈中國社會是什麼樣的社會？〉，接著據同誌的熊子奇（得山）、汪兆銘派的論客在《前進》誌上擺論陣的公孫愈之（顧孟餘）、接近周佛海的陶希聖、梅思平（據《新生命》誌）與靠近中共立場的郭沫若、朱鏡我（利用《思想月刊》、《東方雜誌》）等展開論戰。

社會性質問題之爭論的加深，始自於瑪加爾（L. Mad'iar）在《中國農業經濟論》初版中提出（1928年版）「歐洲資本主義在中國所遇到的是亞洲生產模式的社會，現代中國的社會是自亞洲的生產模式轉移為資本主義之過渡的結構」。自此之後展開國際規模之「亞洲的生產模式論戰」波濤，中共六全大會（1928年7月）召開，陳獨秀一派之除名（1929年8月15日）與「取消派」（亦稱反對派）之成立，劉仁靜之歸國與托洛斯基派之結成，還有國民黨對蘇維埃區之包圍作戰（1930年末～1933年10月）、九一八事變等狀況錯綜複雜地進展著，論戰之課題乃進入涉及中國史發展階段，亦即：中國史是否依照馬克思或是恩格斯之公式發展過來的？中國社會的發展是否與西歐之道相同？中國社會的前途如何？中國要走什麼路才能自救等等。

論戰的承擔者反映了當時的政治狀況，新進站在中共幹部派立場的王學文、潘東周等人藉著《新思潮》（1930年創刊），取消派以及托洛斯基派的李季、嚴靈峯、任曙、劉仁靜（鏡園）等人藉著《動力》（1931年創刊）、《讀書雜誌》（1931年4月創刊）等，紛紛展開論戰。再者，《讀書雜誌》在十九路軍陳銘樞的支持下，由站在社會民主主義立場的王禮錫、胡秋原所主宰，於是社會民主主義派的知識分子也加入了論爭。

論戰之經過與評價

論戰由《讀書雜誌》經過四次，發行了〈中國社會史的論戰〉之特集號（第1～4輯），表面上容易被認為是論壇上的一大壯舉，其實在國民黨的言論彈壓與對蘇維埃區包圍作戰的嚴重影響下，中共幹部派的主張只能刊載於祕密出版物，而在學術研究之偽裝下進行的該派合法言論活動也是受到限制。

論戰因十九路軍與社會民主主義派參加「閩變」，遭遇《讀書雜誌》被廢刊（1933年9月，第3卷7號）的挫折，但是關於中國革命之戰術、戰略問題的論戰暗流，卻由其後之中國農村社會性質論戰（1934～1935）所承接。

可視為毛澤東主席中國革命理論之原型的〈中國社會各階級

之分析〉（1926年3月）與〈湖南農民運動考察報告〉（1927年3月）兩者在論戰以前已經發表，加上中共幹部派之言論活動被彈壓，所以論戰本身我不認為對中國革命之路線決定有直接貢獻。我反而認為透過論戰之展開而將馬克思主義滲透到知識分子、學生層，並將新的社會科學與新史學植根於中國的土壤而應贏得一定的評價。

參考文獻

田中忠夫譯，《中國經濟論》，中央公論社，1957年

鈴木俊譯，〈中國社會史研究之概觀〉——《歷史學研究》第3卷2、3號所收，1934年12月～1935年1月

戴國煇，〈中國「社會史論戰」介紹上出現的若干問題〉——《亞洲經濟》第13卷1號所收，1972年

本文原刊於安藤彥太郎編，《現代中国事典》，東京：講談社，1972年11月28日，頁169～171

甲午戰爭

◎ 林彩美譯

一般指自1894年7月至1895年4月的日本與清朝之間的戰爭。在中國稱之為甲午戰爭或第一次中日戰爭。戰爭的終結日期，日本以締結《馬關條約》之日權充之，中國則以反對台灣割讓起而反抗的台灣官民之「台灣民主國」防衛戰爭失敗告終的1895年10月19日來劃分。

背景與原因

明治政府做為明治維新之後國家建設的一環，要確定其統治領域、解決邊疆地域的歸屬問題，以維新而橫溢的精力做為槓桿蠻橫地衝撞。

時值歐美列強以亞洲，特別是以中國的利權為目的群聚，自鴉片戰爭以來的商品進入以至中國邊疆的蠶食，更是將轉移到資本進入的前夕。

鴉片戰爭以來，從南方窺探著侵略中國的英國自不待言，法國也以安南為標的，以侵入巴爾幹、中東為目標的俄羅斯受英國所阻，便轉移以進入中國的西北部、東北部與朝鮮為標的。另一方面，美國也以培理的來航，台灣基隆港的水深調查等動作顯示進入東亞的徵兆，受列強在邊疆騷擾，清朝持續動搖。清朝對此情勢下推動基於「中體西用」（以中國的學問修養身心，以西洋的科學、技術應對世事）論的軍事為中心的洋務運動，在外交面採取「以夷制夷」（以夷狄制衡夷狄）政策之下，在韓國問題採「引俄制日」、「恃俄拒日」，亦即聯合俄羅斯以對付日本。同一時期在朝鮮半島各地發生農民暴動，特別是開國後的資本主義的流入促進階級分化、掙扎於生活之苦的叛亂農民，以及失業兩班*尋求新興宗教東學的救濟而集結。又統治階層為保全自己的天下，分成親清派與親日派而抗爭，致力於民族資產階級近代化運動的開化主義者想藉外國勢力嘗試改革。

日本正是在此情勢下伺機東亞，並且巧妙地在互相對抗的列強矛盾之間隙游走，借助一方的力量牽制他方，時而在列強直接的支援下對近鄰弱體化的清朝、朝鮮、小國的琉球國加以強壓，強行其擴張策略。

日本首先進行琉球處分，做為其一環在美國的支援下強行台灣征討（牡丹社事件），攫奪琉球的完全領有權與賠償金（撫恤金）銀50萬兩，邁出爾後對清交涉有利的第一步。對於朝鮮則是征韓論、江華島事件，再者是將《日朝修好條約》強塞給朝鮮，樹立起在朝鮮的特權（包含無視清朝的宗主權）。

---

* 朝鮮、高麗以及李朝的官僚組織，亦成社會的特權身分階級。兩班的字義由來為李朝的官僚組織的東班（文班）與西班（武班）的併稱，亦即文武兩班之意。

在琉球與台灣讓步的清朝，圍繞朝鮮問題與日本的爭執，因有李鴻章為首的北洋軍閥的基盤，與清朝首都北京受到威脅之故，而有交戰的必然性。

經過與結果

1894年4月至5月席捲朝鮮南部的東學黨之亂（甲午農民戰爭），受懇請出兵鎮壓的清朝於6月4日派遣北洋陸軍與北洋海軍。對此，明治政府在國境劃定作業以來戮力備戰，乘其餘勢（截至1890年初已整備了七個師團與五萬屯軍艦的兵力），以對朝鮮維持日清（勢力）的均衡與保護居留民之名，派遣大量兵力，看穿李鴻章依賴俄羅斯調停的外交弱點發起行動。日本軍驅逐了朝鮮兵，侵入景福宮，脅逼大院君令其總裁國政，另外以海軍奇襲海軍提督丁汝昌所率領的清朝艦隊於豐島外海，使之破敗。日本確保先制攻擊之利，掌握戰爭的主導權不停進攻，接著於9月15、16日首先在平壤打敗北洋陸軍的主力，同月17日又在黃海擊潰北洋海軍、陸軍，緊接著侵入東北區，也登陸遼東半島、占領大連、旅順的要塞，翌年3月攻陷清朝軍最後的據點田莊台。其餘則占領山東半島的威海衛，使繼續抵抗的丁汝昌其殘存艦隊在劉公島降伏。

敗戰之報在清朝內部使「主戰派」與「主和派」的紛爭升高，使戰局更加不利，加上長年腐敗政治的累積，終於敗給了向來輕視的「蕞爾小邦」——新興國日本。

自1895年2月1日在廣島舉行講和會議但決裂。3月20日清朝的全權者換成李鴻章，在下關開講和會議。4月17日以全般接受日本的要求的形式簽訂《馬關條約》：第一條，確認朝鮮的完全獨立；第二條，割讓奉天省南部、遼東半島、台灣、澎湖島；第四條，清朝方支付賠償金2億兩。其他之條是保障與歐美諸國同等的通商特權與在清朝開港場所取得製造業經營權等的約定。之後因有三國干涉，遂放棄遼東半島的割讓，而以3,000萬兩的補償金取代。

日本新一輪的侵略

在《馬關條約》決定被割讓的台灣，以承認清朝的宗主權之後建立了亞洲第一個共和制國家，對日本侵略軍展開激烈的游擊戰。但因孤立無援，又因在台清朝的上層軍人、官僚以及土豪劣紳的背叛而挫敗。但是台灣總督府施政後20年之間，仍不間斷打著抗日游擊戰。

目前，中日間在爭其領有權的「尖閣列島」（中國稱之為釣魚台列嶼）也可說是甲午戰爭與其前後顯現的，圍繞日本對外膨脹的痕跡之問題。

把中國的國境劃定作業在其思想上來看的話，第一，伴隨清算中華思想承認舊屬國的獨立與協商劃定國境（例如緬甸、巴基斯坦、越南、韓國等）；第二，做為現代國權（民族的尊嚴）的樹立運動的一環，追求被侵略舊領土的回復而與關係諸國交涉（俄羅斯、印度的例子）的兩項。如此來看時，不管資源的存在與否，「尖閣列島」是回復邦交必然成為問題的性質的事情。

然而在甲午戰爭獲得龐大賠償金的日本，把賠償金化為資本主義為目的的巨大蓄積源之外，又以此鞏固了金本位制的基礎，也轉用為新的侵略目的之軍備資金。

中國方因承認讓日本設置工廠的結果，也得允許列強的資本進入，為了支付賠償金而舉借外債，與造成領土割讓規模擴大的前例等，促進列強的瓜分、中國加強傾斜於半殖民地化。

除了有心的日本人反戰者外，大部分的日本人因簡單地打勝了大清帝國之故，對中國人的蔑視感廣泛地滲透。後藤新平惡狠的飴與鞭兼施的台灣治政以後，在殖民開發的大致成功也使對中國蔑視思想更加地伸展，被利用於爾後日本軍閥政權實施對中國、亞洲侵略為目的的大眾動員。

參考文獻

中塚明，《日清戦争の研究》，青木書店，1968年

井上清，《日本帝国主義の形成》，岩波書店，1968年

信夫清三郎，《增補日清戦争》，南窓社，1970年

戴國煇，〈晚清期台灣的社會經濟——並試論如何科學地認識日人治台史〉（《日本法とアジア》，勁草書房所載）1970年

本文原刊於安藤彥太郎編，《現代中国事典》，東京：講談社，1972年11月28日，頁318～321

注意陷阱「台灣」

——吳濁流所告發的

◎ 謝明如譯

中日間邦交再度恢復。以此為契機，中日兩民族間的關係亦開啟新頁。但此頁是由誰取得主導權來描繪、補白，乃是一大問題。街頭巷閭間充斥著熊貓熱潮，凡是與賺錢有關或想扯上關係者都蠢蠢欲動。

一直期望中日兩民族間真正的友好親善，自身亦跳入此一運動之漩渦中並流汗付出的日本友人、有心的朋友，我認為應非常清楚所謂中國熱潮陷阱的危險性。

不過，此一陷阱還容易提醒大家注意。因為日本長期有「經濟動物」、「黃種美國佬」等「別稱」；對於泰國抵制日貨運動之衝擊記憶猶新。

然而，更危險的陷阱不是別的，而是日本人對台灣莫名其妙的「一廂情願」。正因為日本人未意識到此事，讓我非常擔心。

日本人思考中國的情況，可略分為下列三種類型：

第一，職業新中國派，大致被稱為左翼派者。不知為何，這些人思考中國時，一般未納入台灣。甚至有一面致力於高唱一個中國論，一面表示彷如台灣的庶民（我刻意不說「人民」吧）不是中國人，這種「了不起的」議員先生們，令人困擾。中國人民與之為敵的只有以蔣介石父子為首的一小撮腐敗的國民政府官僚階層。尼克森訪中、田中（角榮）訪中後的現在，提高了台灣和平解放的可能性。正是在「愛國不分先後」的命題下，我認為日本友人應該要知道，就是那一小撮腐敗的國府官僚，只要有為中國統一奉獻餘生的念頭，中國人民也有不問其罪的寬容之心，何況對大多數在日帝、美帝以及蔣氏法西斯政權惡政下掙扎過來的庶民們，還會說什麼呢？

第二種類型是不加思索地全盤接受岸（信介）、賀屋（興宜）等老人的戲言，想向蔣介石「報」恩的右翼。再沒有比「以德報怨」更漂亮的語言吧！本來只有中國人民有對日帝抱有極高的怨念，蔣家、國府的親日派都沒有。應盡仁義的對象不是別的，正是包含台灣人民在內的全中國人民，而不應是國府高層，依偎在「俠義」之名的封建思維遺緒向來未曾消失，利用此遺緒乘日圓貸款之便，賺取政治資金，介紹開設合資企業而賺飽荷包，多麼漂亮的手法啊！

第三種是舊殖民地關係者與一般善意的庶民們。他們至今仍抱有「日本在朝鮮為惡、在中國也做壞事，但在台灣則進行開發、推行近代化，台灣人至今仍懷念我們。如二二八事件所示，台灣人與外省人（戰後新從大陸移入者）不合，可能的話，應協助台灣獨立」的感覺，這是事實。

然而，並非只有一般庶民抱持這種情感，若是誠實的人，都會承認第一、二種類型者也潛在地有這種想法吧！

恕我直言，此一陷阱不用說，正是老好人、健忘、喜歡簡化事物的（日本人）習性使然。

對於矯正以上錯誤的台灣認識非常具有參考價值的，是吳濁流的二冊選集。

眾所周知，吳氏於1900年生於台灣新竹，乃是日帝侵略台灣以來，有骨氣地堅強存活過來者。其經由日本的師範教育成為公學校（只有台灣人子弟就讀的小學校）教員，在日本人的橫暴、歧視中戰鬥，其後為抗議此一橫暴與歧視而辭職，前往汪精衛政權下的南京、上海。日本人所高揭的大義名分從在台灣的「台灣人也是陛下的赤子」（當然全是謊言），到上海、南京轉變為「大東亞共榮圈」，儘管如此，吳氏對於日本人的橫暴、驕傲，以及日人對培養為走狗的台灣人、汪政權關係者等同樣歧視之作為感到驚愕，對於歷史悠遠而不變的祖國山河之溫暖，則恰如其為詩人般獨自沉浸其中。

吳氏感知日帝必敗而迅速返回台灣，迎接終戰，卻以新聞記者的身分，目睹回歸祖國與二二八事件（1947年2月28日為抗議國民政府之惡政而爆發的暴動事件）的歡喜和悲哀。

吳氏的作品《黎明前的台灣》與《泥濘》都寫實地描繪發生在作者身邊的種種事件。

若概分此兩大著作，第一冊的中心〈無花果〉，乃係作者透過其70年生涯以描繪台灣近現代史的自傳式作品；第二冊的〈泥濘〉，可說是台灣農民文學之著作，同樣收錄在第二冊的〈陳大人〉，可理解為描繪殖民地體制製造出來的買辦、警察等人生樣態之作品。

又，做為第一冊書名的〈黎明前的台灣〉與收錄在第二冊的

〈波茨坦科長〉，可說是一面積極地批判回歸祖國後在台灣的漢奸等人之諸相，以及苦惱的台灣知識分子之行動樣態；一面在歷史的脈絡及民族的恆久性中，嘗試徹底地把握人性。

毋庸贅言，吳氏這些作品並未出現社會主義、共產主義，而我們亦無法在文中找出告發之字眼。

然而，我們卻在他恬淡的口吻中得知殖民地體制如何傷害人，以及歧視榨取的結構如何敗壞人性。

又，我們對於吳氏的作品中止於二二八事件，有某種不足之感，此可認為並非作者無力，而是因台灣嚴厲的政治狀況之故。

總之，吳氏一系列的作品是矯正日本人錯誤的台灣認知所不可或缺之紀錄、資料和文獻，我相信任何人只要一讀，都將認同此言。

容易被台灣獨立運動者乍似有理的聊賴——「勿忘曾為同胞的台灣人」、「台灣人與外省人無法相容，台灣人不是中國人，故台灣應該獨立」等所迷惑的鄰人諸賢，請務必和我一起傾聽這位現仍住在台灣、今年已72歲，仍為了培育中國文學之一部分的鄉土文學——台灣文學而投注他不算豐裕的私財、主導《台灣文藝》（季刊）的現役老作家發自心底的聲音。

如此，將可了解所謂「中日邦交樹立後所殘留之問題，如何對1,500萬台灣人盡情理」之邏輯是如何地多管閒事，以及身為日本人是多餘無謂的「過慮」。

台灣問題係有朝一日可由中國人以其自身之民族智慧和平解決之問題。我們不期待日本人的「情理」，而強烈主張台灣人終究是中華民族不可或缺的一構成部分，台灣島及其周邊諸島嶼是中國的神聖領土。

本文原刊於《日本と中国》第12號，1972年12月9日，頁1。以筆名陳來明發表

中國「社會史論戰」與《讀書雜誌》之周邊

◎ 蔣智揚譯

前言

我先前在本誌第13卷第1期（1972年1月15日），以「中國『社會史論戰』介紹上出現的若干問題——介紹與研究之間」為題，發表了中國社會史論戰研究劄記的第一部。

本稿相當於該研究劄記的第二部，其目的也與劄記的第一部相同，是為了更明確地追蹤中國「社會史論戰」（以下簡稱論戰）之具體內容，做為其基礎作業或必要的程序作業，盡量釐清論戰的周邊資料。

進入論戰的具體內容之前，在所謂程序的作業上，筆者所執著的當然不只是論戰本身具有理論的課題，而且伴隨特別的革命實踐課題，政治性牽連錯綜其中，因此我想去深入解讀論戰之理論面，以期做正確的闡明，須對當時圍繞論戰的政治狀況，盡可能嘗試掌握其整體的必要之故。

做為所謂論戰史執筆者的主體條件，特別對1920年代後半至1930年代前半的歷史臨場感必須讓自己身體牢牢記住，我想這是做為攻擊論戰史大本營不可缺少之必要程序，所以硬著嘗試這種「勞苦如水牛般的作業」。

一、《讀書雜誌》創刊之經過

在日本的中國研究者之間，提起中國社會史論戰，馬上就會聯想到《讀書雜誌》，《讀書雜誌》就是這樣地「有名」。但是不論在戰前或戰後，該誌的全貌都沒有明確地被介紹。如今，我們日本人的學術前輩在戰前所傳下來的該誌，就在連其片語鱗爪都被擱置不理之下大談論戰，甚至有就這麼談下去的氣氛。這簡直是無法形容的可悲現實。

在筆者論戰研究劄記的第一部中曾介紹過里井彥七郎、矢澤康裕、中嶌太一、野原四郎等四位戰後之論戰介紹者及研究者，他們都提出《讀書雜誌》的「中國社會史的論戰」特集的第一輯至第四輯，做為論戰的主要文獻。

提出特集四冊做為主要文獻當然並沒有錯。我們是希望不要把論戰與《讀書雜誌》的關係局限在上述的四冊特集中，而應對所發行全《讀書雜誌》先把該特集四冊加以定位，然後再來談及論戰。

雖然這麼說，但現在筆者並沒有這樣的餘裕。總之，希望在不久的將來請該研究所（亞洲經濟研究所）的「中國相關新聞・雜誌的書誌研究」研究會（主查江副敏生，幹事小島麗逸）完成《讀書雜誌》總目次之編撰及該誌的內容簡介，以做為該研究會的工作之一。

這且暫時不談。《讀書雜誌》具體登載論戰，其嚆矢並非該誌的「中國社會史的論戰」特集第一輯。談到論戰以為就是《讀書雜誌》的特集四冊，這種「常識」是不正確的，首先這點必須指出。

最初在《讀書雜誌》的創刊號（1931年4月1日）上，早就特別設置了「中國社會史的論戰」之欄，在「關於中國的封建制度」題目下，刊載了朱其華及陶希聖的信函，以信函往返之形式做為論戰記事。

由創刊號以信函往返的方式刊載論戰記事，身為讀者的我們對於這件事會感到十分訝異，但我想如果弄清楚《讀書雜誌》創刊經過的一斑，就可減低訝異感的程度。

接著來追蹤看看《讀書雜誌》創刊的經過。

（一）創刊號「編者的話」的弦外之音

「編者的話」當然不外是該誌主編王禮錫的辯解，王敘述：「本誌的發刊計畫是在去年（1930）春天某次閒談中所做的決定，其後因為編者的生活完全是南船北馬到處流浪之中，一直拖到今年（1931）一月才好不容易能夠著手」[1]。但是王主編是否對當時的政治狀況有所顧慮，故意將極為重大的事情加以隱瞞遺漏。

1 《讀書雜誌》創刊號（1931年4月1日）〈編輯者的話〉，頁1。

（二）《讀書雜誌》與《動力》的關聯

筆者想要指出的在王主編「編者的話」中所遺漏重大紀錄事項，就是《讀書雜誌》有其前身，所謂前身就是那有名的中國托洛斯基派的雜誌《動力》（1930年7月創刊，同年9月出第2期後停刊）。

這期間的情事，我們可由彭述之的妻子陳碧雲（蘭）之著作得知。彭述之是中國托洛斯基派的指導者，現在尚屬第四國際工人協會，繼續在巴黎活動著。

陳碧雲在自著《對瞿秋白及陳獨秀等的評價——評王凡西自傳——》之「第二次革命失敗後社會主義的文化運動與托派」[2]一節上，引用了王凡西的二段話[3]，對王主編加以批判。王凡西的第一段話是：

> 上海是全國的出版中心，這時候（自1920年代末至1930年代初）小型書店有如春筍般出現……在這些新書店之中，以神州國光社的聲望及勢力最大。神州國光社爲陳銘樞所投資，實際負責人爲王禮錫。我對王禮錫的身世不很清楚，只知道他稍能

2 陳碧雲著，《對瞿秋白及陳獨秀等的評價——評王凡西自傳》（1959年4月15日）頁52～53。附帶一提，陳著為謄寫版98頁、四六版之小冊子，出版社和發行者都沒有載明。

3 陳著本來是為了要批判《王凡西自傳》而撰寫的。從陳著可知王的自傳是1950年代中期在香港出版的，遺憾的是我沒有見過王的自傳，也不知道哪裡有收藏。知道收藏處的人，煩請通知我。又據我的推測，王凡西就是當時與劉仁靜一同組織「十月社」（中國托洛斯基派的一派）的王文元。

吟舊詩，爲人相當誠實，由於他對政治認識不多，無獨自的主張，只要是「屬於左派人物」，甚至只要多少能玩弄社會科學名詞的人，他都會鄭重招待之。

因此從陶希聖中間夾有史達林派，到我們這些托洛斯基派的執筆者，都受他一視同仁的待遇。

1930年初，他與「反對派」特別親近，劉仁靜、李季、王獨清、彭述之、杜畏之、彭桂秋、吳季賢等與他有親密的來往。（「反對派」就是由在1927年中共中央的八七會議上被批判爲右翼機會主義者，而被撤消幹部地位的陳獨秀【八七會議之前爲中共中央總書記】和彭述之【在八七會議之前爲中共中央宣傳部長】所組成的分派組織。其後，被當作托洛斯基派而遭開除黨籍【1929年11月】的陳、彭等人又與托洛斯基各派合併自稱爲「布爾什維克列寧派」或「左派反對派」。一般稱呼這些人爲共產黨反對派或「取消派」【即解黨派】）。我因爲劉仁靜的關係，被委託做蘇俄革命的編譯」。（《自傳》[4]，頁190）

王凡西的第二段話是：「當時無產者社[5]更透過神州國光社，出版稱為《動力》的雜誌，這對一般的社會科學及特殊之托洛斯基派的主張有相當大的影響。」（《自傳》，頁191）。當時的種種經過，明顯如下所述。

---

4 本稿引用陳著的文章中，所有寫著自傳的東西都是指《王凡西自傳》。

5 所謂無產者社就是1929年11月被開除黨籍的陳獨秀、彭述之等人把被開除前所組成的分派祕密組織公開取名為無產者社，並由陳任主編發行《無產者》雜誌。該誌不但介紹托洛斯基的政治主張，稱中共幹部派為官僚主義，並痛罵朱德、毛澤東為「土匪」，積極地加以批判攻擊。

陳首先做這樣的批判：「在上述二段的敘述中，王凡西拐彎抹角地誹謗王禮錫，說劉仁靜、李季、王獨清、彭述之等人接受王禮錫的『延攬』，並『與他（王禮錫）有親密的來往』，除了表明他的孤高，說他自己只是『因為劉仁靜的關係，被委託做蘇俄革命的編譯』外，在此又亂語胡言」，然後繼續作以下的敘述：「因為這一連串的事情與我們托洛斯基派在社會主義文化思想所達成的任務有關，故有糾正（王的）錯誤之必要，所以在此指明其真相。」把當時的經過生動的記述如下。

陳碧雲說：

首先須要指出的是王禮錫的爲人既不是「誠實」的人，也絕非「由於對政治認識不多，沒有獨自的主張」的人。毋寧說他是「聰明」的人，在革命（指大革命）期間參加共產黨的陣營，在江西又從事國民黨及農民運動的工作，革命失敗後，他離開運動，來到上海，透過某種關係擔任了神州國光社的主編。他有他自己的政治企圖，並抱有某種野心。」陳碧雲還說：「神州國光社於1929年秋在上海開始創辦時，王禮錫透過神州國光社的總經理曾憲生（即獻聲，《讀書雜誌》的發行者）認識了劉伯垂（又名劉芩，舊共產黨員，原國民黨中央黨部祕書長，與【共產】黨指導階層都有認識，最早以前曾加入無產者社），再透過劉伯垂請求（彭）述之。但是述之未直接遇到王，後來也未曾遇上……。因此王只好透過伯垂，向述之提議說，因爲神州國光社預定要發行定期出版物，請述之當主編。述之承諾了就任主編的事，但附帶交換條件，就是所有原稿的審查及增刪要完全授權給他，經過他編輯後的原稿沒有經過他的同意不得修改。王禮錫不但接受了所有這些條件，同時還表明該誌所有的文章可由彭述之或他所選的人執筆。就經過這樣，雜誌被發行，取名爲《動力》。由以上可知，《動力》並非如王凡西所說由無產者社經由神州國光社出版，而是神州國光社委託彭述之編輯而自行出版的。

附帶一提，陳碧雲是自1925年後就與彭述之生活在一起。她出生於學者之家，起初名為碧蘭，五四運動期間在湖北受教育，1922年入黨為草創期的中共黨員。1923年在上海勞動大學學習，據說一時曾赴北京，在李大釗之下工作。1924年留學莫斯科，1925年春天回國，在上海向警予（蔡和森的夫人）的指導下，以女學生和女勞動者為對象，進行革命運動，並從事中國婦女雜誌的編輯。其間與彭述之認識，結婚後乃一起行動[6]。陳的著作是以弄清楚托洛斯基派運動的內部情形為主要動機。只憑陳碧雲本身是其指導者彭述之的親近者，也是運動者，就可判斷其可信度很高。尤其僅從她運筆冷靜、不太自我宣傳的作為，筆者認為做為資料甚具價值。不知讀者認為如何？

這且按下不表，陳碧雲所述有關《動力》出版所涉及種種經過及彭述之一手承擔該誌的編輯，這些事就我所知在文獻上是初次見到的。編輯者彭述之躲在背後沒有出現的最大理由可能是他在被通緝中，而且他的目標太大，雖然說陳銘樞所援助的神州國

6 參照Boorman, Howard L., *Biographical Dictionary of Republic China*, Vol. Ⅲ（1970），頁73～74。再者，不知何時將碧蘭改名為碧雲。

光社是發行的源頭，但對國民黨南京當局以及對中共共產黨的幹部派也須要顧慮，這是不難想像的。

暫時不談這個，我指出《讀書雜誌》的前身為《動力》，是根據陳碧雲以下的敘述。陳寫道：

> 《動力》第一期出版（約在1930年春[7]），銷路極好，第一版3,000部很快就賣完，馬上又再版。 第二期更擴大銷路。（中略）。由於《動力》的銷路實在很好，以致「影響力很大」、「爲人相當誠實」的王禮錫起了野心，要收回由自己編輯發行。因此《動力》第三期完成編輯要付梓時，王禮錫以神州國光社的總經理因某原因不得不暫時停刊爲理由，使《動力》停刊。其後不久，王禮錫就以自己的名字冠上主編的名義而發行《讀書雜誌》[8]。

她在《讀書雜誌》的註釋上更有這樣的詳細記載：

> 《讀書雜誌》的某期中有幾篇文章是從已編輯的《動力》第三期中抽出來的。王禮錫又爲了使社會的讀者大眾對他的《讀書雜誌》引起注意，把述之原來以筆名所寫批判胡適實驗主義的論文[9]以眞名發表於該誌，並在申報及新聞報上大大地刊登廣

---

7 筆者所能閱讀到的《動力》的第1卷第1期的末頁發行日是1930年7月15日，而被認為是彭述之執筆的〈開場白〉所記載日期是同年3月22日。

8 陳前引著作，頁55。

9 附帶一提，論文以「評胡適之實驗主義與改良主義」之題名被刊載在第2卷第1期（1932年1月30日）哲學論戰的特設欄中。

告。因此引起國民黨中央黨部的注意，陳立夫叫王禮錫到南京，詰問王禮錫爲何刊登被通緝中彭述之的文章而拘留之。王後來因爲陳銘樞的請求才被釋放出來，這也是王禮錫被《讀書雜誌》拖累的一段插曲。[10]

上海的租界常被認為是反體制運動者的避難場所，是他們用來做為言論活動的基地。但是由王禮錫的插曲看來，很明顯那也未必是絕對的事。

尤其上海政變後，南京政府藉其餘勢，著實地箝制了反體制的言論出版活動，這是歷史的事實。例如1929年創造社出版部被迫關閉（後來改稱為江南書店，此為後述《新思潮》的發行者）。同年，經由國民黨中央宣傳部之手公布「宣傳品審查條令」。1930年由國民政府公布出版法，翌年1931年華興書局（1929年在上海創業的中共出版機構，出版中外研究學會叢書及上海社會科學研究學會叢書而著名）的出版物受到取締，改稱啟陽書店，後又改名春陽書店。1933年生活書店出版的《生活》被迫停刊（翌年改名「新生」【週刊】重起爐灶），翌年1934年國民黨中央宣傳部公布圖書雜誌審查辦法，在上海設立該審查部。依此辦法，除了有194種文藝書籍受到國民黨查禁處分外，還有一千多種前進書籍或定期刊物也遭受北平國民黨政府焚毀處分[11]。

以上就是《讀書雜誌》發行期間之前後，國民黨當局關於出

10 與註8同。

11 參照張靜廬輯註，《中國出版史料補篇》（1957年5月，中華書局），頁585～589。

版取締的概況。

在這種狀況下，《動力》停刊的原因如陳碧雲所說僅是由於銷售太好，王禮錫把它收回由自己出版。但我們推測這樣的解釋稍微言之過分，不知看官意下如何？

（三）《動力》第一期之目次與嚴論文

如前所述，《動力》結果只刊行了二期。筆者能讀到的只有創刊號，以下列出其目次，並稍加說明。

開場白
機械的唯物論與布哈林／吳西岑
蘇聯五年來之哲學論戰／彭葦秋
黑格爾哲學的歷史意義／樸列哈諾夫著．魏芝譯
康德、荻茨根、馬赫與歷史的唯物論／德國墨林著．韋森譯
「中國是資本主義的經濟，還是封建制度的經濟？」／嚴靈峯
壟斷資本主義與經濟學／阿都拉斯著．彭葦秋譯
馬克思價值論基點及其與李嘉圖學說之區別／盧彬著．代青譯
普羅文化與普羅藝術／托洛斯基著．迅雷譯
藝術斷片談／馬克思著．劍青譯
馬克思及其夫人的疾病與死亡／季子
馬克思給古蓋爾曼的信／寒光譯

以上為《動力》創刊號的目次，當然如前述，在該誌末頁的

編者之項沒有彭述之的名字，只有動力編輯社。發行者當然是神州國光社，頗為有趣的是本誌並無當時商業雜誌一般慣例所刊登的「稿約簡章」（有關投稿之規定）之類。那時候的情形已經很清楚，將所有編輯業務委諸已潛入地下的彭述之是其原因之一，還有可想到的是彭要將該誌利用於黨派，加上大革命失敗後，彭對著名的知識分子抱著極度不信任感，希望由自己的親信湊合成執筆陣容，我想是來自這些原因吧。

陳碧雲說：「述之雖然負責神州國光社出版《動力》的編輯，但到最後並未與該社的主編王禮錫見面。這件事從現在的感覺可能難以相信，但在當時並不稀奇。在革命高唱入雲的時期，幾百幾千位包含大學教授、作家的知識分子唯恐搭不上列車似的，爭先恐後地接近共產黨，甚至其中還有部分人入黨。但是一開始看到革命失敗，這些知識分子就最先離開黨，這種情形是我們親眼目睹的。由於這樣，革命失敗後述之變為對知識分子抱著很大反感。有許多著名的知識分子想要見他，都被他拒絕，（中略）述之自始至終不想見王禮錫，也是出於這種『傲慢的態度』。」

那麼彭述之要透過《動力》，其目的何在？首先從被認為是由他執筆的「開場白」來觀看他的方針：

> 我們相信歷史的齒輪是往前邁進的，所以必須要有動力，當然，所謂歷史的動力就是一定時代的新生產力，以及代表該時代新生產力的新階級本身。但從另一方面來說，『意識形態』也是推動歷史前進的眞正動力之一。之故，『沒有革命的理論

就不可能有革命的行動』。最近在中國思想界可看到帶著新『元素』而開始的活動。新的意識形態已經開始在萌芽發展，這並非偶然，自不待言，當然是因爲社會已具有那種內在原因。但同時新的混亂、曲解也隨之而起。譬如人們表面上在高聲擁護「辯證法的唯物論」，實際上卻暗中有意無意地在發揮各種修正的論調，尤其是「機械（的唯物論）」。又人們表面上在高唱擁護「無產階級文化」或「無產階級文藝」，實際上沿街叫賣的卻是「小資產階級」的東西。把假貨混入眞品而橫行無忌。這樣的狀況怎麼不會阻止歷史的前進呢？

我們希望我們的《動力》能確立恰如其名的地位，並能擔任推動歷史前進的使命。

所以當然首先必須清掃道路，也就是清掃歷史的（對前進的）障礙物。因此我們主要的精神是「批判」。批判簡直就是「撥雲見日」唯一的手段。我們當然必須努力「建設』，但是我們知道眞正的建設是唯有不斷地從嚴厲的批判之中才能創造。

當然「批判的武器絕對不能被武器的批判所取代，物質的武力必須透過物質的武力加以破壞」，但是「理論一旦能掌握群眾時，理論馬上就變成物質的武器』。

最後附記，我們希望「我們的理論不是教條，而是行動的指針」。1930年3月22日。

以上是創刊之辭，即「開場白」的全文。將此一讀就可知道，彭在方針上，態度非常慎重，這都瀰漫在整篇文章上，在此可以看出苦心的痕跡。馬克思、列寧及托洛斯基等名字一點也沒出現，以馬克思主義的語言直接出現的只是「辯證法的唯物論」、「無產階級文化」和「無產階級文藝」而已。此方針是否為神州國光社和彭做默契的結果，我尚未調查清楚。但前述之國民黨中央宣傳部對言論出版活動的加強取締，使相關者神經緊繃或不得不緊張，這是很清楚的吧。在執筆者中就我所知，除了剛從莫斯科留學回國幾乎尚無名氣的嚴靈峯（推斷當時的年齡為24歲[12]）一人使用本名（【？】，至少現在還在使用的名字）執筆外，其他人都用筆名，從這件事也可知其一斑。

但是方針到底還是方針，從目次也可看出，從托洛斯基見解的部分介紹，以及嚴靈峯以對《新思潮》「徵文」之應徵形式，對該誌第5號「中國經濟專號」（詳細參照後述）嘗試做挑戰性的批判。《新思潮》當然是代表當時中共主流派（當時一般稱為幹部派）意見的少壯學者，採「學術雜誌」的形式所出版的，他們在紙面上激烈地批判「取消派」即「反對派」。

這且不論，現在透過彭的親人陳碧雲的辯解，來聽聽彭的真心話。她說：

> 述之就任《動力》的編輯之後，精心擬定了一個計畫，就是在哲學、社會科學及政治面上，批判資產階級的觀點，並透過這個批判，介紹科學的社會主義理論，尤其對托洛斯基的中國社會性質及對中國革命，介紹宣傳其所具見解與主張，以此打擊

12 在1953年12月初版的《中華民國人事錄》（編印者，中華民國人事錄編纂委員會，台北市）頁458所載嚴靈峯之項中，1953年當時為47歲，故推斷1930年為24歲。

史達林派的思想。[13]

以上可以說是彭述之對於《動力》雜誌所懷本來的意圖，也是他的真心話。當然「開場白」的原則是以委婉的表現施加偽裝的，但絕不會與彭的真心話有矛盾。因為在八七會議上被撤銷幹部職務而還保留黨籍的陳獨秀及彭述之，早在1929年11月被開除前即已組成祕密組織，進行著對幹部派之批判與攻擊。當時在1929年初夏，彭也經由尹寬的介紹與剛從蘇聯歸國的留學生趙齊、王平一等聚會。在這個聚會上，彭從王等留學生得知在蘇聯以托洛斯基為首的「左派反對派」運動的概況及有關托洛斯基對中國革命問題的見解與主張。又據說彭在該聚會上從王平一手中取得托洛斯基所著有關中國問題的二篇文獻——論國民會議，及對共產國際綱領中有關中國問題的部分之批判[14]。

彭述之從「取消派」的立場急速地傾向托洛斯基主義，就是以此為契機。

關於史達林與托洛斯基在共產國際中的抗爭，尤其涉及中國革命的論爭，在撰寫社會史論戰的具體內容時似應明確化，但本稿暫且擱下不提。

彭讀了托洛斯基的二篇文獻（上述），並傳給陳獨秀看以徵詢其意見。對此讓我們看看彭妻陳碧雲所做回顧談。陳碧雲說：

我現在還記得很清楚，述之把文獻帶回家後就開始閱讀，到深

13 陳前引著作，頁54～55。

14 陳前引著作，頁27。

夜才讀完。第二天早上他很早起床，興奮地對我說「我已由此明白中國革命失敗的原因。也發現我們的黨現在必須採取的政治路線」。我問他爲什麼？他回答說：「托洛斯基在這二篇文獻中已經說得很清楚。」其後他帶著文獻去找獨秀。獨秀讀完後到我們的住家訪問我們。（中略）他說：「托洛斯基對中國革命失敗原因的分析，以及把國民會議召集當作目前的總政治口號，而將此視爲政治路線之指標，我認爲其見解完全正確。但關於將來革命性質的問題，對其分析感到有些懷疑……」，在這樣的交談過程中，彭告訴陳說如果關於革命失敗原因之分析及當前的政治路線，同意托洛斯基立場的話，那麼當然應該站在托洛斯基的立場奮鬥，提議先組織「左派反對派」。並謂將來革命性質的問題，可以慢慢再檢討。[15]

彭和陳就這樣從「取消派」的立場趨近托洛斯基的見解，在人際上也與被捲入蘇聯共產國際的抗爭漩渦，自身投入托洛斯基派，或因抗爭的餘波不知何時被歸為托洛斯基派而從莫斯科被趕回國的蘇聯留學生們做密切的接觸。在這樣的過程中，不論在政治活動方面或在祕密組織方面，逐漸籠罩著濃厚的托洛斯基色彩。不久後，彭和陳等人就被開除黨籍（1929年11月15日）[16]。

追蹤托洛斯基派在中國的形成及其活動，這並非本稿直接的

15 陳前引著作，頁28。

16 有關國民會議召開的總政治口號及陳彭等人被開除的中共中央的決議，請參照《紅旗》第57期（1929年11月27日刊）所載〈開除陳獨秀黨籍並批准江蘇省委開除彭述之汪澤楷馬玉夫蔡振德四人決議案〉，並參照日文翻譯《中国共産党史資料集4》（日本国際問題研究所中国部会編，1972年5月30日）頁513～518。

課題。但有必要將論戰與托洛斯基派的關係，從其政治面和實踐面加以某種程度的探討。從上述一連串的事實，屬於托洛斯基派的論戰旗手們，其思想中大大小小都有托洛斯基關於中國革命之見解的投影，自不待贅言。

當然，彭和陳所交談的「將來中國革命性質問題，可以慢慢來」的會話也成為參加論戰的一個契機，那是不難想像的。

從《動力》創刊號的編排結構可以看出其一斑，尤其做為直接涉及中國社會性質論戰的論文，嚴靈峯的論文為其中之一，自不待言。

如前所述，嚴論文之副標題為「應新思潮雜誌之徵」，而其後記加註「本稿在匆忙中對《新思潮》的『中國經濟專號』簡單寫出零星的批判，待第二期再嘗試做更詳細且有體系的解釋」，由此可知彭等人藉由已獲市售形式的唯一托洛斯基派雜誌《動力》，嘗試對中共主流派做批判攻擊。

事實上，陳紹禹（王明）在批判李立三路線時所寫下的知名論文〈二個路線的鬥爭〉中，藉由對嚴論文的詰問，激烈地攻擊陳獨秀、彭述之的托洛斯基派見解。陳紹禹謂：

> 中國之托洛斯基的陳獨秀反對派對中國經濟性質的認識，完全是叛變者下流的「非殖民地化」理論，他們認爲「帝國主義侵入中國，把中國經濟加以資本主義化、工業化了」（參見反對派的刊物《動力》第1期），「中國經濟已經是資本主義的經濟，已經沒有封建的殘渣，或只剩下殘渣的殘渣」。這樣稱讚「帝國主義把昌隆、進步、文明惠賜後進民族」，無異是社會

民主黨的擴音器。他們根據這樣的分析，認爲中國革命的性質已經是社會主義革命，而逃避在此『左』翼的面具後面，因此解除了以反帝國主義和土地革命爲中心內容的中國現階段中之革命，同時解除了所有革命。[17]

二、關於《新思潮》雜誌

《新思潮》是直接引出嚴靈峯的問題論文之雜誌（這當然僅從表面看來是如此），茲介紹該誌究竟是什麼雜誌。

當時在上海刊行的《滿鐵中國月誌》做了這樣的介紹：

《新思潮》與《世界月刊》在上海出版的這種雜誌當中，展現很好的銷售量。《新思潮》由上海四馬路的江南書店代售，四六版橫排，定價二角五分。該誌自去年創刊以來，已經出版第一期（11月15日），第二、三期合刊（1月20日），第四期（2月28日）及第五期。——如第五期的「中國經濟研究專號」，據說印了5,000部。從執筆者的名單推測——因很多是假名，很難明確下定論——該誌似乎爲極左派論客所支持的雜誌……（後略）。[18]

---

17 原文為〈兩條路線的鬥爭〉（《兩條戰線》中共中央出版部出版，無產階級書局發行，上海，1931年7月15日刊），本稿借用尾崎庄太郎譯《中国共產党史資料集5》（編輯、發行同上）所收〈二つの路線の闘争〉，頁230。

18 該誌第7年第5號（1930年5月15日）頁114。又執筆者為西尾礼（大塚令三之筆名）。

另一方面，張靜廬輯註的《中國現代出版史料乙編》之「書影」頁將該誌當作第三期創造社的出版物（月刊雜誌）來介紹，並將該誌的創刊記載為1929年12月[19]。

筆者所能閱讀到的《新思潮》只有第五期「中國經濟專號」（1930年4月15日），幸好該誌的最後一頁載錄有從第一期到第四期的「要目（主要目次）」，茲將其與第五期的總目次並列如下：

第一期主要目次

1. 中國教育狀況的批評／柳島生
2. 民族輕工業的前途／雷林
3. 小資產階級論／狄而太
4. 1928年的世界經濟／李一氓譯
5. 蘇聯的大學生／柳島生譯
6. 國際狀況／博文

第二、三期主要目次

1. 1929年之中國／潘東周
2. 1929年之世界／吳黎平
3. 革命底一個根本問題／谷蔭譯
4. 蘇聯與和平／巴比塞
5. 中國教育狀況的批評／柳島生
6. 評郭任遠博士的《社會科學概論》／鄭景

19 該書「書影」，頁10。

7. 資本主義的運動法則／王昂
8. 希臘哲學發展之三階段／林非譯
9. 讀《中國封建社會史》／杜荃
10. 二本國家論底介紹／谷蔭
11. 1905年至1907年俄國革命史／潘文鴻譯
12. 1929年中國關於社會科學的翻譯界／君素

第四期主要目次

1. 中國的社會到底是什麼社會？／丘旭
2. 反科學的馬克思主義？還是反馬克思主義的科學／王昂
3. 新文化運動與人權運動／彭康
4. 馬克思主義精粹／吳黎平
5. 領事裁判權之《自動的撤銷》／谷蔭
6. 銀貨暴落的原因及其影響／鄭景
7. 評《學生團體組織原則》／牛犇
8. 讀郭眞生先生的《農民問題》／胡平

第五期——中國經濟研究專號——之總目次

1. 中國經濟的性質／潘東周
2. 中國土地問題／吳黎平
3. 帝國主義與中國經濟／向省吾
4. 中國資本主義在中國經濟中的地位，其發展及其前途／王學文
5. 中國勞動問題／李一氓
6. 中國商業資本／向省吾
7. 中國歷史上兩次最大的農民暴動／鄭景

8. 書評

（一）評《中國土地政策》／吳黎平

（二）評《中學生》／馬訓政

9. 五一革命之意義

10. 由「三一八」說到學生與政治／牛犇

11. 巴黎公社之政權教訓／李德謨

12. 統一譯語草案／編輯部

13. 編輯後記／編者

以上為《新思潮》第一期至第五期之要目及總目次。該誌出版通卷第六期後，從第七期開始改名為《新思想月刊》，編輯者也改稱為新思想月刊社編而繼續刊出，但因為受鎮壓，即使改了名稱也以發行通卷第七期（1930年7月）不得不被迫停刊的模樣[20]。

《新思潮》第五期是在1930年4月15日出版，依其編輯之後記，該誌敘述：「在第四期進行了『徵文』，但可能因為徵文期限太短，應徵論文只有幾篇，投稿沒有預期的那麼多。」

當然此「徵文」不必說也是指先前所提嚴靈峯論文副題所唱徵文。正如在前面曾提過，嚴論文當然不是單純在應《新思潮》的「徵文」。嚴論文可以說就是在針對《新思潮》第五期「中國經濟研究專號」應戰的論文。

因為，中國經濟研究專號明顯地將其編輯之重點放在批判

20 參照全國圖書聯合目錄編輯組編輯，《全國中文期刊聯合目錄（1833～1949）》（1961年12月，北京），頁1161。

「取消派」的中國革命論。其編輯後記做了這樣的敘述：

> 有一部分自負爲理論家而無所顧忌的人總是堅持主張中國是資本主義社會，由於是資本主義社會，所以稱呼現在的統治階級爲資本家的民族資產階級，把目前所發生軍閥混亂的局面視爲甲派資本家集團與乙派資本家集團的抗爭。他們又認爲中國的封建勢力已被肅清，帝國主義已讓步給民族資產階級，判斷所謂資產的民權革命已經完成其任務。因此目前中國沒有什麼革命的徵兆，並把農民的所有反統治階級的行動看作只是大革命後的「餘波」，並把勞動運動的非合法鬥爭行動也看作一種盲目的行動。
>
> 在此，他們一起反對中國革命的「十大政綱」（即中共六全大會的「現階段中國革命的政治綱領」之中的「中國革命的十大要求」），一起破壞勞動大眾的政治鬥爭，一起取消爭取學生及都市小資產階級自由的鬥爭運動，而以眞正的革命黨者自居。
>
> 這些就是今日的中國所謂「取消派」的中國革命論。同時這些論調又是他們這一派政治路線的根本觀點，也是他們的實際行動總策略之中心。

之後編輯後記又大略（引用者將此抄譯）做了這樣的敘述：

> 不論是主張中國社會已經完全是資本主義社會，或是主張全然沒有資本主義色彩的封建制度社會，不論何種見解都是中國革

命的障礙，斷言是中國民族運動之敵，然後對於此二種敵人，尤其是前者（當然指陳、彭一派之取消派）的見解要徹底透過實踐予以克服，解明該理論的錯誤。同時又必須將中國經濟的實況加以分析，解明經濟生活的本質，指出他們的錯誤根源及今後的走向。這些是目前我們必須要做的工作。

站在以上的觀點，我們曾考慮盡早編輯發行中國經濟研究專號，但因種種情事，一延再延到今天。然而在此所提供的僅是計畫的一部分，我們承認這是缺點。本號蒐集了不少這種文章（討論中國經濟性質的論文），但我們不認爲中國的經濟問題僅止於此。尤其受到幾次突然的打擊，我們預定的計畫無法充分實現。對此，我們痛恨敵人惡毒的粗暴行爲，同時感覺我們人手的不足。

不過我們相信本期的論文有助讀者諸位對中國經濟的理解，更將中國革命的前途開示給讀者。

料想不到此編輯後記十二分地向我們顯示，該誌編輯同仁在問題意識上具有政治實踐的強勁暗流。我想本特輯號坦白說，其編輯企劃可視為是為了以理論支援中共六全大會的政治決議，尤其是中國革命的政治綱領。

編輯後記又有言外之意，就是特輯號將刊出前曾受到彈壓。有趣的是在此編輯後記的前頁，刊載著稱為「來件」而由郁達夫、魯迅、田漢、鄭伯奇、趙南公、周全平等15人（1930年2月15日）署名的《中國自由運動大同盟宣言》。在嚴厲彈壓的狀況下，是否可看成其想盡辦法要推出此特輯號見世，所呈現的令人心酸的努力。

先前曾提到，在這樣的政治狀況下，《新思潮》出版了第六期後，從第七期開始雖然改稱為《新思想月刊》出版，但還是不得不以該期做為最終刊。當時為1930年7月，也是《動力》的創刊號推出的那個月。《動力》也在同年9月刊出第二期，而暗地裡被《讀書雜誌》吸收，但《動力》的執筆陣容變為如何？又《讀書雜誌》為何可維持到福建事變？關於這些將在以下敘述。

三、陳銘樞與《讀書雜誌》

話題稍微拉回前面，王禮錫提出將《動力》停刊時，據說王曾禮貌上透過劉伯垂向彭述之轉達，神州國光社停止《動力》而刊行《讀書雜誌》非他的本意，而是該社經理的意向所決定的，今後還是期待彭介紹投稿和執筆者，將盡量刊載彭等論文，以繼承《動力》的思想和方針等等，請其向彭述之致意[21]。

當然彭述之沒有以《動力》停刊為理由，拒絕王的請求及致意。不，應該認為無法拒絕吧。

被開除黨籍的陳獨秀、彭述之等人不但被停止從中共得到經濟援助，而且包含從蘇聯回國的托洛斯基派們幾乎都是與生產現場無關的知識分子，正好時值1929年世界恐慌最嚴重的時期，就職非常困難。傳說有得到托洛斯基的資金援助，但即使有得到也是有限吧。在他們這種窮困的經濟上，又多半被通緝而不得不從

21 參照陳上引著作，頁56。

事非法活動或轉入地下生活的條件下，事實上他們可以依賴的只有靠他們的學識鬻文或使用語文能力靠翻譯賺取生活費。

彭述之所以會透過劉伯垂積極地介紹李季、劉仁靜、杜畏之、彭桂秋等夥伴給王禮錫，不但讓他們投稿《讀書雜誌》，而且讓他們參加社會科學書的翻譯工作[22]，這不是沒有理由的。

那麼既非托洛斯基主義者的王禮錫，為何如此積極地接受彭的夥伴？又為何神州國光社的實際經營者陳銘樞會容許此事呢？不，我猜想毋寧是在積極的共識下才讓王禮錫這樣做比較合理吧。假如這種推理是正確，其理由應該為何呢？

先前談到陳銘樞收買神州國光社，開始做《讀書雜誌》等刊行的種種經營，被說就是有相應的政治意圖[23]，但據拙見好像沒有具體寫著該理由的文獻。

現在還在北京過晚年的陳銘樞好像沒有回憶錄，而王禮錫在寫回憶錄之前已於1939年中日戰爭中病死在洛陽[24]。

總經理曾獻聲是可推想最了解當時情形的人之一，他後來行蹤不明。《讀書雜誌》的後期（第3卷第1期，1933年5月1日該號以後）主編胡秋原，曾預告要出版王禮錫傳記（好像沒有出版）。也許胡因為是在台灣，有關社會史論戰僅談到部分，有關陳銘樞與《讀書雜誌》及陳銘樞與王禮錫之關係談論不多。

在此我想披露我的大膽假設，並先嘗試描述有關陳銘樞的稟性及當時（從1929年秋神州國光社創業到1933年11月《讀書雜

22 同註21。

23 參照鄭學稼，《「社會史論戰」的起因和內容》，1965年，台北，頁5。

24 參照胡秋原，《在唐三藏與浮士德之間》1962年，台北，頁5。

誌》停刊為止）陳所處政治狀況。

如眾所知，陳銘樞純粹是廣東省合浦縣出身的軍人，而對政治亦具濃厚興趣，在政治意識面上尤其深受第三黨的領導人鄧演達的影響。

因北伐有功而當第十一軍軍長，1928年12月19日接任在南京被拘禁的李濟琛而當廣東省主席。從此在政治上也展露頭角。依規定就任省主席應先離開軍職，但事實上他藉省主席的地位不但在財政方面，甚至在軍事方面透過部下蔣光鼐、蔡廷楷，籌劃第十九路軍的擴充強化。

然而因為沒有加入1929年廣西派即李宗仁、白崇禧等的反蔣運動，而被廣東的陳濟棠趕出赴南京。

此時以蔣介石為中心的南京政府，其基礎尚未穩固，與西北軍的馮玉祥、太原的閻錫山、廣東的張發奎、先前提及的廣西派、還有唐生智等之間不斷地在持續著「抗爭、對立」。蔣介石一夥除了與這些舊軍閥系抗爭外，從1930年底至1933年10月之間拚命掃共。當然一面迴避與入侵的日軍做正面的衝突，一面為貫徹掃共第一主義而進行牽強的作戰。

陳銘樞因為沒有加入反蔣運動，令蔣滿意，1931年6月12日被任命為「剿赤右翼軍團總指揮」，同月25日被任命為重新編組掃共軍的右翼集團軍總司令。

1931年10月21日陳在南京政府與廣東政府的和平會談中，為南京一邊的代表，活躍地扮演調停角色。汪蔣合作會談中的同年11月21日就任京滬衛戍司令長官，當然他的第十九路軍也移駐於上海郊外。

在國民黨四全大會，汪蔣合作做了最後決定，陳銘樞甚至兼任了行政院代理院長及交通部長。如今已成為黨、軍、政的要人之陳銘樞當然將先前所提及把彭述之的論文刊登在《讀書雜誌》所惹起的筆禍事件暗中了結，並且也擁有釋放王禮錫的權力。

神州國光社的創業為1929年底，《動力》的創刊為1930年7月，《讀書雜誌》的創刊為1931年4月，終刊實際上為1933年11月，但從與神州國光社的關係來說，該誌於1933年9月1日將其發行者移到讀賣書店，即第三卷第七期以後[25]，因此《讀書雜誌》的盛衰可以說是正與陳銘樞在國民黨軍政界的盛衰平行移動。

《讀書雜誌》之停刊是如先前發表研究箚記所記載情形[26]，而胡秋原辭去神州國光社的編輯，同時把《讀書雜誌》的發行者自神州國光社移到讀賣書店，其理由也不外因為陳銘樞的第十九路軍違反蔣的意思，在上海事變（1932年1月28日）展開激烈的抗日戰爭，冒犯了南京當局而逐漸失勢的關係。（附帶一提，第十九路軍之移駐福建是在1932年5月25日。）

前面我已談過，陳銘樞對政治具有相當的興趣，還提到他的政治意識接近第三黨的鄧演達。

我想他如果對政治有野心的話，在他北閥從軍時所目睹大革命期高昂激烈的革命潮流，及對鼓動此潮流扮演極重要角色的政治情報員及擔任言論活動的知識分子之存在，他當然認識這些對

25 參照《讀書雜誌》第3卷第7期（1933年9月1日）所載〈讀書雜誌社啟事〉及〈胡秋原啟事〉。

26 參照拙稿〈中國「社會史論戰」介紹上出現的若干問題——介紹與研究之間〉（《アジア経済》第13卷第1號【1972年1月10日】，頁68）。

從事政治是多麼地重要。

正因為他接近第三黨，所以會傾向站在親社會民主黨的立場是理所當然的。大革命失敗後，受到挫折的左翼知識分子瞿秋白、李立三，以及脫離王明路線的左翼系教授或知識分子，還有被中共開除黨籍的取消派及屬於托洛斯基派的人們在上海租界尋求亡命場所、生活場所及發表言論的場所。陳銘樞原來沒有政黨人和知識分子的部屬，他嘗試收編這些人做為自己政治資本的一部分，這也是理所當然的。既無法依靠國民黨左派，也無法追隨中共的瞿、李、王路線之左翼知識分子，他們想要利用陳銘樞在軍政界的力量及其經濟力來找出自己的活路，這也是非常合理的。

此雙方之意圖所產生的就是《讀書雜誌》，透過該誌的發行而形成了社會民主黨集團，我是這樣看的。

結語

如上所述，涉及社會史論戰的政治上關係甚為錯綜複雜，還留下很多疑點須要解明。例如對於在中國之托洛斯基主義及托洛斯基主義者諸派之形成沿革幾乎未被弄清楚，這在追蹤論戰的理論面，將會造成很大的瓶頸。

若有把在中國之托洛斯基主義運動加以正確的定位，則絕對不會犯上如野原教授所寫的「日本的左翼將他們對福建革命（事變）的評價相關聯，視本誌（《讀書雜誌》）為純粹的托洛斯基派機關雜誌」[27]那樣的錯誤吧。

托洛斯基派與社會民主黨派，不論在人事上或思考面，都絕非一致者。陳銘樞、王禮錫的政治意圖與托洛斯基派的意圖有相當差異，即使有互相利用的事實，也不能把兩派視為相同。更何況在福建事變時，托洛斯基派的重要人物都被關在監獄裡，即使有思想的存在，也應該視為沒有組織的實體。

的確，王禮錫利用彭述之為首的托洛斯基派，若從《讀書雜誌》雜誌表面觀看其方法，則誰也不能否認《讀書雜誌》可說是容許托洛斯基派主張的雜誌。但將本誌視為「純粹是托洛斯基派的機關雜誌」乃違反史實，是不正確的事，這也是事實。

再者，本稿本來預定要對王禮錫做更詳細的身分調查，但篇幅不足使用，不過希望將來將他與胡秋原、朱其華等一併提出探討。

在共產國際的中國革命論爭，特別是史達林與托洛斯基的論爭投影在社會史論戰上，無論在政治上或理論上其色彩之濃郁，在撰寫本稿過程中，深感其超越我的預料，著實驚訝不已。而其形影錯雜，又令我覺得有如身陷泥濘之中。為了自泥濘中脫身，對此研究箚記的撰寫必須再接再厲，尚祈各位先進不吝指正是幸。

調查研究部

本文原刊於《アジア経済》第13卷第12號，アジア経済研究所，1972年12月，頁81～91

27 野原四郎，〈読書雜誌〉（平凡社《アジア歴史事典第7巻》，1961年5月20日）。

從《李家莊的變遷》探討起

——中國革命中的農民問題

◎ 林彩美譯

我選擇此題目的直接動機是聽了小倉〔武一〕會長從中國旅行回來，在亞洲經濟研究所做報告時談到看了大寨後，又去看李家莊人民公社之故。我來東京是昭和30年（1955），翌年竹內好老師從東京都立大學來東京大學擔任客座教授。那個時候，正巧《李家莊的變遷》的著者趙樹理發表了描寫在中國從互助組到初級合作社、到高級合作社的變革的過程，一部叫作「三里灣」的著名作品。那個時候還沒有翻譯，做為一個農業經濟研究者，如何讀這部作品成為問題。與此相關，在這作品之前我其實已讀過《李家莊的變遷》的全本文本。

李家莊：虛構或真實

因此，小倉會長的談話之中，談到有關李家莊人民公社的一小段話時，我腦中出現了一些疑問。因為《李家莊的變遷》出版的時候，或《三里灣》在日本被提出來談論時，李家莊是個虛構的村莊。不過，雖是虛構的村莊，卻是設定圍繞山西省太行山脈以八路軍為中心的農村根據地，把華北農村中相當普遍性的問題提出來的作品，當時是當作常識而被議論。到現在，我也不知道到底此作品所描繪的李家莊是實存或虛構。日本中國文學研究者的一般說法是，那是以趙樹理出生地的村莊為樣板的虛構村莊。然而，嶋倉〔民生〕先生的大寨參觀報告中也明確地出現李家莊人民公社的名字。那麼李家莊到底是怎樣的情況，這是引起我興趣的原因之一。

這不是太大的問題，毋寧是這十年，我對中國的農業、歷史是稍微做了一點研究，但對現實的狀況卻是完全沒有研究，因此對於中國革命中的農民、農業問題有何想法，或者忝列此研究會的末席以來，常被提供來做為問題討論的那些農民，為何會以這種形式在革命中占相當重要的分量，而現在又在人民公社的制度中工作，並且極為興高采烈、帶著活力朝氣在勞動著？抱有社會學興趣的我，在看到此農民的社會性格時，卻不知如何去解釋。當然，有中國共產黨當局正式的見解或文書發布，而對此加以說明、研究的論文也不少，又有美國學者所做的政治學的研究，但細微的部分還是不清楚。

因此，我經常在內心思考，其過程在要點〔譯註：在會場發給聽眾的演講要旨〕所提的，登載在1961年《紅旗》的林一舟的論文。這篇依我的看法，可說是中共當局對農民問題總結性的論文。我想把今天課題的焦點聚集且與林一舟的論文有關聯地提出來進行討論。在同一年〔1961〕《紅旗》的下一期〔譯註：1961年第6期〕有署名肖述的論文〈社會主義革命中的農民問題〉。順便提一下，林一舟論文之題為「民主主義革命中的農民問題」。這在1965年由北京的外文出版社，做為日語的課本，以「中國革命中的農民問題」為名初版發行。1965年眾所周知是文化大革命正要發動之前。這個問題之後以何種形式被加以總結並不清楚。但林一舟的論文，依我的看法，是密度極高的論述，此中對救國革命，特別是毛澤東的新民主主義革命階段的農民問題，林一舟以相當濃縮的形式加以總結。我覺得僅有密度高的部分很不容易懂，或許這只是我個人的問題，真是難以了解。

在此之間，前些時候在國際農業分科會由石川滋先生所提出的威廉・韓丁（William Hinton）所著的《翻身——某中國農村的革命紀錄1・2》（*Fanshen: A Documentary of Revolution in a Chinese Village*）這作品最近由平凡社出版了。此作品也是偶然的一致吧，與趙樹理的《李家莊的變遷》以及《三里灣》以同一地區為主題。韓丁所寫的部分，依分發給各位的山西省（政區）的地圖來說，是在南方有叫長治市的地方，他自己住宿在那裡從那裡再稍微南下的地方。而趙樹理並沒有明說《李家莊的變遷》與《三里灣》是同樣的地方。然而，至少在社會科學的專題著作來說，雖然不能認為是在同樣的脈絡之下寫的，但在趙樹理自身的問題意識之中的確有與此做為連續的山西省存在，特別是他所出生的地方，並且是他從事的群眾工作以及與八路軍相關的事情，知道周遭村莊的變化，而且可以說是以他自己的手法寫出來的作品。那麼，把韓丁的《翻身》與此聯繫起來讀的話，可以在中共革命的具體過程之中，至少是山西省東南部周遭的村莊是如何變化，我想在某程度上，能夠從專題作品來把握。

然而，另一方卻有因為是文學作品而出現了大陷阱，但是自揣雖未成熟，我想將之與我自己的假設連結起來，向各位發表，以求諸位的不吝批判與指教。

首先，對於文學作品所具有的陷阱應該如何來看。本來以社會學的題材，使用文學作品做為分析的資料是危險的，有關這種手法，比如有以《紅樓夢》做為當時社會經濟史的資料來使用的例子，或者也有使用《水滸傳》的例子。這是把當時的歷史狀況，先充分利用其他資料給予定位，而不足的地方再以文學作品做補充的想法。

不過，趙樹理的作品，比起《紅樓夢》、《水滸傳》，以及其他的作品，其陷阱應該是比較小。當然陷阱是有的，可是其幅度與風險可想而知是比較小的。這理由稍微詳細地向各位報告，本來他自己是農民的出身之故，通過群眾工作而做了村莊的調查。而且創作主題決定的機杼，借他的話來說就是「我在進行群眾工作的過程，遇到需要解決而不容易解決的問題之時，大概就把它當作創作的主題」，「在工作之中所尋獲的主題，容易產生指導現實的意義」。亦即政治的課題關聯到創作主題的決定。所以，他的作品可以看為從群眾工作之中產生的。然而以政治課題決定創作主題，亦即政治色彩過強，這個或許又變成另一個新陷阱的問題當然也會出現。

又同時有1942年毛澤東那有名的延安文藝座談會的講話——文藝是應為人民大眾而寫的，並對此提示了方法論，俗稱「文藝講話」——然後才有趙樹理《李家莊的變遷》的出版，這是公認的見解。但是以竹內好老師伊始，稍加做了冷靜分析的諸位先生們的意見卻並非如此，其實趙樹理的作品，是在「文藝講話」之前就出版了。因毛澤東的講話才有趙樹理作品的產生是本末顛倒，理論與創作並非直線關係相連結的東西。毛澤東的理論或許鼓勵了趙樹理，但或許可說有趙樹理誕生的可能性，才有毛澤東的理論可形成的側面吧。最後的一頁登載特派員賈克・貝爾登（Jack Belden）評論的一部分。他不僅採訪趙樹理且翻譯了趙樹理的三部作品。這樣的他如此說道：「不避諱地說，我對趙的書感到失望。我聽過如果他的作品被翻譯，輿論就會把他捧成具世界指導性的文學者之中的一位風評，但我不能贊成。他的書完全找不到像是宣傳的東西。共產黨的話更是一個也找不到。村莊生活的描寫有吸引人的力量，那幽默犀利的味道，韻文極有獨創性，所描寫的人物也頗有意思，但情節粗率，人物常常僅是有名字而已，只不過是赤裸的類型，沒什麼個性，沒有任何一個人物被充分展開。」

在此很重要的是，前面所言「……像是宣傳的東西……共產黨的話更是一個也找不到」的一段。而最後的部分是做為文學作品的評價，因此與我當作社會科學分析的題材來使用是無關之事。毋寧說，更重要的是此書在毛澤東「文藝講話」之後出版，而獲得非常好的作品之評價這件事。同時又是暢銷書，特別是在他想做群眾工作的山西省太行解放區，或太行山一帶很受民眾喜愛這事。受喜愛的理由，如果分析下去就會變成大眾媒體論，所以就此打住。我的讀後感是，比起世間黨員作家所寫的東西，《李家莊的變遷》更自然而不牽強。因為是這樣的作品，所以我想提出來討論。

析論賈克・貝爾登之評

這暫且不談，趙樹理是山西省沁水縣出生的，1923年進入山西省的師範學校。在大革命之間左傾，此後在分裂的過程被閻錫山逮捕，1928至1930年關在牢內——這麼聽說但不很清楚。順便提一下，在文革的過程，他被批為周楊一派，據日本的報紙報導是自殺了。只是日本的報紙也讓莊則棟〔乒乓球選手〕無緣無故「死掉」，所以不知可相信到什麼程度。有關中國的作家，例如老舍之死，日本沒有做清楚的說明，但是在美國的中國裔學者寫的時候，夏志清做了很詳細的說明。

但是，關於趙樹理我沒有獲得這種消息。或者是因被關在監獄期間的事在文革的過程中暴露而引出種種問題也說不定。那暫且不提，1930年，從監牢出來，在閻錫山軍隊參謀長下面當勤務兵，之後當小學教師，盧溝橋事變發生之前發行小報，開始展開抗日運動。那是滿洲事變，所謂九一八事件以降的一個動向。

1937年以降便進入抗日戰爭，他在太行山地區南部加入同鄉的薄一波所組織的犧牲救國同盟會，並在那裡工作。在這期間進行的群眾動員也編進《李家莊的變遷》之中。這部作品的寫成時間，具體地說是在迎接八一五的終戰後之秋到冬的期間。

我想對此作品稍微介紹。本書所描寫的是北伐，即1925年到1927年的大革命期剛過後，與上海武裝政變發生到1945年8月15日剛終戰期間的山西省農村。他寫了各種所謂農民小說以及有關農村的作品。這些作品之中，比如婚姻法制訂發布的前後時刻，他會以家族問題、婆媳問題等做為主題來描寫。但是《李家莊的變遷》與《三里灣》卻是描寫農村社會的變革的全過程。具體地說是在1928年以降，有閻錫山與當時的蔣介石之反目情事，中央軍亦即蔣介石的軍隊進入，此後日本軍、八路軍也跟進。在混戰狀態中農村被破壞，在其過程中農民、地主，或村裡的商人等各種各行的人們如何變化，趙樹理以他特有的幽默，用傳統講故事的方式描寫。

又，他的動機如方才所講，我之所以感到驚訝的是，對於評價那麼高的作品——賈克・貝爾登也說過——幾乎感覺不到宣傳意味，我所謂的「自然」就是指這一點。出現共產黨與毛澤東的名詞也僅有一次。這是為什麼？當然，以統一戰線階段的事情為話題也可說是原因，那麼沒有政治味又該如何去思考？

另外一個是地主與佃農的關係並沒有以階級關係或以生產關係的形式被描寫。沒有出現就說那是因為他的手法有問題，或者是因為他的社會科學的素養有問題嗎？我不願意接受因社會科學的素養的不足之故，才用那種形式的描寫法的看法。毋寧說他是否是避開分析，或用自己的語言過度觀念性的描寫，對於各個人物，特別是不塑造英雄，而透過村裡人的言動、行動來築構故事。然而，因非分析性之故，而使當時的農民容易讀懂，因此易為農民所接納吧。加之，絕不用知識分子的語言，而是以農民自身的語言構成的作品，所以受當時農民的歡迎。其暢銷的理由好像也在此。

賈克・貝爾登感到非常不滿的是，在周遭的農民對革命的熱情傳達不到這一點。更糟的是，「趙的故事只是描寫事件的輪廓，現實可感到的情緒沒有處理好，以我本身的經驗所尋到使中國農村整個沸騰起來的深沉熱情，未被記錄在他書中任何地方」，賈克・貝爾登如此挑剔地說。我認為不是這樣，反而正是在做群眾工作的過程中講求真實，對解決政治性未解決的課題有所幫助，因此操用此手法。賈克・貝爾登是以歐洲近代文學的手法去掌握，又，他自己受中國農村，特別是邊區的革命熱潮沖昏了，所以感到不滿，我這樣解讀。此外，對此作品，郭沫若、竹內好、武野武治〔譯註：係新聞記者〕等人有各種意見提出，這些就在此省略了。

如前面所說，中共當局已總結了中國革命中的農民問題，其總結的作法是抽象度很高的東西。雖然也可以理解，但中國非常廣大，如常識論所傳言，例如華南、特別是廣東，農村的社會主義改造好像很落後，這又要如何去想？因情報不足之故，是否有更微觀、專題性的分析成果，我不知道。

在日本的研究，從互助組以降，初級合作社、高級合作社、人民公社等圖式化的過程，有各種解釋與研究。但是對於奪取權力之前的中國共產黨的農民政策卻不清楚。如何發現農民的能量，而把它編進來建立農村根據地，與此相連續形式的互助組，然而政權奪取後的初級合作社、高級合作社、人民公社的過程是如何進行的呢？

文本主軸：摘桑葉事件與閻錫山政權

文革以後，在農村通過社會主義教育，如何不使農民的社會性格降低反而提升。特別是權力奪取以降的問題比較易懂。由於改變生產關係、建立制度之故，對發生農民的後退要如何防止的問題比較清楚。可是在政權還未能確立的時刻，而且被國民黨軍、地方軍閥、或日本軍所包圍的階段，勉強脫圍而打到華北，然後移動到山西省的過程，該如何掌握農民的動向，這部分很不易了解。從而如能了解這部分，那麼現在的農民形象，或農民的態度便會更加分明，在某種意義上，我想或許可以重新立體地構築。美國有位叫作強森的人以農民民族主義的形式來掌握，但他的根據也極單薄，其掌握法也可以是一個看法，不過好像有種距離實際狀態很遠的感覺。相對的這部《李家莊的變遷》，我覺得充分回答了我的疑問。

此作品的故事開始是，主角——如賈克・貝爾登所說，未把其性格突顯，但我想大致可視為主角——張鐵鎖，他家廁所旁長了一株桑樹，地主李家的太太正在摘取桑葉。對於此，張太太指責她是小偷而把她捉住，因此發生爭執。在作品之中，本來就住在李家莊的人們與從外面流入開始定居的人們之間的對立也一起被描寫。順便提一下，姓李的地主從「李家莊」的名字來看便知是原來就是住在村裡的人，而張是從外面流入的，是中國話所講的外來戶。對方是地主，外來戶怎麼說也處於劣勢，張太太便把桑樹砍掉。對於此，畢業於太原的中學回鄉後任職教員的李先生，便敲響村廟的鐘請求調停。政治權力未直接滲透到村裡之前——總而言之設立村公所之前，村落共同體之中有爭端發生時，均以廟為中心來協議解決的。

可是閻錫山政權把農村編入末端組織，而村長又是李的叔父。亦即地主兼村長，主事調停。那桑樹是李太太的父親賣給張鐵鎖的爺爺，然後種在房子的廁所旁邊。被依賴調解的村長是李的叔叔，當然最後是張太太的主張無人支持，結果張鐵鎖必須付訴訟費與桑樹的賠償金。因付不起賠償金，張太太生氣地說，樹是我砍的，因我捉了小偷引起爭端，跟我丈夫無關，就把我殺了吧！雖然嚷著抗爭，結果還是敵不過土豪劣紳，被勸退回家。

回家後，大家還是不滿，商量要去縣政府上訴。這動靜在事前被村長之一夥探知，僱了流氓將之綁起來帶到閻錫山的某幹部那裡，然後又被軍隊裡像是流浪漢的人抓去，因此覺得生命受到威脅，而決定付賠償金。然而為了支付賠償金就得賣房子，在如此徹底地飽受欺負之下，張家與其關係者就從此沒落了。

全篇只以這樣的方式描述。在那裡比如地主榨取佃農等生產面的具體描寫完全沒有。但是，在這裡非常有興趣的是，付賠償金的雙方結構是，高利貸對小農或是貧農的關係，是採取以比較社會科學描寫的部分。比如寫到借100、實際只給80，況且又以月利三分，三個月為一個期限，此間如不能償還，則當作再次借了100，而實際上仍只給80。以這樣的方式結果農民不得不把房子、土地等財產賣掉。書中描繪出這樣的結構。

此外還有閻錫山與當時的中央軍（蔣介石的軍隊）抗爭階段的描寫。閻錫山起先在太原建立獨立王國，之後敗給蔣介石，在這過程外部的軍隊進來，蔣介石與閻錫山則繼續談判。此期間外來軍隊的駐紮費便轉嫁給農民，以兩個月一次的比例徵收，這又破壞了農民的生活。

另一個是閻錫山在獨立王國發行的鈔票，在其逃出去後當然貶值，通貨膨脹又讓農民受苦，只有這種形式的描寫而已。在這本書中，農民的困苦，與其說在生產關係中的地主、佃農的榨取關係，毋寧說描寫的重點是放在高利貸與戰亂的部分。

特別是日本軍進入之前，閻錫山的軍隊與中央軍的混戰過程，雙方都帶有軍閥性格，不管那一方打敗仗，召集的傭兵便流寇化，變成散兵或土匪，帶著武器襲擊農民，奪去錢財、米糧以及所有的東西，並且殺害農民等產生惡性循環。此後，日本軍又以點與線的形式加入。

只是閻錫山在山西省，比起其他的地方，在與中央軍抗爭之前是有相對的安定。又有閻錫山獨自的近代化在進展，所以農村疲弊的描寫在這裡沒有出現。可見此作品的內容比較實際，是我以為描寫比較自然的理由之一。

日本軍進入的當初，與閻錫山的關係比較好。我剛從台灣來日本的時候，讀了這部作品很不能理解，尤其是終戰後與日本軍攜手對抗八路軍的一段。在台灣的時候，對世界情勢與中國國內的情勢無知所以不了解。但讀了城野宏一連串的作品後，印證了趙樹理是真的在寫實在的作品。

這也是以城野氏的手記印證的事，即日本軍進入與閻錫山有了最初的關係，之後又產生了變化，在抗日統一戰線之中，利用前面已介紹過的薄一波所組織的犧牲救國同盟會的年輕人，徹底掌握主導權，編入北京、天津流入的學生們——此中其實也包含了趙樹理——的能量，來確保、鞏固自己的勢力。

相對地八路軍很難得出現。出現的方式也以犧牲救國同盟會委員的型態，而且不明確地說是共產黨，以非常自然的形式進入，在農村各地組織犧牲救國同盟。其過程被如是描寫出來。

如諸位所知，中共在瑞金時代也沒收土地進行土地改革，之後則改為減租原則。將此減租原則透過犧牲救國同盟會——在某意義上可說是中國共產黨的外圍團體——說服農民。同時說服民族資本家或非地方特別壞的土豪劣紳之中間層，說不久日本軍就會進來，你們用什麼來守護自己，到時候什麼東西都沒了，農民不一起幹就不能抵抗日本軍，農民要信賴政府，不能不抗日。就這樣把中間層的人們也捲進去。在此過程中，讓村裡的土豪劣紳漸漸孤立。然而土豪劣紳也有策劃如何避免減租原則，同時計謀如何利用犧牲救國同盟會中的共產黨，如可能的話，串通閻錫山，弄清楚誰是共產黨而加以對抗。此類情況描寫得非常生動。

後來，閻錫山被日本打敗，撤進北地，土豪劣紳也保不住自身而去當日本軍的治安委員會委員。在此過程，農民在犧牲救國同盟會之中追究土豪劣紳，但也不是劇烈的階級鬥爭，而是讓他吐出所騙取的部分，對於減租原則的追究也不是那麼嚴苛。

在此為了易懂而用了「土豪劣紳」的用詞，但趙樹理的作品之中沒有用任何「土豪劣紳」的表現。

地主們也和日本軍勾結，因此抗爭漸趨劇烈，最後把加入犧牲救國同盟會的農民們，特別是張鐵鎖等人的家燒了，更殘酷的是，因從前他們讓自己自白曾經所做的惡事，因而挖去對方的眼睛或砍掉對方的手。在這種狀況下，農民被逼迫而覺醒，最終便加入八路軍。將近終戰時回到村裡掌握權力，在共產黨員的制止無效下，對前面所提的惡村長加以私刑致死。村長的爪牙們，雖常做出出賣的行為，但還是饒了他們的命。

這本趙樹理的作品中，各個農民在進行過程中改變了思想與意識。另外，地主一方也有靠攏閻錫山，之後又投靠蔣介石的中央軍或日本軍巧為周旋的人，而當其爪牙的，最終也被縱放。對此，賈克・貝爾登敘述如下：「像托爾斯泰『贖罪』的主題之中能發覺幼時宗教訓育的痕跡，可是並非神把人的心改變，讓人心改變的是革命。」他以歐洲的經驗而有這種解讀法。但在革命之中趙樹理所描寫的是，八一五將終戰之前八路軍進村，農民以此為背景而首次確保村裡的權力，在這當中，甩開私刑是不文明的制止，農民們將那惡名昭彰的村長分屍碎骨以平息眾怒的經過。但村長的爪牙們卻終於被赦免。這個模式已是眾所熟知的共產黨整風運動中的一個作法。賈克・貝爾登則以「托爾斯泰主題」的形式掌握。以上為大概的故事劇情。

中國共產黨認識、發現農民的能量，將之組織起來，建立農村革命根據地，然後包圍都市進而奪取權力，這是人們常說的圖式。中國的人口九成是農民，這些農民之中只有10％的人有土地，因此出現貧農、中農能量的問題。社會科學性的圖式化是可能的。只是這個關係——沒有統計，只能說是大概是這樣——若僅限於讀趙樹理的這部作品就很少出現。共產黨只是在過程中以八路軍來了又去，也沒有出現像共產黨員的人物。

那麼，分給農民土地、提升其生產力水準、把農民捲入革命的說法，我認為的確過於圖式化，說起來這應是國共合作之後的土地改革，即1946年以降的事。這個作品只寫到1945年的階段，土地改革的問題還未出現，所以此命題也還未提出。面對農民就專以他們所以會如此痛苦的理由在哪裡？肇因於村裡執掌人的權力，在那後面引線操縱的閻錫山軍隊，以及中央軍與閻錫山軍隊的抗爭結果所形成的流寇、土匪化所搞的鬼。對日本軍的侵略，農民要如何構築自己的世界，只有以這樣的形式出現，於是在趙樹理的作品中，群眾工作的命題被提出來。在此作品中，農民站起來之後，卻因閻錫山的關係者進來而被壓倒踩扁，中央軍進來後如是、日本軍進來後如是，最後八路軍終於來了，但撤退就又被摧毀，在這過程中農業生產幾乎是零。農民吃草根、樹葉的狀況被如此描述著。

赤裸呈現深層的農村問題

總之，一般所說的——可能不是很好的表現——中國共產黨給農民誘餌，亦即分配土地或為了將來提高生產力才把農民捲進去這個部分的說法，至少在《李家莊的變遷》所描寫的趙樹理的世界是沒有的。沒有的話，那麼做為八路軍重要根據地的太行山脈一帶的中國共產黨，把農民捲進去的經過如何，具體而言是怎麼回事呢？我所立的假設是——在廣東等地奪取權力之後，在農村的社會主義改造農民不能輕易跟上來，因此讓葉劍英與陶鑄感到艱困，這個內容我不清楚，卻是廣為人知的常識。相較之下華北的貧農、中農革命的高揚，其能量相對是被組織得比較好的。可以想到的是，比如廣東周遭是稻作地帶之故，因此相對的安定，以農民的社會性格來說，頗不容易將之提升往上一個階段。他方如山西省則有其非常特殊的狀況，最初進行閻錫山的近代化政策，與此同時建立像是閻錫山的山西省太原獨立王國，但另一面因是黃土地帶的關係，生產力比華南低很多，農民大部分處於赤貧的狀態，加之中央軍、閻錫山的軍隊、日本軍相繼進入，又受土匪化的傢伙們徹底地破壞，生活被逼迫到極限的狀態，為了求生存而不得不站起來。

趙樹理在此作品之中明確說道，在李家莊內部沒有聽過共產黨的名字。抗日戰爭開始共產黨的形象才慢慢出現，並沒有以很強地方式出現這點令人感到興趣。我立定的假說是——被逼入赤貧與戰亂的極限狀況到忍無可忍的地步時，中國共產黨以其外圍團體的犧牲救國同盟會與抗日統一戰線的「旗幟」，向農民徐徐教導真正欺負、折磨農民的敵人是誰，以此來動員農民。以這種形式，到快終戰之前才終於能建立農村根據地，而且立刻組織互助組。順便提一下，《李家莊的變遷》是只寫到互助組組織起來的階段，此後是在《三里灣》的劇情中展開。所以說，立刻分給農民土地，提升生產力水準，而讓農民傾向中共革命的看法是過於圖式化，也欠缺明確度，這是我的感覺。

在林一舟的論文中說農民問題是中國革命的基本問題，對於敵人要如何應付，在農村的革命根據地的問題該如何提出。然而其重要性陳獨秀、王明都不能認識到，毛澤東卻能認識，所以他在農村建立根據地、奪取權力。在這裡透過批判陳獨秀與王明來展開毛澤東運動，最後借毛澤東的話敘述如下：「毛澤東同志對農民問題的又一個錯誤意見加以批判。即是農民不需要有勞動者的指導的想法，再來是解釋中國革命從農村向都市發展因此要由農民扮演主導角色的錯誤意見。」在這裡所說的是，農民的能量是很重要，但無論怎樣都需要勞動者的指導。但「事實是相反的，中國革命在從農村向都市發展的過程中，在中國的諸條件下不外是中國共產黨以勞動者的觀點指導了農民革命，這也不是離開勞動階級指導的農民以任何形式的自然發生過程，那種東西並不存在。在近代的革命，農民成為獨立的政治勢力是不可能的事，不是受勞動階級，就是受資本階級任何一方的指導。」接著說：「有人說農民占人口的絕大多數，但如列寧所說，僅由小市民階級大眾是決定不了什麼，也不能決定的。」所以，農民要受勞動階級的指導始能成為偉大的革命勢力，才能解放自己，做如上的總結。然後，最後說：「讓農民直奔衝下去的結果，其實是小生產條件下所形成的農民的狹窄觀點——我想這是農村社會學所謂的農民的社會性格的某一面，這裡所舉的是，散漫、非組織的觀點、個人主義、絕對和平主義、欠缺遠大的展望——如何避開中共的黨政策的影響……。對此實現了勞動階級的指導，保證了革命的勝利。」做了如上的總結。

與此相關聯把話題拉回，中國的農民為何現在那麼朝氣蓬勃地在勞動，或者只讓我們看到那部分，應該也有抱持這種疑問的人。無論如何，把實際狀況再稍微加以微觀或不要公式化、圖式化，能更具體地掌握狀況的話，我們也應容易理解。整個趨勢的本質可從總結來領會，但是各個地方、各別地主、佃農的關係、村落共同體、農業的諸條件等不同且迴異，若不理解的話，是很不容易懂的吧。從這裡來說，《李家莊的變遷》不是圖式化的總結，而是把更底層如泥漿的混濁部分以實際狀況提出，如再把《三里灣》與韓丁的作品也聯繫起來，就可說是一篇研究論文，那樣的映像也有湧出的可能性吧。我是這樣想的。

討論

時間：1973年7月30日

地點：東京農林中金有樂町大樓

與會：

小倉武一（農政研究センタ會長）

團野信夫（朝日新聞社論説委員）

大和田啓氣（農用地開發公團理事長）

立川宗保（日本食糧倉庫KK專務取締役）

嶋倉民生（亞洲經濟研究所調查研究部）

嶋倉民生（以下簡稱嶋倉）：把戴先生所假設的部分提出來議論我想比較好。中國革命中的農民、貧農的定位，在戴先生的假設是，並不如既往在日本的說法那樣，終究農民不具有太大的主導力，大致是這樣嗎？

戴國煇（以下簡稱戴）：並不是那樣，而是到現在為止的見解是非常圖式化，以致未傳達真實。例如評價中國民族主義的時候，也僅與日本帝國主義的關聯來把握。然而，實際地仔細查閱《李家莊的變遷》便可知道，在閻錫山的軍隊與國民黨軍隊和日本軍隊的具體糾纏之中，八路軍很巧妙地築構統一戰線掌握農民，或者把農民的能量組編進去。但是其過程在中國全土不可能是相同。當然「中國革命中的農民問題」的總結，基本上可理解，但是為什麼在廣東等地那麼棘手難應付，滿洲地區又是如何等等，如此一來問題就難懂了。

與此同時，關於產生大寨模式之事，感覺是有各種分析的可能。那種生產力階段的地方，與其說是地主、佃農、貧農的關係，毋寧說是因軍隊的徹底破壞，被逼到極限的狀態的農民站立起來，而共產黨適時地將之組織，這樣想比較合理吧。連地主都不存在的地方，把「榨取」什麼地挪移過來也無可如何，是有這個疑問存在。

在大寨有那麼大的能量湧出。此能量在哪裡？有的說法指出因有很多惡地主、土豪劣紳，所以對其反彈而湧現，但是劣紳不存在，也非達到那種生產力的階段。如果沒有，是什麼在充當彈簧，這是我方才講的問題。

過去我們似乎犯了思考過於圖式化的錯誤。如果依照圖式，既有明確寄生地主、佃租的型態的廣東應更有反彈的力道，然而卻不易進行社會主義改造。對此該如何理解，因此才設立假說。

小倉武一（以下簡稱小倉）：由於戰亂的破壞，是比地主、佃農的關係更重要。這是使農民重要化的契機，多少具有實感，但是大寨與李家莊，在我所聞的範圍，在解放前是由地主與富農掌握。以前或許我講過，比如在大寨，4戶的地主與富農保有耕地的60％。中農12戶占地22％，57戶下層中農與貧農只有18％的耕地。這是解放前的狀態。李家莊人民公社的石營大隊戶數更多，是460戶——這是解放後的數目，當時應比這少——人口是1,900人的貧窮村。然而土地的70％是他村地主的所有，約80戶是雇農，50戶是乞丐，飢寒交迫。其土地所有關係必定被提及。

所以那也不難想像，但是像生產力低的山村、地主、佃農還是形成重要的生產關係，現在在那裡的人如此理解。話雖如此，但是你的話也有很多可同意之點。那是昭和12年到22年之間，或者之前的軍閥關係的因軍事紛爭或戰爭不斷地破壞村莊。那比地主、佃農關係更讓村莊遭重大的經濟影響。

雖是短暫，以中日戰爭時我在山西省的經驗來說，未見過部落中保持完整房屋的家。幾乎全是崩潰一半以上，或是無人居住，什麼東西也沒有，只有房子殘骸的狀態。完整的也只是山中的一戶或兩戶而已。恰如將敗戰前的日本都市受轟炸之後的樣子。所以那種狀況更重要或許才是真實。

團野信夫（以下簡稱團野）：在大寨、地主出租佃農的旱田在山腹留下來做為教育田。這是最好的旱田，要租下必須先付租金。而且那裡是乾旱很嚴重的地方，聽說不管收成的好壞，收租非常嚴苛。所以我想基本上地主制度是一直延續著。

戴：我不是加以否定。那個時候的狀況，地主是存在著，但是與比如廣東等華南的地主制是不同的。還有這個情況與其說地主經過生產關係榨取農民，不如說利用閻錫山等的政治權力加以欺騙，除此以外沒有他法。

團野：是可以這樣理解。

戴：在那種情況，中共以分配土地給農民，提高生產力，做為誘餌來引出農民的能量之圖式是不切實際的吧。特別是周遭因饑饉或收成不好時，我想常有全村移動的可能。那麼就與稻作社會的情況相當迴異。

團野：剛才說乞丐有幾十人，也就是說窮得像乞丐，到他村行乞的流亡之民相當多。

戴：以村莊結構來說，本來在村莊的人們——地主與從外來者，更晚些加上華南來行乞的人們，村的結構已變成如此。

小倉：地主、佃農的關係不用說是存在，這是重要的因素，並不是在那裡被切斷，而是與軍閥、國民黨的軍隊等相結合，在軍事上破壞的同時，與軍事的權力為背景的榨取變成更重要的問題，我想是這個意思吧。

戴：不如說在這個時間點上提供更強有力的反彈之故，如此周遭才可確立更大的農村根據地。那又與紅幫的解放據點為何不能維持的問題相交錯，為何毛澤東的軍隊不能在瑞金駐足，不得不移動去延安，本來應在生產力階段更高的地方建立根據地比較好，但為何不能建立的問題相關聯，我是與此一起思考。

團野：那是很有趣的主題。昭和6年我以學生的身分第一次去中國時，遇到長江的大洪水。從廬山上看下去，如一片汪洋大海，一點一點綠色的小山丘上有地主的家。武昌街上有全家逃洪水來的難民排排站在街道的兩側。那裡有賣各種各樣的食物的店，但卻沒有錢買，是不折不扣的流亡之民。要幾個月後水才能退，水退了回到家，家當也沒了，恐怕連房子也沒了。有相同處境的人我想在1930年的時候有很多。

那時正是蔣介石在討伐瑞金的時候，不能守住瑞金是因為得罪了中農且與之為敵之故。我也認為讓共產黨軍成立的原因，還是無處可歸的難民，在行軍之間，兵員增加又失散，通過此過程而移動到延安。選擇延安依那邊的說明是，因為是邊疆地區之故難民多，就算不到如共產黨的細胞般的存在程度，但有像根柢般之物存在。生活不好，已經沒有可失去之物的人們，所以入共產黨，也對此有同感吧。不管思想上如何，非意識形態的問題，而是因生活的問題。加上是黃土地帶，山谷很深，當作游擊地區是絕對的軍事根據地，這些因素說明選擇延安的理由。

戴：其實太行山脈也有那一面存在。與之同時現在團野先生所說的部分，也與地主制度並不是沒關係，但是榨取的條件已變成別的方式了。與其透過農業生產，不如用別的方式榨取，農民連插嘴都不能。

團野：因為與權力勾結。

戴：如何把農民編進去是當時八路軍所考慮的。八路軍選太行山脈為華北的根據地也是我很想思考之點。

團野：中日戰爭開始時，北京的大學生中分為抗日派與不抗日有錢階級的學生這明確不同的兩派。抗日派之中有民族主義者，也可能有共產主義者，那些人一體加入游擊隊，如此一來平津地區有其思想的背景存在。陝西省到山西省一帶有黃河，但是渡過黃河就可盡情滲透。大行山脈有大寨等可做為據點的山村在山腹地帶一直展開著。所以，以這些為據點有具備滲透到河北平原的條件是否可這麼想。

觀看中國的土地革命，設定以日本的地主制度來考慮那是錯誤的。應是帶著更苛刻、更劇烈的對立的地主制度。應是比佃租高更苛刻的制度，農民淪為農奴的狀態，生殺與奪握在地主的手中的狀況。特別北方是非常的苛刻，而長江以南已分化到與日本的地主制度相似的地步。所以土地改革在北方非常劇烈，拿地主當祭品的事情時有所聞，但是越到南方就越溫和，有過這樣的事實吧。另外有關在農村的權力奪取，北方與南方的相異之處並不清楚，但的確有所不同。

立川宗保（以下簡稱立川）：在權力奪取以前的狀態，農民支持八路軍或共產黨的過程，我覺得農民在現場感覺到的是軍規或政治的廉潔應是最大的誘因。如剛才的談話，有各種權力進進出出。觀察軍隊或政治權力的作為來說，對農民做出種種惡事、最壞的是地方軍閥與汪精衛的軍隊，比此稍微好的是蔣介石的中央軍，再稍微好一些的是日本軍，最最好的是八路軍。在農民來講，任何軍隊都行，只要不殺、不偷、不侵犯，花錢買豬、買小麥的軍隊最好，其政治權力最是受期待的。

因此農民覺得八路軍真好，聽他們的話不會錯，所以並非由於意識形態而跟著他們走，而是照他們講的去做卻意外地好，因此自然地確立了勢力吧。八路軍的軍事力不強，碰到日本軍便被驅逐而逃入山中，逃入省境的山或山谷邊區等守望著。所以在最初的階段，他們在軍事上雖弱但是抓住農民的心。總之，農民是不能不被任何權力重新統治，那麼就支持最不搞壞事，做最乾淨的事的一方，我覺得是這樣。

戴：那在《李家莊的變遷》，也不以八路軍，而是以其別動隊的犧牲救國同盟會的型態出現。

大和田啓氣（以下簡稱大和田）：我完全不知道這些事情，可能會變成抽象的議論。地主不只以佃租或利息來榨取農民，還勾結地方軍閥與警察權力來做壞事的場合，那是地主從經濟上榨取加上經濟外榨取的實際狀況。從農民一方來看，正是中國的當時階段的地主的土地所有的本質，要說是地主、佃農關係以外的東西，我覺得有些不懂。

戴：我並不是要把這些排除開來說。雖然基底是如此，但是會因地而異，然而不分青紅皂白地將之過於圖式化，對此我試著提出問題。這也是純屬於假設，比如農民能量的發現，要把這流亡化、難民化的農民組織起來的問題，當時的中國共產黨內部也應有否定與評價的論爭。對於此毛澤東主張那些人並不是流氓無產階級，是可以組織的。

所以，在陳獨秀的政變後，毛澤東與朱德聯手一起組織紅軍的時候，把農民的保守性格或流氓無產階級的一面以毛澤東為代表的當時所謂正確路線，表現為農民的特殊革命性、農民意識的地方主義與保守主義的是王明的時期。這之前在陳獨秀的階段是指摘毛澤東為匪賊性的革命行動。上海政變的時候，毛澤東在湖南。看當時的中央委員會的記載的確是受那樣的對待。

那些農民不能以日本農民或華南農民的形象來考慮，不是我們所說的做為小生產者的帶有小農性格的農民，而是流亡化將變成土匪前的農民，是如何將之組織化，可能性如何的問題。若以正統來說，可能具有反革命的性格的，過於重用恐怕連勞動者階級的主導權也被掌握，這是馬克思主義的古典命題妨礙了認知。對此毛澤東不顧一切做下去，是否可描繪這樣的圖式？

團野：在此情況下毛澤東所說的貧農，並不是在日本所說的貧農，而是更為悲慘的。大寨的陳永貴就是一例，什麼都沒有。但是把這看成是能量。

戴：對於此，知識分子出身或從莫斯科回來的一夥，認為以農民的社會性格來考慮是非常危險，所以想以都市勞動者為依據。亦即，在那種地方建立農民的根據地究竟有什麼用的疑慮。但是在紅軍逐漸擴展的過程中也不得不承認。

嶋倉：假設有山西省型和廣東型，擁有高土地生產性，相對較少受統治者與戰亂的影響，有典型的地主制度，大農與佃農很多，或許也有紮下根的資產階級的一面為廣東型的話，那麼山西省型是因為自然條件之故的低生產性，戰亂與統治者的頻頻交替，產生流亡的農民。

在此兩型之中，中國共產黨把那邊農民的革命能量更巧妙地引導出來，戴先生認為山西型引導出爆發性的革命力量是嗎？

戴：與此同時，成為紅軍的供給源，將之給以教育的結果，他們早已不是從前的貧農，將其所賦有的能量注入而逐漸建立或成為有規律的軍隊的此一過程吧。

嶋倉：中國正式的後繼者思想教育教材，例如在文革中有全國性展示的收租院的塑像展，記得好像是四川省吧，關於在中國革命中農民能量湧出背景的教科書說明，我覺得還是廣東型。好像不是山西型，這點該如何考慮。

戴：那麼，在廣東農村社會主義改造非常落後的理由要如何考慮？當時的國民黨軍隊的供給源不是農民，而是以知識分子為基本吧。然後在北伐的過程中，把流寇化的也納入進去，但因軍隊的體質的關係，不能充分給以教育，北伐在半途被奪權而遭遇挫折，我是這麼想。

團野：江西省在南方算是非常窮的省嗎？

嶋倉：比如在湖南省與江西省的山界建立井岡山根據地，在兩省來來去去。井岡山的周遭數個村的人口減了一半。是因為毛澤東以此地為根據地打了幾年的仗之間，受國民黨軍隊的徹底的殺戮之故。去年或前年，我走訪那近邊的農村，會有如走在日本某地方的農村的錯覺，水稻很豐茂，被山林圍繞著，真像是可以打游擊戰的地方。

團野：不知是真還是假，《文春》在文革的當中，登載了逃到台灣的青年的手記——由美國人改寫。寫乘火車從江西省到北京的過程。江西省到處是乞丐，而江西省的情況最壞。

戴：江西省是土匪的產地。在井岡山那階段，毛澤東納入土匪而無法改造，後來就把他們幹掉。同時井岡山周遭有很多客籍移民，亦即客家人。客家人所在的都是條件最壞的地方，所以那裡，不能想像為生產性很高的地方。只是江西省很廣，有在何處看以及如何看的問題。

團野：大長征的構想，似乎吸收了太平天國的經驗。在其過程進行如土地改革、出版自由結婚的教科書等種種情事。我想到後來待不下去才依循同樣路線移動去北方。

戴：有位名叫中川學的一橋大學的副教授說，調查長征的路線是走客家的路線〔譯註：客家從中原移動到南方所走的路線〕，結果跟太平天國的路線交錯。客家是被排斥者，都住在狀況最壞的地方，處在與外面無聯繫的地方，循此而北移的構思非常有趣。以現在的共產黨的理念來說，地域主義、與客家相關的主題不能寫，那種問題也不能提出。去瑞士的時候與哈如明（音譯，ハズミン）討論，他說是那樣的，但是他告訴我，有人跟他說，你幹吧我不幹。

嶋倉：在中國革命中的流氓無產階級性的農民，與知識分子所扮演的角色，戴先生給予很高的評價。

戴：抗日統一戰線的最後的階段，中國共產黨的作法非常巧妙且高明，亦即有理論、有理念。有關爭取知識分子與農民，國民黨最後輸了。

小倉：回到剛才的話題，有關點與線的部分，點是日本控制住而說是固定，但時退時回，線也有日本軍可往返以及時常被遮斷的情形。有關村莊也是如此，很大的城市也有同樣的情形。我在的時候，潞安（現在的長治市）的人口號稱數萬的大城市，但當時沒有半個人。所以戰爭中的流民不一定是農民。但是，從太原南下到汾陽，那裡卻有人住，店也照常開張，亦即摻雜著沒住人的城市與有人住的城市。

那麼沒人住的城市的人到底都到哪裡去了？不免有疑問。

團野：大家都已習慣了吧（笑）。

可是把那些流亡之民組織起來，編成紅軍這事，那邊的歷史沒有寫。所以就變成組織貧農吧。只是，這也僅屬於想像，要做那麼大的事，全部皆如修身的教科書那麼乾淨是不可能的，我覺得多少也有些混濁泥濘的部分吧。

小倉：那麼今天就此結束吧。

本文係未刊稿。爲戴國煇於中國部會第三回研究會的演講文與討論會內容

輯二

台灣史事典

台灣的住民與歷史

◎ 林彩美譯

一般而言，許多人談到台灣，都只想到台灣本島。但事實上，台灣是個總稱，除蕃薯形狀的台灣本島外，還有15個附屬島嶼，以及明末以來，因位居軍事要津，而受到鄰近各國與歐美列強注意的64個澎湖諸島，合計共有79個島嶼。在行政上，正式的稱呼是「中華人民共和國台灣省」*。

台灣的住民除少數外國人外，主要由被當成是原住民的高山族、早期移民的漢族系住民以及後來移民的漢族系住民三大部分構成。

其中高山族在日本殖民統治末期被稱為「高砂族」，分成很多不同的族群。

他們之間的居住地域、語言、社會組織等本來就不同，其差異到今天仍然強烈保留著，多數人住在台灣本島的高山地方。

不過高山族也有住在平地已經完全漢化、被稱為「平埔族」的少數民族。他們現在的生活，不論是語言或生活方式，幾乎都

* 現在行政上的正式稱呼為「中華民國」。

和一般早期移民的漢族系住民難以區別。

高山族總人口約20萬人，不過確實數字近期並沒有公布。

後住移民的漢族系住民被總稱為「外省人」，是在第二次世界大戰後，在中共革命的餘波中移居的漢人，出身於東南沿海，尤其以浙江、江蘇兩省為中心，但這群新移民多與國民黨軍隊和國民政府的官僚機構有關，因此他們的出身地遍布全中國大陸，總數估計約有200萬人。因為其出身的特殊之故，一部分退役軍人到橫貫公路開闢農場，或是到村落裡的公家機關二次任職，而其他則多數住在都市地區或郊區。

早期移民的漢族系住民，是二次大戰結束前，主要為了開墾而移民，多數為華南，亦即福建及廣東兩省來的漢人移民後裔，被稱為「本省人」。也就是說，高山族與外省人之外即為本省人。其總數在1971年末的現在約1,300萬人，依其在台灣所使用的語言種類，被分為福佬人及客家人兩部分。

福佬人包括閩南（以福建省南部的泉州和漳州為中心）人及潮州人，潮州人講的潮州話與福佬話相近，祖籍廣東省潮州。客家人的祖籍則以廣東省梅縣者為中心，母語是客家話；福建省的汀州、永定出身者，也以客家話為母語，和廣東省無關，但也是客家人。福佬人因為先移民台灣，多數住在沿海一帶，尤其是台灣島的西部平地，到今天都還是如此；而客家移民則來得較晚，因此分布在山坡地區，介於高山族居住的高山區域，以及福佬人移民所住的平地地區之間。

台灣在全球規模的地形變化中與大陸分開，但三世紀之前，台灣海峽的天險十分嚴峻，因此台灣與大陸在文化上的聯繫，只存有當時的考古遺物或遺跡，除此之外斷絕一段時期。

漢文典籍中關於台灣的記事，部分學者追溯到中國的戰國時代（西元前403～221年）的地理書《禹貢》，把書中的「島夷」看成是台灣。不過現在學界的一般說法，認為台灣史最早的正式紀錄，是第三世紀中期的《臨海水土志》。

中國本土與台灣的接觸，從三國時代以來持續進行，而在台灣最早設置地方行政機構「巡檢司」〔譯註：元代於澎湖設巡檢司〕，則是從元代開始。

至明代，著名的鄭和下西洋（今天的南洋）時，曾在赤崁（台南）靠岸。另有關於林道乾、林鳳的紀錄，他們以倭寇勢力，稱霸東南沿海、台灣海峽一帶及南海等地，為軍事基地之目的，以及使集團的食糧能自給自足而從事農業開發，經營台南附近一帶。

同時期也可以見到葡萄牙人、荷蘭人及西班牙人為尋求香料，從西南亞來到東南亞，並向東亞發展的過程，他們把台灣做為向中國本土及日本發展的基地。

葡萄牙人在北上日本途中，曾從遙遠的海上看到台灣本島，驚歎Ilha Formosa（美麗之島），直到今天，福爾摩沙之名都還是歐洲語文中台灣的名字。

17世紀的20年代起，荷蘭人趁明朝忙於應付倭寇之間隙，占領台南附近，做為與中國、日本貿易的中繼站，此外，為追求砂糖之利，也開始嘗試在台灣從事農業開發。另一方面，稱霸菲律賓的西班牙，因對荷蘭人的發展產生危機感，而占領台灣北部，但不久就被荷蘭人驅逐。鄭芝龍等則以介於這兩個殖民勢力間的形式，在華南及長崎間經營走私貿易，以安平等處為據點，從事農業開發，並仲介荷蘭人的中國及日本的部分貿易。

1661年，抗清失敗的鄭成功等，把荷蘭人從台灣趕走，開始以漢人為中心，在台灣從事大規模的開發。但鄭氏統治台灣僅三代，32年即告終，由清朝把台灣與中國統合，之後213年間，台灣長期處於清朝統治之下，拓墾台灣的漢人移民大幅增加。尤其在鴉片戰爭前後，華南一帶的流亡農民移居到台灣北部。台灣的開發也從中南部，開展到北部、東部。清末，台灣成為中國本土洋務運動的先驅，特別是開發煤礦、鋪設鐵路，而長年以來的糖業開發、樟腦及茶的對外出口，也變得極為繁盛。

因為中日甲午戰爭，日本得到被「割讓」的台灣，可以說日本是繼承了經濟開發，在計畫以台灣做為軍事基地化的同時，實施了殖民地的經營。

本文原刊於《週刊アルファ大世界百科》第154號，東京：日本メール・オーダー社，1973年8月29日，頁3694～3695

台灣的政治與經濟

◎ 林彩美譯

在第二次大戰終結的同時台灣回歸中國，此後因國共內戰與中共政權的樹立，國民政府把中央政府轉移到台灣，自此有美國強力的軍事、經濟援助的支撐把台灣變成反共基地。國民黨在1950年代以來修改了從中國大陸帶進來的一部分體制之外，把本地資產階級的政治參加的欲望編進自己的體制內，實施「地方自治」敷衍過來。為適應美中接近與在聯合國敗退的新情勢，把政治實權自蔣介石轉移到其子蔣經國。在1972年5月新上路的內閣裡，起用本省人的徐慶鐘為行政院副院長之外，拔擢台灣本省出身的無黨派年輕學者李登輝等五人加入閣員之列，在「政治革新」的口號之下努力於新體制的建立。

在經濟面，因有在中國大陸失敗的教訓，1949年末到1953年之間實施了從上而下的農地改革。農地改革不用說是做為圍堵中國政策的一環而展開的美國反共防波堤並將台灣要塞化要求的一部分，經費的供給到指導都包含在美國「援助」之下遂行。自1950至1965年的15年之間，美國以每年平均一億美元的經濟援助投入台灣，以圖台灣的工業化和培育中產階級。工業化始於供給美棉的輸入替代產業之培育到化學肥料工廠之創設。1965年以降國府當局以農業的戰災復興與輕工業培育的成果為基礎，搭上越南特需與周邊諸國繁榮之機遇，積極引進外資，設立保稅加工區，致力於培育勞務輸出型的輸出產業，充分利用廉價高效率的勞動力密集型的，例如外銷的電子、電氣工業等竭力振興貿易。

自1953至1972年實施五次經濟建設四年計畫的台灣、GNP的成長率高達15.1%（1953～1971年）的高成長率。這個高度成長的偏差逐漸顯露。1969年以來農村經濟的疲弊與農業問題的嚴重性開始被提出來議論。進入1973年，國民黨為了對應在國際關係的「逆境」，以樹立自立經濟為目標，向農業投入20億元（約140億日圓），以1976年為目標、舉出國民所得每人550美金、貿易總額110億美金的計畫目標邁上第6次經濟建設四年計畫之路。

本文原刊於《週刊アルファ大世界百科》第154號，東京：日本メール・オーダー社，1973年8月29日，頁3695

台灣征討

◎ 孫智齡譯

「台灣征討」在日本又稱為征台之役、台灣出兵、台灣事件，在中國則稱之為琉球事件。

出兵內情

台灣出兵（1874年【明治7年】5月18日，由長崎出港，同年12月2日撤兵）的表面理由是1871年11月，由那霸港出發，前往宮古島的山原船途中遇到颱風，船漂流到台灣南部的東海岸上。船上總共69人（頭職【相當於郡長】仲宗根玄安和宮古島的公務員、隨從48人，以及其他同船者和船員21名），其中54名被岸上附近的高山族殺害。台灣出兵即對此事之問罪誅戮。

然而事實上，第一，剛開國不久的日本，對國內局勢的不穩，尤其是征韓計畫的中止，以及發布徵兵令，剝奪士族特權等諸項改革所引發的反政府趨勢和士族們的不平、不滿，企圖轉嫁於外；第二，隨著日本近代國家成立的積極意識進而以「征台」為契機，為必須取得清朝承認日本的領有琉球，而對清朝的強行動作，亦即企圖在圍繞琉球歸屬問題，日清間的外交折衝對日有利為占此重大部分的琉球處分，完成確定國境線的志向；第三，眾所周知，薩摩藩早就抱有將台灣領土化的野心（島津齊彬早在1857年即安政4年，就對琉球下令在台灣設置渡唐船用的碇泊場，並敘述他經綸台灣的野心）。此外，日本早就知悉法、美等歐美國家對台灣虎視眈眈，因此藉這機會先發制人，造成既定事實。甚至以此向清朝施壓，在韓國問題上利用此和清朝討價還價，並且企圖促進韓國開國；第四，做為新興國家的宣揚國威和企圖改善國際地位的明治政府來說，以一個測探國際情勢的小試驗而附在列強驥尾，趁混亂、腐敗、頑迷的清朝之弱點採取軍事行動，也是日本開國的首次具有如此複雜動機對外派兵。

出兵的動機大致如上所述，但表面上出兵的藉口再怎麼說都是對琉球藩民被殺事件的究責。

琉球藩民被殺事件的真相

然而，琉球藩民被殺事件要推到1874年的強行出兵之前三年，即1871年11月8日，內容也不同於一般所說的虐殺事件。根據舊薩摩藩人，樺山資紀（征台軍的參謀，第一任台灣總督）的崇拜者藤崎濟之助日後的實情調查報告，「高士滑蕃（原高士佛社蕃）起初並無殺害之意（事實上，起先高山族還款待食物給漂流上岸者），就在留置遇難者調查他們的身分時，琉球人卻誤解其意而企圖逃脫，才會導致慘遭毒刃」這才是事實真相。

另外，清朝方面對遭難事件也不是完全漠視。從知道事件發生之後，地方當局就從庇護生存者12人的楊友旺家中將人接出，以台灣府的官船「火輪船」（蒸汽船）運送到福州的琉球館。除了收容一行人，還提供衣服、撫卹金等，並於1872年6月2日，讓一行人坐上接貢船〔譯註：指當時琉球開往中國的進貢船隻〕，7日送回那霸港。

從以上的事實，再反觀強硬主張征討台灣的鹿兒島縣參事大山綱良，以及當時熊本鎮台第二分營長、陸軍少校樺山資紀等人的舉動，琉球方顯然早已洞察大山與華山等人的本意而提出反對台灣出兵。這中間情事，比嘉春潮記述如下：

> 沖繩方面聽聞此事（指大山等人出兵的要求），立刻透過值勤（值班）的奉行，由三司官向大山參事提出『請取消征討』的請願。遇難倖存者已經在中國的保護下回國。如此得體處置，史無前例，尤其事關沖繩，日本若介入中國的掌管事項，恐會爲例行的進貢橫生枝節。（《沖縄の歴史》）

強行出兵的國內情事

當時的明治政府正一步步著手處理琉球問題，對於琉球方面提出取消出兵的請願，根本沒有接受的意思。不過，政府首腦們當時正為征韓論引發的爭議感到困擾，還得顧慮清朝和列強們的態度。因此，朝廷一時之間也無法做出出兵的決定。不過，為了推動既定方針的琉球處分問題，出兵是勢在必行。琉球國民的遇難成了最好的藉口。甚至為了事前調查還派了樺山資紀和水野遵到台灣做密探。

在此其間，中央政府在1872年9月14日封尚泰為琉球藩主，儕身華族一員。至此，有關琉球王朝以及琉球歸屬問題的諸多糾紛可以說在形式上有了解決。

另一方面，由於派出去視察歐、美的岩倉〔具視〕、大久保〔利通〕、木戶〔孝允〕等人回國，西鄉隆盛的征韓論之失敗（1873年10月23日）。但若不撫平已經殺氣騰騰的薩摩兵轉移到其他地方，很有可能會引發內戰。於是，西鄉從道〔譯註：西鄉隆盛之弟〕自願挑起決定出兵行動的責任，而付之實行。這就是大久保等政府首腦事後承認出兵的始末。

結尾

清朝為抗議日本的出兵，雖然也曾向台灣增兵，但遺憾的是，在列強的壓迫下，可說多事多端。而且，當時的清朝政府視高山族為生蕃、化外之民，因此棄而不顧高山族的抗日行動也是想當然爾吧！事實上，對當時的清朝中樞來說，台灣島的地理位置，距離北洋閥〔譯註：指中國清末時的直隸、山東、奉天三省〕的基地可以說是毫無直接關係的邊境地而已。琉球國也只是一小小朝貢國，朝貢之利絕不能算多（李鴻章之言）。基於這些理由，認為實在沒有付諸一戰的意義。結果，清朝在英國公使的斡旋下，付了賠償金50萬兩。雖然消極，卻被逼得承認琉球歸屬於日本。

日本方面也真如大隈重信在事後的記載：

> 征台之役，日本耗費780萬圓，雖然感到得不償失，但清國方面間接承認琉球人爲日本臣民，而且承認琉球群島爲日本之領土。不僅如此，還有各國對日本兵力的肯定，結果讓英、法兩國撤銷了幕末的外人迫害以來在橫濱的駐守兵。這可以說讓明治政府在外交上獲得非常大的間接利益。（《開國大勢史》）

其成果可說遠超過當初的預期。

然而，中國方面由於這次的和議卻開了先例。對於被設計的不義侵略戰爭，留下割讓領土、支付賠償金的惡例。這也開了導致日後甲午戰爭，清朝被迫承認台灣、澎湖諸島為日本領有的既成事實之路。

參考文獻

落合泰藏《明治七年生蕃討伐回顧録》，日黃出版
藤崎濟之助《台湾史と樺山大将》，國史刊行會
戴國煇《日本人與亞洲》，新人物往来社

本文原刊於河原宏、藤井昇三編，《日中関係史の基礎知識》，東京：有斐閣，1974年7月15日，頁54～56

日俄戰爭以後的台灣統治和抗日運動

◎ 孫智齡譯

對山地的武力壓制期

有關日本對台灣的殖民統治政策，在日俄戰爭之後，一是首腦人事的更迭（第四任總督兒玉源太郎的死和民政長官後藤新平轉任滿鐵總裁），二是兒玉和後藤這對搭檔的飴與鞭並用的精明強幹政治——對讀書人階級＝中上地主階級的懷柔手段，以及成功切斷抗日游擊隊和一般住民的關係。抗日游擊隊的主力在「歸順」投降、誘殺之下受到鎮壓。還有保甲制度的復活和連坐制的實施，總算確立了平地區的治安。

兒玉、後藤這對搭檔的接棒人是第五任的佐久間佐馬太總督。在他就任期間（1906年4月11日～1915年5月1日），勵精於確立山地區的治安。

壓制山地區的目的，無須贅言，是企圖以完全掌握平地區游擊隊的背後地來根絕游擊隊的抵抗，以及為了山地資源之開發，山地區的土地收奪和確立治安是其主要目的。

佐久間實施的所謂理蕃事業五年計畫，從1910年（明治43

年）開始，可以說是一場不只大規模動員軍隊、警力，還擲下1,500萬日圓，以現在的貨幣價值來換算，相當於200億日圓的大鎮壓。而且，這計畫主要只限於北部山地（以人口數來說，最多也不過七、八萬人），不難想見當時的抵抗有多激烈，而鎮壓行動又有多殘酷了。

為了著名的阿里山開發而頒布的「阿里山作業所官制」，和理蕃事業五年計畫的出發幾乎是同時期開始，這是很有象徵性的。佐久間就任時間和後藤差不多，約九年又一個月。不過，他在位期間幾乎全副精力都在「理蕃」事業上。話雖如此，但他也絕未忘記，為掌握台灣農業和地方金融的機關而創設農會與產業組合。

南進基地台灣「建設」期

日本在日俄戰爭中獲得勝利，接著是韓國併合，甚至完成南滿洲的大侵入，可以說此刻的日本以太平洋新興強國的身分達到帝國主義的階段。過去，日本附在先進帝國主義的驥尾，以英、美在遠東的代理人而活躍。不過，因日俄戰爭獲勝的契機，日本獲得列強在亞洲，特別是對侵略中國，可以充分利用其地理上優越的地位。接著，日本又趁著第一次世界大戰，列強在遠東地區出現空檔期之時大舉侵入中國，做為帝國主義，可「自主的」為所欲為。

台灣的治安在這時期早已確立。台灣的產業也進入原始積累階段，做為已經完成質變的日本資本主義的一環，以糖業為主，完成長足的成長。

新上任的第六代總督安東貞美，將台灣視為日本帝國進入中國的一環，因此，以企圖開發台灣成為進入華南甚至南洋的基地。

為了治安對策，派遣警察到華南。島內也實行臨時戶口調查，並致力於宗教調查（武力制壓時期的蜂起，往往伴隨濃厚的宗教色彩）。此外，為振興產業的一環也舉辦台灣勸業共進會，除了誇示過去20年間的治安成果，也積極策劃喚起開發台灣和發展南方（華南、南洋）的使命感。

日本帝國為了強化南進政策，在安東之後，派遣過去曾在中南半島、南洋諸島有諜報調查活動經驗，且長期駐派歐洲，通曉國際情勢又致力於殖民地研究的明石元二郎為第七任總督。明石除了策劃進入南方，也敷設縱貫鐵路的中部海岸線，並隨著台灣電力公司的創立*，進行日月潭水力電氣事業計畫的實施，還提出嘉南大圳開鑿的企畫案。

另外，為了開發農業必須培養下層要員而設立農業學校，為了培育前進南方的人才，設立了台北高等商業學校。

明石就任不到一年半就因病猝死。

是時，日本國內正值大正民主運動的高峰期，隨著世界性的民族自決運動思潮和俄國革命的成功所帶來的衝擊，以及朝鮮三一運動的影響，日本也將以往的武官總督制換成文官總督制，田健治郎即以第一位文官就任總督之位。

---

* 台灣電力公司前身為「台灣電力株式會社」，於1919年時任台灣總督明石元二郎以官民合營方式成立。

以日本當局來說，會改採文官總督制的理由，當然不只上述的外在原因而已。

對於日本當局過去一邊以匪徒刑罰令威脅，一邊又施予甜頭安撫，卻絕不允許中產階級發展的政治、教育、就職等限制和差別待遇，台灣中產階級住民的不滿情緒便無盡無休。而將這個不滿情緒提高到政治和社會運動上的，則是辛亥革命和日俄戰爭到第一次世界大戰期間，所興起的具世界性規模的進步思潮。

台灣的近代政治運動，最初要推台灣本地中產階級住民的代表人物林獻堂等人，和自由民權運動的領袖板垣退助聯手組織的台灣同化會，但這組織沒多久就被迫解散。

緊接在同化會之後興起的，是台中中學的創設運動（這後來就被總督府以懷柔手段，變為不是台灣人的私立中學，代之以公立台中中學於1915年2月創設），以及以東京留學生為中心的六三法撤廢運動。

尤其是在東京的留學生們，由於辛亥革命和五四運動的影響，出現了學習中文、使用中華民國年號，以及和中國大陸出身的留學生組織親睦團體「聲應會」等新的舉動。在這之前，明顯受到辛亥革命影響，在台灣島內也頻頻發生組織性的蜂起事件和未遂事件。

田健治郎也就是在這樣的新情勢下，被派遣來就任的文官總督。雖是文官統治形式，以法三號代替六三法，實際上是總督的委任立法權限略縮，酌情處理罷了。統治的精神和內容幾乎沒有改變。

田為因應新的島內外資產階級的差別廢除運動，把明石的同化政策具體化在「內台一如」口號下，開始實施內（日）台共婚制（在這之前，日台通婚在法律上是不被許可的）、內台共學制度等懷柔政策。

在經濟方面則實施國勢調查、強化專賣制度（加上酒的專賣），為緩和地主與佃農間的對立而設立業佃會，以及嘉南大圳工程的開工等。

從田到第16任總督中川健藏，也就是所謂的文官總督統治時代，約持續了17年。然而，其治台政策只是由武力壓制換成藉殖民地法之名的「法治」，基於殖民地的經濟開發，加強經濟榨取，為南進基地而做的基礎建設而已。既使已經換成文官總督，不但壓制並未因此而緩和，就是本地資產階級住民在改良主義範圍內的要求，如台灣文化協會的運動、台灣議會設置運動，甚至台灣民眾黨的政治活動也都不被允許，徹底受到彈壓。

在新思潮的影響下，開始活動的台灣共產黨為首的左翼解放鬥爭運動，以及隨著世界恐慌和強化收奪所引發的階級鬥爭性格濃厚的農民、勞動者的抵抗運動都一起受到彈壓。這期間所發生的抗日運動，特別值得一提的，就是1930（昭和5年）10月27日，高山族的霧社蜂起事件。

這次的蜂起是有組織、有計畫性的。參加者正是當局對理蕃事業最引以為傲、也被視為最開化的霧社高山族。甚至還包括當局一手培育出來，不僅取了日本名字，還支付其所有結婚費用，可以說做為理蕃事業象徵性代表人物的現職巡查達吉士・諾賓（花岡一郎）和警手（警官助手）達吉士・那武義（花岡二郎）也加入蜂起行列。這次蜂起，有兩名漢族系台灣人被誤殺。但不同於有意識地將漢人排除在襲擊對象之外，住在霧社周邊所有日本人的老弱婦孺都慘遭襲殺。這也讓當局大感震驚。

不管蜂起的真正原因是在於理蕃事業以來的「討伐」和勞動力的榨取，以及來自日本人再而三的侮辱、欺瞞等諸暴行所引發的怒火和怨懟，日本當局卻採用軍隊警察，甚至飛機、毒氣瓦斯等新兵器加以彈壓，也許是意識到風雲告急的滿洲情勢，竟然在壓制蜂起嘗試實驗戰爭。

南進基地台灣的軍事化、工業化和皇民化推進期

為呼應日本帝國主義以滿洲為中心的侵略中國，日本當局撤回文官總督制，從第二任開始到第七任都是任用陸軍的大、中將為總督，當時為強化南進政策和確保其機動性而派遣小林躋造和長谷川清這兩位海軍大將（不過，最後的安藤利吉總督則是陸軍大將）。

小林的基本施政方針有：為侵略中國和前進南方，把台灣要塞化的同時，將台灣人的皇民化、台灣的工業化和南進準備加強。

長谷川繼其志，為了更進一步推動皇民化，創設了皇民奉公會，勉力實行。而為了驅趕台灣人去侵略，更實施台灣特別志願兵制度（後來改成徵兵制）和初等義務教育。

到了安藤的時代，戰局已經從中日戰爭轉進太平洋戰爭。以戰爭人員來說，動員台灣人的除了徵兵之外，還有軍伕、翻譯、軍醫、護士，甚至就連高山族都組織了高砂義勇隊，分別被派往

中國和南洋。

這段時間，島內的台灣人則為披著「聖戰」之名的侵略事業，被要求義務勞動、國防獻金、奉公儲金、職能奉公、生活改善運動等強化「後方」工作而奉獻。

抗日運動在領導者的被捕下獄或死於獄中，或是參加中國大陸的抗日戰爭，甚至，在「非國民」的彈壓說詞預設好的情形下，力量被削薄，終至萎縮。然而，以青年學生為中心的回歸中國運動和反戰運動，雖然微弱，卻直到最後從未中斷過。

一般日本人咸認為，統治朝鮮時，雖然做了壞事，但在台灣所施行的卻是善政。而且認為其差別就在於派遣到朝鮮的總督都是陸軍體系出身，而台灣則是海軍體系。然而說到底，殖民地統治絕不可能有善政可言，即便其所謂的「善政」在比較上較合乎科學性和合理性，但其目的都是為了確保和延伸日本帝國主義的權益，不會把台灣人本身的發展做為治政的根本。更何況，以陸軍和海軍的差異來區別統治的結果，這更是大錯特錯。此話怎說呢？就算退百步容許這樣的假設說法，但19位總督中，海軍出身的也不過第一任的樺山和中日戰爭前夕才上任的第17任小林總督，以及從中日戰爭到太平洋戰爭期間的第18任總督長谷川三人而已。今後，這類說法就當是世俗之說，終究會分明而不比神話高明。

參考文獻

井出季和太，《台湾治績志》，台灣日日新報社

外務省條約局法規課編，《日本統治下五十年の台湾》（《外地法制

誌》第三部之三），外務省條約局法規課
台灣總督府警務局編，《台湾社会運動史》（《台湾総督府警察沿革誌》第二編領台以後的治安狀況復刻版），龍溪書舍
《台湾問題重要文獻資料集》全三卷（復刻版），龍溪書舍
山邊健太郎編《台湾》Ⅰ、Ⅱ（《現代史資料》21・22），みすず書房
戴國煇，《與日本人的對話》，社會思想社
戴國煇，《日本人與亞洲》，新人物往來社
戴國煇，〈晚清期台灣的社會經濟並試論如何科學地認識日人治台史〉（仁井田陞博士追悼論文集編集委員會編，《日本法與亞洲》），勁草書房

本文原刊於河原宏、藤井昇三編，《日中関係史の基礎知識》，東京：有斐閣，1974年7月15日，頁235～238

「帝國日本」下悲慘的犧牲者

◎ 謝明如譯

中村先生〔譯註：指中村輝夫〕是「帝國日本」下最底層、最悲慘的犧牲者。經常有人指出原住民出身者主動加入志願兵，但當時他們所居住的地區是明治憲法、甚至台灣總督府所制定的法律都無法保障的特別行政區。在日本人進行殖民統治前，他們以火耕、狩獵為生，過著自由的生活。日本當局為確保山地資源而縮小原住民的生活領域，連狩獵的槍枝都沒收，並彈壓主要的領導人。在此一情況下，使純樸的原住民們穿著軍服、接受酒食之招待後唆使志願從軍。

他們認為可以和日本人有同樣的裝束，乃加入軍隊，背著番刀深入敵方陣地。稱其為「獵頭族」、「主動加入志願兵」等語，都是不知其詳者，或不願使人知道此事者所編造的「神話」。

只有橫井〔庄一〕先生和小野田〔寬郎〕先生成為英雄，以原住民出身者伊始，其他位處帝國日本底層、迄今仍行蹤不明者，依然為數甚多，因此，希望正視這個問題。

本文原刊於《朝日新聞》，1974年12月30日，13版，第14頁

霧社事件

◎ 陳仁端譯

被設定起始於1930年（昭和5年）10月27日凌晨，以同一天舉行的霧社小、公學校、蕃童教育所聯合運動會場做為最終、集中的襲擊目標而付諸實行的台灣高山族的抗日起義事件。

霧社是指當時的台中州能高郡霧社分室（警察管轄的）管轄內地區（現在是南投縣仁愛鄉）。起義只以日本人官民做為襲擊對象，該地區的高山族部落11部落中的6部落，壯丁數大約400人左右*1——更為重要的是，日本當局的理蕃事業當做模範生培養的乙種巡查花岡一郎（本名是達吉士・諾賓，台中師範畢業）、警手花岡二郎（本名是達吉士・那武義，尋常高等小學校畢業）也參加——在當地馬赫坡社的頭目莫那魯道的指揮下極其有組織、有計畫地斷然實行。被殺害的日本人官民實際上共有134人（居住霧社的和參加當天運動會的合計人數為227人）、而受害台灣人只有因穿著和服而被誤殺的兒童1人以及中了流彈身亡的1人而已。

*1 據戴國煇編，《台灣霧社蜂起事件——研究與資料》所述，應為約三百多人。

霧社是被日本當局認定「蕃界」裡最「開化」、富裕而教育水平很高的蕃社，正因為如此，所以這件慘事震撼了日本全國。

由於害怕波及當時伴隨著世界經濟恐慌而高揚的內外革命、民族運動，對這次蜂起日本當局動員了軍警、航空隊，同時使用山砲、機關槍等大量近代殺人兵器，還採取用飛機的波狀攻擊（據說也使用了毒瓦斯）等加以大彈壓。蜂起以莫那魯道等人的自殺（包括婦女兒童約200餘人自殺）而告終。結果高山族這一邊的戰死者、自殺者、事後的刑死者以及包括在第二次霧社事件（1931年4月25日晚上，警察當局唆使倒向當局部落的高山族向拘禁中的蜂起倖存者和其家族進行報復襲擊的事件）被殺的人，總共有上千人的受害者，而最終倖存者只有15歲以下的男子和婦女大約230人*2而已。

殘酷的彈壓受到世界輿論的譴責。果敢而不屈的民族抵抗不但引起人們的同情，還大大地刺激了包括台灣在內的中國大陸和全世界的民族解放運動。

本文原刊於《週刊アルファ大世界百科》第237號，東京：日本メール・オーダー社，1975年3月26日，頁5676

*2 同編註1所引書目，應為298人。

霧社事件始末

◎ 孫智齡譯

霧社事件，是正值世界恐慌中而且是被稱為「1931年是殖民地問題時代」的前夕——1930年10月27日，由台灣少數民族——高山族所發起的抗日蜂起事件。

事件經過

這次的蜂起，由當時的台中州能高郡霧社分室（警察管轄的）管區內（現在的南投縣仁愛鄉）11個高山族部落中的6個部落，壯丁人數約300多人一起發起的行動。

所謂的霧社管區內，指的是蜂起之前，被日本殖民地當局視為「蕃界」（當局將住在山地裡，被認為「未開化」的少數民族的居住地域，以特別行政區來統治。蕃界，就是特別行政區的俗稱）中，最「開化」，而且最富饒、教育水準最高，可以說是最有定評的「理蕃」楷模地區。

從10月27日凌晨開始的蜂起行動，依照距離霧社遠近的順序，謹慎而有組織、有計畫地襲擊警察的各個駐在所。他們對於最後集中全力攻擊的目標——霧社小學、公學校和蕃童教育所的聯合運動會場，採取的是逐步逼近的方法。

蜂起的一方，除了組織襲擊隊，決定各自分擔的目標之外，為了阻斷霧社和外部聯繫，甚至還切斷所有的電話線路。本來，每年十月都會舉行霧社小學、公學校和蕃童教育所的聯合運動會。這是由霧社分室管區內的日本人子弟念的小學校，和漢族系台灣人以及高山族系台灣人子弟一起接受教育的公學校，還有只收容高山族系台灣人子弟，而由警官負責教導的簡單普通教育的蕃童教育所，按照往例都會一起合辦。而在運動會的前一天還有學藝會〔譯註：學童的表演會〕，該會結束後，一年一度所有與理蕃事業有關的人員都會在這一天群聚一起，開碰頭會並舉行酒宴。台中州的理蕃負責人、能高郡最高行政負責人的郡守、郡視學（郡的教育行政最高責任者）、甚至郡的理蕃主任（警部）等，按照傳統慣例都會在這一天碰面。

而住在這連個像樣的娛樂都沒有的偏僻山區，平日裡還得忍受周遭人白眼的精神疲勞轟炸。因此，這兩天可以說是讓他們好好休息、娛樂，以及和老朋友聚首閒聊的好機會。懷著這樣的心情，尤其是日本人有關者的父兄們也都一起來到管區內的中心地霧社過夜。

蜂起行動當天的運動會上，誠如前面所述的，台中州理蕃課囑託管野政衛、能高郡郡守小笠原敬太郎、能高郡視學菊川孝行、能高郡理蕃課主任佐塚愛祐警部等諸位高官都蒞臨會場。

正算準了這些有關人員的日本人及其家屬都聚集在現場的時間（就在開幕式開始的那一刻），在升國旗以及大家齊唱〈君之代〉時，參與蜂起行動的壯丁們，一擁而起，殺進了運動會場。

他們口中喊著：「內地人（日本人）連小孩都不許放過，本島人（漢族系住民）不要殺。」並展開激烈攻擊。

蜂擁而起的高山族，攻擊的目標不單只是運動會場的公學校而已，還包括幾乎位於霧社中央的「櫻台」比鄰而建蓋的警察分室。他們奪取手槍、彈藥武裝自己，還襲擊郵局、日本人職員官舍，包括日本人民家全都難逃祝融與襲擊。不過，因為商店街上還有漢族系台灣人的民宅，為避免其受到波及而沒有放火焚燒。

襲擊的結果，統計日本人死者134人，漢族系住民2人（其中1名大人是被流彈擊斃，另1名小孩則是因身穿和服而被誤殺）。而這也成了高山族抗日運動史上，史無前例的大蜂起事件。

這次的事件，不僅在規模上史無前例，從其有計畫性、組織性、甚至帶有鮮明的民族性格的蜂起事件來說，都應該讓人們深深記憶的大事件。

殖民地當局對於這場連婦孺都被捲入，造成多人犧牲的悽慘局面，以及自認為已經馴服的高山族爆發出如此激烈的憤怒，而驚慌失措。尤其，當得知被他們做為理蕃道具而栽培出來、有機會就想好好利用的年輕希望之星達吉士・諾賓（花岡一郎）和達吉士・那武義（花岡二郎）也都加入蜂起隊伍時，更是驚愕不已。

順帶一提，花岡一郎和花岡二郎這兩人都是因為天資聰穎而受到破例提拔。兩人都轉進日本人的小學校就讀。一郎在念完埔里尋常高等小學校一年後，甚至進入台中師範學校講習科。蜂起行動當時，他正擔任馬赫坡蕃童教育所的教官，並兼任乙種巡查任務。而二郎也一樣，埔里尋常高等小學校畢業後，在霧社分室擔任警手（相當於警察的補助員）。儘管他二人沒有血緣關係，但警察當局仍替諾賓和那武義兩人取了「花岡一郎」和「花岡二郎」的日本名字。甚至他二人結婚時，還為他們張羅。當局不管新娘是高山族出身，還替一郎的新娘取名「花子」，二郎的新娘取名「初子」。由此不難窺知當局對他二人的一番用心。

花岡一郎、二郎不僅沒有告發這次的蜂起事件，甚至一郎當時人就在演奏〈君之代〉的風琴旁，當襲擊展開時，他立刻脫掉巡查制服，以裡頭早已穿上的自己民族的衣裳，加入蜂起的一方。二郎也一樣，打開他早已熟悉的霧社分室兵器庫的鑰匙，為蜂起軍帶路，並共同參與戰役。

以台灣總督府的立場，對於這場「本島理蕃史上前所未有的不祥事件」，除了管制新聞報導和派出大批警察之外，甚至還動用到軍隊和飛機，以「討伐」之名，展開歷時五十多天的大鎮壓。

相對於蜂起的高山族300多名壯丁，「討伐」所動員的警察相關人員，包括所謂的「友蕃」（加入日本方的高山族）331人，共2726人。實際上，1930年11月24日，當時的軍隊人數已高達1194人。鎮壓當時，日方當局因恐懼已經露出不穩徵兆的漢族系台灣人和隔海另一個殖民地的朝鮮也延燒起來，於是出動大量飛機、山砲、機關槍等近代殺人武器，展開猛烈攻擊。即使如此，但對於巧妙利用天險岩窟和繁密森林進行游擊抗戰的蜂起軍，仍使日方當局疲於應付，最後竟然投擲毒氣瓦斯，對世人暴露其狼狽模樣。

然而，抱著寧為玉碎、不為瓦全決心的蜂起軍，並沒有那麼容易就屈服。這是因為蜂起軍的首領莫那魯道年輕時（1911年），在當局懷柔政策的推行下，曾受邀到日本國觀光。因此，他深知日本國力和軍事力之強大，在明知蜂起「必敗」的結果下，卻仍執意抵抗。除去被俘虜的老弱婦孺病殘者，蜂起軍中，認為與其投降，全家人選擇「寧死勿屈」而壯烈犧牲的人占絕大多數。

近因和背景

事件後，台灣總督府所做的報告〈霧社事件之始末〉，大致歸結出三項近因：第一，不堪搬運建築材料的苦痛，以及對於延遲給付工資的不滿；第二，不良蕃丁比荷・沙波和比荷・瓦歷斯的策動；第三，莫那魯道的反抗心和擴張勢力的野心。至於事件擴大的原因則歸之於「蕃族傳統的獵首性癖」、「喜好附和雷同的蕃人性情」、「視個人事件為蕃社全體之共同事件的蕃人習俗」。後者，也就是所謂「人類學上的原因」，不言自明，這是「文明人」為了將自己的行為正當化而硬加上的自以為是的解釋。至於前者，則是為了迴避責任而企圖以偶發事件掩蓋過去。這些陳述都不過是為了修補和掩蓋而硬套上去的表面化、矮小化、卑俗化的見解罷了。

事件背後真正的原因，再清楚不過，是伴隨台灣殖民地化總督府施行專制的理蕃政策所累積出來的民怨。可以說是為了反抗殖民地統治的惡業，才招來蜂起行動。

事件發生前的所謂理蕃政策，大致可分成三期。

第一期以「綏撫」和警備為主，也就是所謂的「放置的時代」。期間是第一任樺山總督上任的1895年5月開始，到第四任兒玉總督離任的1906年4月為止。這時期的特質是，當局忙著對付平地的漢族系住民的抗日游擊隊，苦思治安對策，因此「蕃界」被放置，而這個政策由於從某個意義上來說，也是切斷漢族系游擊隊的背後地，所以只對高山族採取綏撫和警備工作。

第二期則是第五任佐久間總督在任期間（1906年4月～1915年5月），主要是以「討伐」為主的恩威並施的時期。這時期，之前提到的平地區總算鞏固了治安，於是，下一個鞏固治安的目標就轉向山地區。目的則是以完全掌握平地區游擊隊的背後地為手段，根絕漢族系游擊隊的抵抗；另一方面，則以山地資源的開發、收奪為目的，對山地區展開土地收奪；以及確立治安為最主要的目的。

提到這位台灣統治史上惡名昭彰的佐久間的「大討伐事業」，是這時期最後的五年間集中實施。在這個所謂的理蕃事業五年計畫中，先不管動員的軍隊、警察數量有多龐大，光是花費的預算就高達1,500萬日圓，換算成現代的貨幣價值，已經超出200億日圓。如此龐大金額的大鎮壓，其所討伐的對象卻是包括霧社裡的泰雅族，也就是中北部的山地住民，人口最多不過七、八萬人。也正因為如此，我們不難想像當時的他們抵抗有多激烈、而鎮壓手段又是如何殘酷了。

第三期從第六任安東總督開始，到因霧社事件而引咎辭職的第13任石塚總督為止，約15年又5個月（1915年5月～1930年10

月）。這個時期，「理蕃事業五年計畫」已被視為完成，而對高山族的「膺懲」也告一段落，為了讓收奪山地區的前提條件能更加穩固，除了更加縮小「蕃界」範圍，另一方面，當局更以撫育和教化為名，推行「同化」工作。

也就是說，對佐久間「大討伐」的積怨，和第三期的「同化」政策，以保障治安為由，逼族人繳出槍械，還有因劃界而導致生活領域縮小，不斷地出役以及經常被派去義務勞動，這些都徹底破壞了高山族原本的生活秩序。甚至，擁有生殺大權的「蕃界」警察官，玩弄權謀，欺瞞族人，凌辱婦女和伴隨暴力的侮蔑高山族人等行徑，更是日常地明裡暗裡都在上演。

「霧社蜂起」的根本原因是，長年來施行的理蕃事業，在高山族人間累積了深深的鬱憤與不平存在其底流，在莫那魯道這位優秀的領導者帶領下，以及受過近代教育的達吉士・諾賓和達吉士・那武義兩人的合作下，發起的有組織、有計畫性的蜂起抗暴行動。

蜂起事件後的生還者，也就是那些老弱病殘以及婦孺為中心，約有514人。翌年（1931）4月25日，在當局的授意下，死在「友蕃」的毒刃下，苟活下來的男性只有153人（但是15歲以上的男人全都死於刀下），女性145人，總共人數298人。實際上將近半數的人都在暗中裡被屠殺。這就是第二次霧社事件。

本文原刊於《20世紀の歷史》第63號，東京：日本メール・オーダー，1975年5月7日，頁1271～1272

台灣人的受難

◎ 李毓昭譯

皇民化運動與改姓名

如眾人所知，朝鮮的皇民化運動是以「滿洲事變」為契機加速推行。

然而，台灣或許是在地理上遠離「滿洲」，實際上是過了相當長的時間才推行。

在「九一八」到「七七事變」期間，日本強化統治的策略，毋寧是把重點放在強力鎮壓左翼和抗日民族運動上。

當然，當局不會忘記，鞭子要配合糖果才會有加乘的實效。對於大、中地主階層與買辦資產階級，則給予「地方自治」的糖果。而長年來潛藏在一視同仁、內台一如、內台融合等看板後面，同樣是一種謊言的日台通婚不合法的情況也獲得改善，亦即實施俗稱的「內台共婚法」（昭和8年1月，府令第8號）。隨著戰火蔓延到漢族系台灣人祖先的鄉里——華南，台灣的皇民化運動也一天比一天強化。

最先發布的指示是要將「清國奴」、「蕃人」等蔑稱改為

「本島人」和「高砂族」。

當局從剝奪語言做起，禁止在公開場合使用台灣話（漢族系台灣人使用屬於中國方言的廈門話、客家話，而高山族系台灣人也有各族的母語），也廢止新聞雜誌的漢文欄。並在剝奪母語的同時，推行「國語」（日語）普及運動，包括表揚「國語」常用家庭（特別配給砂糖、肉類等，附帶其子弟可優先進中等學校等），以及國語的強制學習，致力於日語的補強、替代及紮根。

不僅如此，在改變傳統生活習慣上，也不顧台灣的氣候風土，強制台灣人使用日本式浴室、廁所、和服及榻榻米，設法鞏固外在的日本生活模式。或許只是這樣還是覺得不安，後來又想出「精神要有形體才能寄託」的口號。雖然「內地式改姓名」在表面上是採取許可制，實際上卻是半強迫的。該法令正好在所謂的「皇紀2600年」的大慶典，亦即熱鬧慶祝的1940年（昭和15年）2月11日當天施行。

用法制捏造了外形樣貌後，接著又要忙於更換靈魂。其目的是灌輸大和魂，同時也是一種榨取的包裝，藉以取得無償勞動，發動台灣青年勤勞奉獻，展開「皇民鍊成」運動。與此同時，當局連台灣人的信仰，亦即「心」也要用泥腳踐踏，意圖使其精神堡壘瓦解。作法是所謂的寺廟整理和「升天」（擔心引起民眾反感而假稱送諸神歸天），並在藉之取得的財產上，以郡為單位建造神社，強制參拜與宮城遙拜，而且要「我們的年少國民」扛神轎。

台灣人被迫將祖先牌位和傳統神祇的神位從正廳應有的位置拿掉，再依規定擺上天照大神、北白川宮能久親王等的「大麻」

（神符）。

皇民奉公會與徵兵制

如眾人所知，日本國內是在昭和15年10月組織大政翼贊會。上任不久的長谷川清總督為了呼應，乃於隔年的昭和16年4月設立皇民奉公會，自任總裁。除了之前的皇民化運動之外，更試圖迫使所有台灣人展開滅私奉公的大規模運動。

在中日戰爭期間，當局僅動員台灣農業義勇團等團體，讓台灣人擔負軍伕、通譯或供應蔬菜給軍隊等任務。

但隨著太平洋戰爭的爆發，或許是日本人的「人力資源」終於枯竭，或是判斷南方戰線不會有後顧之憂，就開始動員台灣人投入南方戰線。並制定法律，於昭和17年4月1日實施陸軍特別志願兵制度，隔年昭和18年7月1日實施海軍特別志願兵制度，並在最後階段，於昭和19年9月1日實施徵兵制。只由高砂族組成的陸軍特別志願兵訓練部隊即為其中一環，在巴丹半島、克里基多島作戰中，獲得「很有用處」佳評的高砂義勇隊，以及昭和49年底在印尼莫羅泰島獲救的中村輝夫（本名為史尼育唔，中文名為李光輝）都是被迫出來受訓的。在昭和十五年戰爭中，據估計被動員的台灣人有20萬7,000人，傷亡人數也不少。遺族當然沒有獲得補償，遺骨至今仍在南海中蒙著青苔。

本文原刊於《昭和日本史7：戦争と民衆》，東京：暁教育図書株式会社，1977年5月15日，頁99～100

我的研究主題三個指標

◎ 陳仁端譯

對於四分之一世紀這一時間的劃分方法，最近覺得具有無限的分量。1955年秋為了留學來到日本，最初十年是在東京大學，接下來的十年是在亞洲經濟研究所，然後從1976年4月開始在立教大學史學科的東洋史（擔任近・現代史）謀得研究和教學的場所。

把最初的系統工作整理在《中國甘蔗糖業之發展》（1967年）出版以來，我有意識地試著「漫反射」（不規則反射）。雖說是漫反射，我自以為在內心裡保持著指標和工作的「核」。

第一個指標設在寫完《中國甘蔗糖業之發展》的續篇，整理為「中國甘蔗糖業史」的定本。但是，這方面實質上的工作是只花一些時間收集資料而已，其餘是跟年輕的研究夥伴一起辦「台灣近現代史研究會」（刊行會誌《台灣近現代史研究》，事務局設在立教大學東洋史研究室內）、在那裡和最近相繼發表論文的森久男君進行議論，並從他那裡得到很多指教。

第二個指標是要寫完「台灣——人、風土、歷史」。這可以說是整理出台灣近現代的通史。我的霧社事件研究、一連串的台灣知識分子論、對日本人的台灣研究的考證和批判等等工作、可以理解為其基礎作業。

邁進這第二個指標的路程和課題、很自然地通向對日本帝國主義的台灣統治的批判，可是一做得不好就大有可能會墮入觀念上的「告發者」的陷阱。確立做為被害者的立場和向世間發出相應的主張，這在展望今後應有的中日關係上是必要的。

可是所有被統治者不分民族、階級、階層都是同一程度的被害者嗎？只能回答說否。那麼、就必須明確這種多層結構、把其內部的有機的關聯性放在日本帝國的台灣統治的全結構中予以正確定位。

正因為出於這樣的想法、才在我內心裡產生了對清末台灣的考察、台灣的地主制度、台灣本地資產階級、台灣的少數民族和漢族、抗日運動的諸種現象等等觀點。

要告發與彈劾帝國主義、殖民地主義者是容易的，特別是借司空見慣的圖式和語言的那種告發。沒有比把自己關在狹窄的「被害者」的框架裡、擺著「告發者」的架子而自滿的人更自我拖延發現真正的敵人者。而筆者也認為沒有比永遠的「被害者」更是非生產性的。在這個脈絡裡我同時也進行著自問「被侵犯者」這一邊的責任的作業。

第三個指標設定在解釋清楚「華僑」問題的原因、以及把華僑史放在世界史裡應有的地位上。我拒絕把華僑理解為漢民族的海外發展史那一類不經心的看法。承擔華僑史最核心的部分的不是其他，而是西歐列強在把自己創造出來的「近代」向世界擴充的過程中，引進或押送到該地域的中國人苦力的末裔們。他們的祖先同時也就是在近代中國受了西方的衝擊而解體的過程中被擠出海外的流亡農民。

據說中南半島難民的三分之二是「華僑」裔的人、歐美的有良心的知識分子把那些船民（boat people）的悽慘境遇比作納粹的猶太人大虐殺，而開始嘗試採取相應措施。似乎已經開始把「華僑」問題和其歷史放在人類的普遍問題中，放在應被揚棄的世界史的「近代」一部分裡定位了。

現在我們該從傳統的「血統」的咒語的束縛裡解放出來，嘗試接近問題了吧。不用說，對「華僑」問題的正確研究只能通過歷史的脈絡來進行才能成為可能。它在後進國的解決方法應該是把它當作建國的一環，放在克服殖民地遺制的內在結構的關聯中應有的地位上來理解。我是這麼想而且嘗試著研究的。收斂漫反射的路程對我應該說還很遙遠。

本文原刊於《エコノミスト》第57卷第32號，東京：每日新聞社，1979年8月7日，頁87

台灣客家與日本

◎ 林琪禎譯

我從亞洲經濟研究所轉任到立教大學之後，隔了十年再度參加了在東京的客家同鄉會（正式名稱為東京崇正公會），以及全日本的客家同鄉組織，即日本崇正總會。

之後又過了約四年，去年〔1978〕一月起在全國理監事會（於白濱溫泉舉行）的推薦下，開始創辦同鄉會會報《客家之聲》擔任編輯實務。

有句俗話說「窮則變，變則通」，而不甚通暢者尤以追溯客家根源以及為客家這個概念下定義為甚。

歷史上，客家的祖先們，從本來位於中原華北的家鄉，經過三次亦或四次的集團性南遷，逐漸形成近世以至於近代的分布狀況。

順帶一提，客家族群在近世至近代的居住地域，主要為廣東省北部、福建省西南部、江西省南部以及四川省、廣西省與台灣省的部分地區。而做為海外華僑，在東南亞地區亦可見客家族群的廣泛分布，其中已故的代表人物如廖仲愷（廖承志之父），仍在世者如新加坡前總理李光耀等。近代中國的革命家孫文、朱德、葉劍英、鄧小平等，也都是客家出身且是眾所皆知的人物。

只是，關於客家的根源，仍舊眾說紛紜，尚未有定論。

再者，每當被問及客家到底是什麼的時候，包括我自己在內的許多客家人，都不知道該怎麼回答才好。定義客家之難，著實勞人傷神。

於是，我想到能透過了解日本在統治台灣的時代，掌握客家人的狀況的情形，試著去尋找一些線索。

近日回台灣時，將「明治時代」出生的父祖輩的戶籍謄本翻找出來檢視，可以見到「事由」這個較大欄位的下方，有著「種族」、「纏足」等六個小欄位。像我這樣的客家出身者，一般在「種族」那一欄會填上廣（廣東族），纏足那一欄則會是空白的。

許多人都知道，客家女性是漢族之中唯一不纏足的族群。

對照調查了當年的戶口規則（明治38年〔1905〕12月26日，台灣總督府令第93號）所附錄的格式記載注意事項第10條，可以見到如下記述：「種族欄應以生父之種族區分為內地人、本島人（福建人、廣東人、其他漢人、熟蕃人、生蕃人）、支那人，若父不詳者則應由生母之種族區分之」（此處所指之支那人為保持中國國籍者）。客家的種族被記載為「廣（東）」之原因應該就是基於此注意事項吧。只是就算如此，仍然無法得知「本島人」的漢族為何還要區分出福建族與廣東族的原因。

總之，由於日本當局在戶籍上「錯誤」的種族分類，讓與台灣有過淵源的日本人，一直到終戰，甚至如今，都常常認為台灣的客家人就是廣東出身，以廣東話為母語的族群。真是憑添不少誤會與麻煩。

確實台灣的客家人大多數是從廣東省嘉應州（現梅縣）渡海來台的。但是無論是母語或風俗習慣等皆自成一格，也從來不自稱為廣東族或廣東人。不過出身廣東的客家人倒是有一些加入廣東（省）同鄉會的例子。

台灣的客家人在大陸的舊行政區畫上，也有包括福建省在內的汀州府八縣出身者，因此以大陸行政地區的劃分，依照出身地去斷定客家即廣東族的結論，實在是個錯誤。

日本占領台灣之初，由於社會不安與武裝游擊抗日運動的抵抗，當局因此無法確切地掌握台灣內部的人種與民族構成，是可以想見的情況。或許因此也造成了許多認知或記載上的混亂。諸如將客家認為是「蕃人」的一部分，或者認為客家是漢人和「蕃人」的混血等等。

其實，文科大學（東大的前身）所聘之外籍教師里斯在其所著的《台灣島史》（明治31年版，吉國藤吉譯）的第三章之中，即記載著「客家來台之始末」。此外，碩學小川琢治更早於此書二年便在其先驅性的著作《台灣諸島誌》（明治29年2月29日版，得里斯之助）之中，詳細地提及到客家了。

小川在書中寫道：「支那移住民中有一支謂客家HAKKAS（或曰客仔或哈喀）之種族」、「此種族多居於廣東地方，當地居民視該族為外來種族而排斥之」、「客家的村落於北部多位於台北、新竹、苗栗之山中，南部多位於台南至鳳山附近山裡，最近抵抗我師之頑妄之舉所謂土匪之類，大多屬此種族」（字下圓點為筆者所加）。為了將頑妄之舉與土匪之類等說詞奉返作者，引用歐洲傳教士著作與中國文獻等資料的記敘，正確性之高值得肯定。

然而不知何故，上述兩本著作對於當時的行政面並沒有帶來什麼正面影響，在介紹台灣的書籍中亦未出現。

也許是里斯和小川被當時的行政官員認為只是觀念陳腐之儒者，故他們所談也就被當成廢紙扔進紙簍中。

本文原刊於《歴史と人物》第96號，東京：中央公論社，1979年8月，頁28～30，經戴國煇加以補正

第三次國共合作問題與台灣的現狀

◎ 林彩美譯

對中國大陸統一提案，台灣政府給以冷淡的拒絕，但因為中國人的歸屬感、向心力或政治家的使命感等，會使情況逐漸朝向解決的方向進行。

拒絕一連串的統一提案

去年〔1981〕9月29日，國慶節前兩天晚上的紀念活動中，中國全國人民代表大會常務委員會委員長葉劍英，提出與台灣和平統一的九個項目的提案，以此為契機第三次國共合作問題成為日本媒體的焦點。

接著辛亥革命紀念日（台灣的雙十節）的前一天晚上，即10月9日，胡耀邦以黨的負責人的身分呼籲和平統一，並列出14名台灣國民黨要員的名單，表明邀請訪問大陸。其中第14號人物，是西安事件的張學良。

對此大陸方面一連串統一提案，台灣方面的反應用一句話說，這些都是中國共產黨的陰謀，無論如何都不予回應。雖然對中共的提案從一開始就拒絕，但是台灣內部卻逐漸在發生變化。

例如，以前我等民間人士只要說出與中國大陸和平統一，就會被檢舉。但是現在政府，卻舉「三民主義統一中國」、「以中華民國憲法為基礎統一」的相反命題，也就是說，暗示中國共產黨若能放棄共產主義，就可以統一。

因此，國民政府表面上拒絕中共的提案，但是美國的中國研究者總感覺雙方應該還有某些接頭的地方。據他們所言，中國共產黨說「新三民主義」，毛澤東以體現新三民主義搞革命，因此他們也大體接受了孫文。另一方面，孫文的三民主義，是台灣的國是或國策的重要支柱，因此被認為雙方並非沒有接頭。

就現在的國際情勢而言，從大局來看，日本、美國、中國大陸、東南亞間，也可以說是「非同盟的同盟關係」。在此情況下，換句話說外在方面，要妨礙台灣與中國大陸一起走向和平的大勢力並不存在。

而北京政府的和平統一提案，是不是只是口惠而已，或僅是政治的陰謀？究竟是什麼目的而要採用和平攻勢？我想用這方面的觀點，來分析中國大陸內部的情勢，可以整理如下。

第一是文革的結束，使現在的北京政府，似乎又不得不再度回到1956年的階段不然就做不下去，也就是再度重組統一戰線。

第二是，包括共產黨及國民黨的中國的政治家，都懷有政治、民族或歷史的使命感。例如蔣介石及蔣經國都持續主張一個中國，我認為不要解釋為他們是為了守住自己的政權比較好。

想要達成統一的力量

如果是要守住自己的政權，可採用類似新加坡的方式，以先住台灣人為總統，建立「台灣共和國」，由自己擔任行政院長掌握實權，如果這樣，或許可讓共產黨無法渡過台灣海峽，聯合國也會給支援吧？

事實上，日本政界的有力人士也曾提出類似的善意的提案，並向國民政府要員傳達這項建議。但是做為中國人，這是做不到的事。為何如此，是因為我提過的他們有政治的、民族的、歷史的使命感之緣故。

毛澤東、周恩來都在中國大陸完成革命，統治世界上四分之一的人口，因此似乎已經夠滿意了，但若台灣沒有統一，則事情並未完成。這也是鄧小平及葉劍英要繼續努力的事。

中國人想成為一體的歸屬感及向心力很強，其他民族都不太有這樣的例子，中國的國土可與全歐洲匹敵，擁有多種民族，經常在發生獨立運動，但結果還是統一了，這是秦始皇以來的中國歷史潮流。在這個意義下，我認為長期看來，中國的統一是可樂觀的。

第三是，在經濟疲弊、黨的威信喪失的情形下，今後要怎麼整理文革派，如何圖謀國內的安定團結。

審判四人幫是一幕向外的大戲，但是又將如何處理其他眾多的文革派，若只是去除他們，一定不能解決問題。我認為處理的同時，要將之編入。

因此，以鄧小平為中心的現有政權，以廣泛包容知識分子的形式，把謀求國內的安定團結當成重要的課題。可見向台灣發動和平統一的攻勢，也是其中的一環。

第四是與近代化的關聯。所謂革命，應該是要克服貧窮走向富裕，要從不自由的狀態變成自由，要使能力受壓抑者變成完全可以發揮的社會。但事實上革命後，中國大陸只是人口激增，卻和以前一樣貧困，這樣中國共產黨自己的存在會被質疑。

因此不得不引進以日本為首的自由世界的技術、資金，以追求近代化。為此必須有和平的環境，對台灣也要採取和平對話的口號，以推進政治工作。

以上是我所整理的中國大陸的和平攻勢的背景，其次擬觸及若干台灣的現狀。

本省人與外省人之間的鴻溝

首先，在台灣所謂的本省人與外省人是指哪些人？所謂本省人，是指二次大戰結束前就住在台灣的人，在現在〔1982〕台灣1,800萬人的人口中占80%以上。其中，從福建南部、鄭成功之後移來的南方人有84%；我所屬的北方系漢民族客家人，是後來移來的，占13%。雙方的語言完全不通，有對立。本省人中，也包括約20萬的先住台灣人。

另一方面，外省人則是指二次大戰結束後，從中國大陸移居的人。其中有在國共內戰中渡海來台的國民黨相關人員，也有與此無關、為躲避血腥戰禍而來到台灣的人。

他們是厭惡內戰的人，並不是特別喜歡國民黨、討厭共產黨的人，大致只是要來尋找一個工作的地方而已。後來這些人以技術官僚的身分，對於提升台灣水準有所貢獻。現在的外省人人口，大約有300萬人左右。

外省人和本省人之間有對立的，換句話說，住在台灣的人，籍貫不同，語言各異，雖然同屬漢族，但並不是鐵板一塊。

其次簡單談台灣的經濟狀況。1960年代後半之後美援停止，因為越戰的特別需求，隨著以日本為首的自由主義圈的高度成長，台灣的經濟也急速發展，形成財閥，中產階級亦壯大起來。

經濟成長的同時，教育也急速普及。戰爭結束時的600萬人口，增加了三倍。年輕人接受新式教育，新的一代在社會各層面登場。

祈望台灣海峽永久的和平

在此再回到國共合作的問題。若從台灣的立場來看，首先是雙方有經濟上的鴻溝，以及已分離37年〔譯註：作者應指1945年至1982年，即戰爭結束至此文刊出之時間〕的心理上的鴻溝，這些都不是容易撫平有這樣的看法。此外，雖然葉劍英的呼籲中提及對等，但是在經濟上立於優越地位的台灣，如果和貧困的大陸在一起，是無法談對等的；而且，地小的台灣如果和廣博的大陸合起來，會像是被吸收一樣，將對台灣不利，也有這樣的看法。

能打消這些否定的看法的，主要是前面提及的中國人的向心力、歸屬感、政治家的使命感等。而現實的問題中，非注意不可的則是舞台後方的動向。

例如張學良。此人自蔣介石以來，一直被看成是所謂的大惡的人物。從國民黨政權看來，如果沒有張學良挑起西安事件，共產黨不會壯大，國民黨也不會變成今天這個狀況，所以都是因為張學良的緣故。

張學良被解除軟禁狀態，是在1979年中秋，他並獲邀參加蔣經國的中秋賞月晚宴，《中央日報》第一版有報導。同年他訪問金門，然後發表〈告台灣同胞書〉，同時中國方面也停止砲轟金門。去年，張學良被胡耀邦指名要招待他到大陸訪問。

另一個例子是陳納德夫人（陳香梅）。此人於1981年帶著美國總統雷根的使命，赴北京面見鄧小平，歸程途經東京，又到台北會見蔣經國，與蔣共餐。過去這種事從未公開出現過，也是由報紙報導出來的。

從這些舞台後面的動向看來，中國共產黨與國民黨似乎像是正在交換暗號，有這樣的看法出現。

我認為，北京政府在創造氣氛上是成功的，而對此，台灣政府也好像不願淪為守勢，回說要以三民主義來進行統一。

在這裡我要試著展望未來。有一些變化可能會引發困難的情況，這似乎是在台灣方面，我等對此感到擔心。

首先是蔣經國的健康狀態並不好，也就是若他有個萬一時，找不到像他一樣的後繼者。再來，就是台灣內部政治的民主化，以及本省人和外省人之間的地域或階級的對立要如何緩和等問題。

雖然北京政府現在呼籲要和平解決，但是若到一個階段，因為台灣的內部情勢，而要行使武力。即使不希望這麼想，但也不是不可能發生，這是我們所憂心的事。無論如何，都希望台灣海峽維持和平，總是希望能以和平的手段解決海峽兩岸的對立，這是我們的願望所在。

本文原刊於《いまばしくらぶ》第354號，大阪：社団法人今橋クラブ，1982年5月，頁20～26。係於大阪今橋俱樂部之演講文，1982年4月19日

對中國人而言之中原與邊境

——與自身之歷史（台灣、客家、華僑）相連起來

◎ 蔣智揚譯

一、黃帝之子孫

近年，台灣以高度經濟成長之餘裕為背景，並因艾力克斯・哈雷所著《根》引起之世界性轟動的餘波與對其之共鳴，更受台灣國民政府當局「中華文化復興運動」帶來的復古熱潮之助，族譜之編纂與發行乃大行其道。

在我家，也由台灣的大哥寄來一冊《譙國戴氏鎮平開基始祖諱玉麟公派下族譜》（中華民國64年，歲次乙卯五月初版）。

我的回憶要溯及第二次大戰中的殖民地台灣，1944年的早春，還是小學生的我，正在準備中學入學考試。大哥結束了東京留學，穿梭過巡弋的美國潛水艇之間隙平安歸來。但沒過多久，赴南洋的徵調令就下來了。要去的地方是荷屬印度群島的西里伯（Celebes，現印尼之蘇拉威西Sulawesi）。二哥為法科二年級生，但縮短課程畢業，卻遇上第一次學徒出征，已經歷甲種幹部候補生，正要成為見習士官而就任少尉。就任地在四國高松的曉部隊，屬於俗稱的海賊部隊。僅有的一位叔父是開業醫生，心想

婉拒捐獻國防獻金得逞，卻被指為合作不力，雖是同業中之年長者（當年45歲），仍逃不掉被徵用為軍醫的命運（叔父於翌年一月戰死在高雄港）。

從現在台灣的桃園國際機場距離不到20公里的內陸處，凹字型的舊戴家座落於桃園台地之麓而被竹叢包圍。戴家正準備迎接舊曆新年，在戰時氣氛不太爽朗，有如蒙著忽隱忽現的陰影。

父親依照慣例，為了在舊曆新年早晨舉行「開正」（亦稱「開春」）的儀式，叫我們全家起來，集合在正廳。「開正」就是開年的意思，一般都按當年的干支來定儀式的開始時刻。

前晚的除夕夜，享用了「圍爐」的年夜飯，懷著壓歲錢的小蘿蔔頭們，當然不容易入眠。

太平洋戰爭前，皇民化運動（透過實質【精神面，即皇道精神】與形式【外在，即日本式姓名、風俗、習慣】之雙方面，將台灣人變為日本人＝皇民化之官方運動）尚未像這樣強烈推行的數年前，向來都以爆竹齊鳴來開始「開正」的儀式。但因爆竹被禁止了，我的睡意更加無法立即散去。

由於皇民化運動，我們傳統宗教相關的寺廟諸神，逐漸被迫「升天」。美其名為「升天」，其實是廢止。父親卻不理這一套，躲著警察監視的耳目，以不太張揚的程度試著進行一年的傳統節日活動。

「開正」包括「拜天公」與「祭祖」兩部分。所謂「拜天公」是遙拜「天公」，基於漢族敬天思想的「拜天公」成為開年的最先儀式，其意義甚為重大。一般而言，漢族傳統上所懷「天」的觀念，其前提在於「天是宇宙的主宰者」。觀念上既然認為「天」是宇宙的主宰者，因此「天」又是天地萬物之根本＝本源，成為天、地、人亦即宇宙萬物的絕對者。但是「天」不具有人的型態，並不直接自己表明其意思，也不會進而採取行動。因而必須有一「存在」替「天」實施政治。人們對此的觀念是「天」命聖人來管政治。此聖人大家認為就是天子，這是傳統的想法。

位於凹字型正中央的是正廳，我家的正廳故意設計成面向西方。站在其正門眺望西方時，視野極其廣闊，只要我家的力量所及，任何妨礙西望的建築物、樹木、竹林等，從一開始即不允許存在。在西方那邊，太陽下沉的方位，有中國大陸，那裡有鄉土，並有祖國，父親與祖先向來似乎都這樣認為。

「拜天公」時，在正廳的門口放置紫檀的「神桌」，桌上擺滿了供物。我們人手一束香火，以三跪九拜之禮，恭向西天方向叩首。「天公」拜完之後，接著進行「祭祖」的儀式。

「拜天公」的祭壇是臨時準備的，但祭祀祖先的「神桌」一般而言是固定不動。祖先的牌位向西安置，其格局為經常眺望西方。此格局之目的應該不需再明說了。在冥界的祖先以及活在現世的我們子孫，都可藉此經常共同西望。

「拜天公」結束後，接著轉向牌位叩首。

我們家是在當時中壢郡的管轄下，一直到太平洋戰爭剛爆發後不久，行政首長都是郡守宮崎直勝。宮崎是上升意願強烈而年輕氣盛的殖民地官僚。他以同郡出身的台灣人黃英貴（駒澤大學出身之買辦，郡公所青年職員）為助手，做為皇民化運動之徹底實施的一環，假借「寺廟諸神之升天」的美名，強制推行傳統寺廟的廢止運動。

傳統寺廟的廢止，配合神社營造、神統宣揚做為配套來促成。其結果各家庭被強迫擺上神社的「大麻」（即「神符」）。警察說要打破迷信，以行政指導，要求將裝有大麻的神龕放在正廳「神桌」的正座，亦即端正供奉於祖先牌位以往所占傳統的位置。有時甚至啟動公權力來強制執行。

父親巧妙地應付了大麻。白天警戒著警察的巡視，姑且將大麻擺在神桌上，但一到傍晚，即將大麻整個收入抽屜角落，並裝作若無其事的樣子。

「開正」的儀式結束，吃了簡單的早餐後，父親將我叫去。在他桌上擺有以紅紙所寫「爆竹一聲除舊歲　桃符萬戶換新春」的「春聯」（相當於日本之松飾〔譯註：日本新年時裝飾在門口的松樹枝〕，中國人到了新年，將吉祥的對聯書寫在紅紙上，將其貼於門柱、門楣來慶祝）以及從不外傳而手寫的一本《戴氏族譜》。

父親一字一字指著「春聯」，以客家話（漢族之一分支客家人的母語，可數為中國話五大方言之一）將其慢慢讀出。吸了一口氣後接著說明對句的含義。然後吟誦起對句所本王安石（北宋之名相）題為「元旦」的名詩，「爆竹一聲舊歲除，春風送暖入屠蘇。千門萬戶曈曈日，總把新桃換舊符」，出自丹田的客語吟詠，別有登堂之氣勢。

與日本人教師以「蠻聲」〔譯註：粗魯的聲音〕所做劍舞與吟詩比較，父親的吟誦帶有圓潤感，令我覺得有某種感傷的詩情。

暫時閉著眼睛的父親，沉寂地發出話語，說著：「今年也知道不能貼出去，但至少還是寫了看看。能夠堂堂正正地貼出去的日子，不久就會來到吧！」之類的話，現在想一想，那不外乎是預見日本會戰敗的說法。

「你也快要考中學了。運氣好考上的話，就要進入宿舍或在外租屋。在這之前有一些話想告訴你。」

「爸爸，變更姓名的事怎樣了？」我插了嘴。

此時我所謂變更姓名，可說是在殖民地時代朝鮮所強制實施的創氏改名之台灣版。在中日戰爭最激烈，太平洋戰爭剛要爆發前的1940年，正逢所謂紀元2600年，該年的紀元節（2月11日，現為日本建國紀念日）慶典，在台灣也配合步調來盛大舉行。其最大之目的就是要進一步加強戰時的總動員體制。

「改姓名」風波

當時的總務長官〔譯註：總督之下實際執行政務之當權者，1919年8月以前此職稱行政長官〕森岡二朗，藉口慶祝紀元2600年的紀元節，發表談話稱：「茲對本島人（包含高山族【原住民】系與漢族系二者台灣人之用詞）欲將姓名改為與內地人（日本人）相同者，決定開放姓名變更之途。」

姓名變更之促進，當然是皇民化運動的另一重點。森岡總務長官強調：

允許變更爲內地人式姓名，此方針之第一理由乃是要順應本島

（台灣）統治之方針。亦即本島就土地而言屬帝國之完整領土，同樣地本島人做爲日本臣民，在實質、形式上都必須與內地人毫無不同之處。此乃配合本島統治方針者。……爲了使本島人與內地人毫無異處，在實質上必須體會皇道精神而對事物之想法須與內地人相同。又形式上自語言乃至姓名、風俗、習慣等之外形，亦與內地人無差異者，是爲理想也。[1]

正如森岡之巧言，其目標是要培育皇民，在台灣人內部確保「人力資源」以協助戰爭。

表面上裝模作樣地施行許可制，在實施面則慢慢將台灣人之指導階層、有名望者、村里之有力人士，加以各個擊破，並採將之捲入之辦法。我家當然也成為勸誘與威脅的對象。

父親以自己不會說日語（事實上他日語能讀能聽，卻終生連一句都不願說。戰後談起來，被問起為什麼不說日語，他說「漢賊不兩立」——只因是賊的語言所以不說。日本人戰敗，已離開台灣了，今後說日語也沒關係），沒有資格取日本人的姓名為由，「巧妙」地向日本當局拒絕了辦理改姓名手續的勸誘。

說是「巧妙」，也不無道理。因為「許可」的條件之一有「須為國語（日語）常用之家庭」，便反過來將其做為拒絕的理由。

但對方也不是好惹的，「雖閣下一人甚或尊夫人無法辦理，

1 宮山豐源、廣田藤雄，《內地式改姓名の仕方》，台北：鴻儒堂書店，1941年，頁2～3。

戴國煇攝於中壢老家祠堂「譙國堂」前，1985年（林彩美提供）

但令郎等豈非皆進入上級學校，甚且留學東京耶？而最幼之國煇即將報考中學，改姓名較為有利矣」云云而糾纏不已。但是父親還是不肯點頭。

不料情況急速發生了變化。馬上就要升任少尉的二哥，如果稱為「戴少尉」的話有失帝國軍人之顏面，被部隊長命令要趕快變更姓名，以信函與電報雙重催促，急如火箭。滯留西里伯的大哥也以同樣理由被上司催促要改姓名。上司所提示理由，聽說並非因帝國軍人，而是有失帝國臣民、一等國民之顏面云云。後來打聽結果，才知道是由於對華僑之政策，而要求像大哥一樣被徵用的台灣人改姓名。

至於對我報考中學有利之說，公學校（台灣人子弟所就讀的小學，後改稱乙號表國民學校）的擔任老師也提到。不過僅以此說並未使父親動搖。但是頑固透頂的戴家之主，到後來也不得不決定對帝國陸軍與日本政府妥協了。垂憐處於生死關頭的兄長們，此舉是避免使他們的立場更為困難而不得不採取。

父親由當時中學二年級的三哥陪同去了公所，知道是為了辦理變更姓名的手續，窗口的日本辦事員當然非常高興。

在文件上所改的姓是「譙國」，辦事員當然讀不出來，但是父親要三哥讀作「terukuni」，辦事員追問三哥此「terukuni」是哪裡來的，三哥告訴他是我家在黃河流域出身地的地名。事實上我們家族的墓碑銘與「祖靈牌位」上，必定刻有「譙國」二字，而前頭所介紹我家族譜的封面也冠有此二字。

辦事員說「譙國」不行，叫他們回家好好想一想，父親只好將戴拆成「土田」，做為第二案提出。窗口又說留有「痕跡」，反而提示了他「吉田」二字。父親透過三哥再做抵抗，說「吉田」可以但希望改為「吉田」〔譯註：此「吉」從「土口」而非「士口」〕，這也因留有「痕跡」為由而被拒絕，最後被迫採用「吉田」。

以上是對我所提問題，父親所述關於變更姓名的經過。

父親繼續說：「你接受日本教育，這是不得已的。但是我們漢族皆為黃帝之子孫。我們戴家墓碑銘與祖靈牌位上的『譙國』在河南省域，吾家店號『晉和』的晉，正是山西省一帶地方。我們不但切勿忘記客家出自黃河流域即中原，而且須以身為黃帝之子孫，出自中原為榮。」父親的聲音更加提高了。

當年我正在讀公學校六年級，曾接受《朝日新聞》健康優良兒童的表揚。由於此關係，許多信函不斷寄來，要吸收我進入少年飛行兵、少年戰車兵等軍事學校。父親眼看自己的么子要被培養「變身」為「殖民地皇國少年」，可能覺得危險而正經其事，此時臉上充滿了威嚴。

父親開始說明春聯的由來。他教導道：「鬼會為人們帶來災害，而神會帶來幸福。自古以來在門戶上裝飾桃板、桃符，以趕走惡鬼迎接福神，已經成為習慣。其由來可在《山海經》找到，而開始這樣做的就是黃帝。此桃板、桃符後人以紙代替，才成為現今的春聯。」對幼時的我來說，《山海經》到底是什麼書籍，當然不會了解。

如今加以查證，關於春聯的故事有如下說明：

> 山海經曰：「東海度索（朔）山有大桃樹，蟠曲三千里，其枝向東北（稱之爲鬼門，乃萬鬼出入之處也），其下有二神，謂神荼、鬱壘。百鬼害人執以使虎食之。黃帝將其爲法，以桃板（枝）象之掛户上，畫二神於門扉以爲禦兇鬼者。」今之門聯（春聯、桃符）出此。[2]

「拜天公」、「祭祖」、「黃帝之子孫」三者完美地排在一條線上。對父親來說，本身為漢族的一員，黃帝的末裔，這是既定的大前提。不只是父親，甚至就讀於後藤新平（台灣總督府民政長官）所創台灣總督府醫學校（日後的台灣總督府台北醫學專

2 片岡巖，《台湾風俗誌》，台北：台灣日日新報社，1924年，頁48～49。（引文中括弧部分為筆者參考《論衡業釈》〔《論衡校釋》〕卷22補正。另，原文並無「山海經」一詞。）

門學校）而成為執業醫生的叔父，對於上述的大前提毫無質疑地接受，使我甚感驚奇。可以說，日本、殖民地統治體制所帶來的「時間」與「空間」幾乎不「存在」，或者不起作用。

附帶一提：據傳「譙國」也者，乃戴氏在春秋時代的宋國，即周天子封建制度下，被封於譙郡（河南省商丘縣）所得之地。再者地名的「晉」正如上述，通常是指現在的山西省一帶。

在地圖上，「譙國」與「晉」之間，頗有差異以及距離上之間隔。對此不一致，我們的世代雖不至於認為故事單純而視為無聊，但多少會有所懸念。但另有部分自稱「近代人」而毫無顧忌的人，還是認為無法容忍。因為他們認為此等不一致，是非現實的、非合理的、非科學的思維。

可是父輩們對於祖先傳承的話，是否曾經懷疑過而想要思考其非現實性、非合理性等，他們到底曾否感覺到有此需要？由一直與他們共同生活過來的我來看，能夠斷定從未曾有過。

要之，使我們繫於祖先之地的是黃河，而黃河就是漢族之母的偉大之河。我們的祖先勞動於其豐沃的河谷（黃河氾濫的水患威脅，經常被忽視或輕視），建立了絢爛的中華文化。尤其黃河中下游南北地區，也就是河南省與山西、山東兩省的大部分以及河北、陝西兩省的部分地區，被視為中華文化發祥地的中原，受到肯定與傳承。

說到中原的地名概念，父輩們認為可上溯到春秋時代。父親喜歡將那著名的「中原逐鹿」故事當作話題。

父親說：「中原就是漢族的發祥地，我們戴氏始祖之地『譙國』亦位於中原。往古春秋時代，在中原的周朝王畿（天子的直轄領土）與封建諸侯的領土，均在此範圍內。因為我們戴氏也蒙周朝天子賜封於『譙州』，所以後來稱之為『譙國』。」

所謂「鹿」者，是指周之王權，也指帝權。因之當時的中原，對漢族來說就是天下。我們戴氏的祖先也是在中原逐過「鹿」的世代名門。

強調「世代名門」這句話時，父親即挺胸而擺出傲然的姿勢。接著而來的就是叱吒激勵的這一句：「你們必須以自己的出身為榮，日常須自養浩然之氣而努力以赴。」此種激勵是從前針對東京留學中返鄉的兄長們所說的。如今這席訓話，終於輪到就要升中學的我來恭聽了。

現在的我推想著，也許父親認為只要自己領會到身為黃帝之子孫，出自中原這件事就夠了，地圖上的差異並無關重要。「不僅自你們父親世代而已，自祖父的世代、曾祖父的世代，甚至可無窮回溯的遙遠世代，也就是說自黃帝存在的太古以來，就一直這樣傳承、教誨著」，父親好像要將這種意思，不僅用語言，還透過「開正」儀式，以身作則垂教於我們後輩。戴家的當家，由於具有漢學素養，不會忘記中國諺語所謂「言教不如身教」。

然而，對於父親以漢籍教養為基礎，使用客家話的訓詞，我未能獲得充分的理解。由於當時我尚年幼，另一方面受日本人教師皇民化教育與洗腦的結果，不知不覺將父親的訓話單純地視為「迷信」，而開始懷有反感的心理，以及更深的抵抗感，在此我不得不如此告白。

再者，在殖民地台灣的日語教育，強迫我們年輕世代學習異民族語言的日本話之際，在日常生活會話裡，我們兄弟以客家話的語彙還足以應付，但是如遇關於歷史等複雜的話題，在我們同世代持有的母語語彙貧弱導致對應的困難，這是理所當然的事。

但父親絕不死心。日本的「近代」正在掠奪自己的孩子，為了將其奪回而歸向自己與祖先的懷裡，他仍奮力不已。

在父子的對話裡，父親嘗試了綜合的方式，即伴隨發聲的語言，加上以身體表現出來的所謂「生理的語言」。

如今可理解，燒香叩拜以及日常生活的傳承，其共通的認識與了解，徐徐地醞釀而形成的氣氛，補償了語言交流之不足。

當時傲慢氣盛的我，回問：「爸，黃帝並不是實在的人物。不實在的人物為什麼成為漢族的，也是我們戴家的始祖呢？」

「也許正如你說，黃帝並不是實在的人物。可是我們的祖先都相信黃帝的存在，而如此傳承。照著相信是子孫的義務。對祖先的孝行是從此開始的。」父親的語調竟成命令的口氣。

我拿出兄長從東京帶來給我的禮物《朝鮮・台灣・中國神話與傳說》〔《朝鮮・台湾・支那神話と伝說》〕（松村武雄編），藉著書本、鉛字的權威對抗父親，試圖申辯黃帝的故事不過是神話或傳說而已。

該書以「黃帝之升天」為標題介紹說：

古時黃帝與蚩尤曾在涿鹿的原野激烈相鬥。蚩尤是心存邪惡的怪物，他會呼風喚雨、吹煙吐霧，一心要折磨黃帝所率軍勢。黃帝的士兵們被困於濃霧中，伸手不見五指，叫苦連天。

黃帝一看大事不妙，便道：「這樣不行，根本無法征服蚩尤。」於是率軍回去太山山麓。「蚩尤這個傢伙精通各種法術，我制服不了他。要如何才能打贏他呢？」正在歎息憂慮時，被女神王母看見，即派遣九天玄女到黃帝陣營，授予各種法術，並激勵道：「不要害怕，若使用我授給你的法術，一定能夠消滅蚩尤。」

黃帝喜出望外，於是又奮勇與蚩尤交戰。蚩尤請出風神之風伯與雨神之雨師，興起了驚人的風雨。但是黃帝因從王母獲授各種法術，所以驅使其術呼叫旱神之魃，下降地界以對付蚩尤。

旱神一來，剛才還在大作的狂風暴雨都霎時停住，陽光開始普照大地。

黃帝乘機大聲喊道：「滅掉蚩尤此正其時，前進吧，前進！」以此鼓勵了士兵。士兵們勇氣百倍對敵猛攻，致使蚩尤大吃敗戰，終於被殺。蚩尤有81個兄弟，都是形象似獸而會說人話的怪物，但是全部被征服了。黃帝令人畫出蚩尤之姿態，每逢天下有亂時，拿出畫像來應戰。敵方士兵一看到該畫就說：「那個可怕的蚩尤還沒死，如不留神後果將不堪設想。」於是戰戰兢兢即時投降黃帝。

黃帝又持有能擊出驚人響聲的大鼓。在東海中有座山叫做流波山，住著一隻怪獸，形象似牛，全身呈深藍色，但沒長角。眼睛像日月閃閃發光，吼聲轟隆如雷，若其一隻腳泡在水裡，就會忽然起大風、下豪雨。黃帝擒獲怪獸並剝其皮，造成一面大鼓。若使用該雷獸的骨頭來打鼓，就響徹四方五百里。

黃帝運用蚩尤的畫像與大鼓，終使天下的強者無一不服。如此黃帝曾長期君臨天下。後來黃帝年紀老了，有一天吩咐家臣，從名為首山的山採掘銅來，而在荊山山下鑄造了鼎。黃帝細看該鼎，說著：「鑄得好極了！」在稱讚之中，忽然一條龍從天降下，垂著長長的龍鬚而靠近黃帝身邊了。黃帝一看就說：「也許天帝要召喚我了。」便跨上龍背。

位居高官的家臣們說著：「那麼，也讓臣等奉陪吧。」繼續騎上龍背者有七十餘人。

眼看此景，官位較低的家臣們也爭先恐後想要騎上龍背，可是由於七十餘人已經騎上，再大的龍也已無座位了。手忙腳亂之間，龍開始要飛上天空，張惶失措之下只好抱住長垂的龍鬚。因為人太多，龍鬚終於脫離龍口。於是這些家臣們在一瞬間，都滾落了地面。慌亂之中，黃帝所帶的弓也落地了。

載著黃帝等人的龍，逐漸高升天空而去。被留下的人抱住黃帝的弓與龍鬚，嚎啕大哭，傷心不已！[3]

對於「黃帝戰勝蚩尤」的神話，身為戴家之主當然是知曉的。因為關於半神半人的超能力者黃帝，祖母常在夏天傍晚，邊尋找著天上的星辰，邊將其正義之戰的故事，講給孫子們聽。

父親仍這樣回答：「你所拿的那本書，是日本的學者將中國書籍裡的故事，重新組合而改編的神話。可是在司馬遷的《史記・五帝本紀》裡關於黃帝的記述並不是神話。該書是有權威的史書，所以應該認為不是神之話，而是人類之話的紀錄才對。因此我確信黃帝是實在的人物。」

高中在學時，我開始閱讀的《史記》裡頭，關於黃帝的一段是在〈五帝本紀第一〉：

黃帝者，少典之子，姓公孫，名曰軒轅。生而神靈，弱而能

3 松村武雄編，《朝鮮・台湾・支那神話と伝說》，1938年。

言，幼而徇齊，長而敦敏，成而聰明。

軒轅之時，神農氏世衰。諸侯相侵伐，暴虐百姓，而神農氏弗能征。於是軒轅乃習用干戈，以征不享，諸侯咸來賓從。而蚩尤最爲暴，莫能伐。炎帝欲侵陵諸侯，諸侯咸歸軒轅。軒轅乃修德振兵，治五氣，蓺五種，撫萬民，度四方，教熊羆貔貅貙虎，以與炎帝戰於阪泉之野。三戰，然後得其志。蚩尤作亂，不用帝命。於是黃帝乃徵師諸侯，與蚩尤戰於涿鹿之野，遂禽殺蚩尤。而諸侯咸尊軒轅爲天子，代神農氏，是爲黃帝。天下有不順者，黃帝從而征之，平者去之，披山通道，未嘗寧居。

東至於海，登丸山，及岱宗；西至於空桐，登雞頭；南至於江，登熊、湘；北逐葷粥，合符釜山，而邑于涿鹿之阿。遷徙往來無常處，以師兵爲營衛。官名皆以雲命，爲雲師。置左右大監，監于萬國。萬國和，而鬼神山川封禪與爲多焉。獲寶鼎，迎日推筴。舉風后、力牧、常先、大鴻以治民。順天地之紀，幽明之占，死生之說，存亡之難。時播百穀草木，淳化鳥獸蟲蛾，旁羅日月星辰水波土石金玉，勞勤心力耳目，節用水火材物。有土德之瑞，故號黃帝。[4]

我想，可能父親想要表明神話與傳說的差別。只可惜當年的父親無法使用自己的邏輯與言詞，來表現神話與傳說的區分。神話中的黃帝，與《史記》中的亦即傳說中的黃帝，其間之差異只要將上述文章加以比較就明白了。

4 野口定男等譯，《史記》（《中国古典文學大系》10），平凡社，1968年，頁8。此引《史記》原文。

以我自己所見，可將神話中的黃帝，視為當初漢人的一種社會心理反映，對付大自然的嚴酷戰鬥，將其實況與勝利寄託於神通之力，這樣推想應不致有誤。

《史記》所述黃帝已非半神半人，其存在充滿了人性，解決矛盾也不再靠神通廣大，其所依賴的是可以想像的「人」的力量。顯然前述的神話成了其墊底。

其實，司馬遷本身對黃帝的實際存在也懷有疑問。在〈五帝本紀第一〉的末記有：

> 太史公曰：學者多稱五帝，尚矣。然尚書獨載堯以來；而百家言黃帝，其文不雅馴，荐紳先生難言之。孔子所傳宰予問五帝德及帝系姓，儒者或不傳。余嘗西至空桐，北過涿鹿，東漸於海，南浮江淮矣，至長老皆各往往稱黃帝、堯、舜之處，風教固殊焉，總之不离古文者近是。
>
> 予觀春秋、國語，其發明五帝德、帝系姓章矣，顧弟弗深考，其所表見皆不虛。書缺有閑矣，其軼乃時時見於他說。非好學深思，心知其意，固難爲淺見寡聞道也。余并論次，擇其言尤雅者，故著爲本紀書首。[5]

《史記》裡面關於黃帝的一段，與爾後中國人對黃帝的信仰，不難想像其有所關聯。而中國話常用的成語「炎黃裔冑」或者「炎黃子孫」，均超越時間與空間而沿用至今日。所謂「炎」

5 同註4，頁16。此引《史記》原文。

當然是指記載於《史記》的〈五帝本紀第一〉，比黃帝還早的炎帝（神農氏）。後世中國人因《史記》有記載，只以黃帝當作始祖也許有所不安。可能因此冠上早於黃帝的炎帝而造出「炎黃」這句成語。

根深柢固的漢人意識

這姑且不論，在日常生活上，父輩們與一般中國人一樣，認為沒有必要將神話與傳說，神話・傳說與歷史，加以明確區分來議論。對他們來說，比什麼都重要的就是，在日常生活底下一直流著這種「歷史意識」，認為這是相當普遍存在的事實。

成人後接觸到孫文，讀了《三民主義》。來日本留學之後，濫讀了中國革命史的各種文獻，然後與章炳麟（1869～1936）相逢。透過章，必然會摸索到王船山（夫之，1619～1992）。

一直到辛亥革命前所舉的標語是「反滿倒清」，革命成功後就變成「五族共和」。我想要在思想史上追尋其經過，這才算是開始。因為革命暫且成功，清朝已經潰亡，所以不必再談「倒清」，這點可以領會。

然而，「反滿」的標語為何格外簡單地消失了呢？漢族對滿洲族所懷「怨念」是那樣淺薄的東西嗎？還有是否因為滿洲族幾乎被漢族同化，融於「中華」熔爐所致等等。但是所謂「五族共和」之中，滿族名字依然健在，我一直思考著這個奇妙而有趣的問題。

其後遇見《王船山遺著》中的一卷，乃大吃一驚。

在《黃書》的後序，船山寫道：「述古繼天而成王者，本軒轅（黃帝）之治，建黃中（中央之德），拒閒氣（不正的雜氣）殊類（異族）之災，扶長中夏（中國），以盡其材該治道」[6]。

又在同書原極第一，也強調：「可禪可繼可革，而不可使夷類間之。」（如在漢族同胞之間，禪讓、繼承、革命均可行，但要斷然排除夷狄混雜其間而君臨中國）。總之《黃書》對於黃帝創立了漢族中心的國家，並昭示政治模範，暗中加以肯定，並對黃帝治政之根本充滿了道德，加以景仰謳歌。

不復神話、傳說人物之爭論，王船山在黃帝身上發現了政治和道德之合一，並將基於華夷思想之排外保種（漢）主張，藉黃帝建立其支柱。攘夷的當前對象，當然不外是「滿清」。因此王船山「排滿反清」的主張，一貫地充滿了《黃書》。

正如桑原隲藏博士老早所指出，船山《黃書》影響了清末漢人學者，使他們醞釀倒清興漢的革命（辛亥革命的具體過程）思想，對革命貢獻很大[7]。

以黃帝為支柱之反清議論，被黃藻集大成而編纂了《黃帝魂》（1903年，光緒29年初版），採用黃帝紀元，以黃帝中心主義為主調之革命軍的布告、宣言、檄文之類，被編輯於《革命文牘類編》、《革命軍文牘》等。

在「我祖軒轅」、「我祖黃帝」等前置詞之下，頻繁出現的主張就是我們黃族（漢族）必須以共同祖先黃帝為中心，進行大

6 高田淳編譯，《王船山詩文集》（東洋文庫），平凡社，1981年。

7 桑原隲蔵，〈支那の革命〉，同〈歴史上より観たる南北支那〉（《桑原隲蔵全集》第1卷，第2卷），岩波書店，1968年。

團結，參加倒清興漢之壯舉。

由上述可知，黃帝由神話、傳說的人物，一躍而成為革命、團結、統一的象徵。

辛亥革命後，漢族的反滿、排滿情緒，就文獻所讀，似乎已急速地稀薄化了。

以《駱駝祥子》、《四世同堂》三部曲等作品聞名之老舍，出身旗人，本名為舒慶春。未曾聽說有中國人讀者視他為滿族出身之作家，而以有色眼鏡讀他的著作。又數年前，以一貫偏重地域主義、門閥、派閥等派系而著名之國府台灣，出現了旗人出身的烏姓空軍總司令。這些事例足以佐證上述情形。

一般來說，傳統的中國知識分子，好像將華夷之別，認為不過是「文野」（文明與野蠻）之別而已。當然，這是在承平時期，抑或漢族的文化、漢文明受尊重、被接受的狀況下才可能或被容許之大概的判斷力。

即使人種、民族不同，只要具備了中國的禮（禮教、禮法條規和道德基準）、文（文治、教化、加上漢字，包括中國式飲食生活之風俗習慣），這樣的夷狄已非夷狄，而是中華。換言之，一切被收容於文化的中國之概念＝中華，人們逐漸自認或被認為是大中華的一員而接受自己。

如回顧中國歷史，可看出其發展過程，各民族最初的舞台是在黃河，之後到長江，進而擴展至珠江，以這些為中心進行抗爭、融合、統合。

漢族起先所定位為邊境之民的人們也好，以時常感受其威脅之匈奴為首的稱為夷狄之少數民族也好，他們在「逐鹿於中原」

之過程中，不知不覺陷入「漢文化」的熔爐，經由通婚、雜居，孕育了漢族今日之大。終於導致匈奴也自稱為夏后氏之後，即黃帝之末裔，拓跋魏亦自稱為黃帝之裔冑。結果，黃帝以漢族始祖身分，不僅象徵漢族團結，並突顯或被突顯為中國全土人種、民族大團結之象徵。

我父輩和祖父輩世代之台灣人，在中國邊境的孤島台灣，是否曾受到《黃書》、《黃帝魂》等書之影響，如今已不大明白。我想應是未受到直接影響的可能性較大。

很有趣的是，隨著日本戰敗而從殖民地統治解放之台灣，其指導階層最先舉行的政治儀式，仍是遙拜黃帝陵（在陝西省黃陵縣城北之橋山）。可能是領導者們做為黃帝之子孫，報告回歸祖國之事，進行回歸中國的典禮〔譯註：二二八事件後以林獻堂為首組南京致敬團並赴陝西邊祭黃陵〕。

而母輩婦女們將深藏於衣櫃中「長衫」（皇民化運動時遭禁止穿著）等中國式衣類取出，盛裝後手持青天白日旗，前去歡迎接收進駐之國府軍隊。

母輩們並不知道，她們用於盛裝之「長衫」，其根源便是以前排滿反清運動對象滿洲族之「旗袍」。不，即使知道，也不會介意。

祖父穿上「長袍」，讓從對岸大陸渡台的畫家描繪自己肖像畫，台灣裔漢詩詩人留辮髮並常穿「長袍」，以示抗日，這種行為可視為矛盾，但亦可視為表示中國人根本思考的一個例子，即「靜」與「動」、「陰」與「陽」相互包容，以及靜動、陰陽二元之轉變將無限持續。由於二元轉變的無限反覆，「漢族」成其

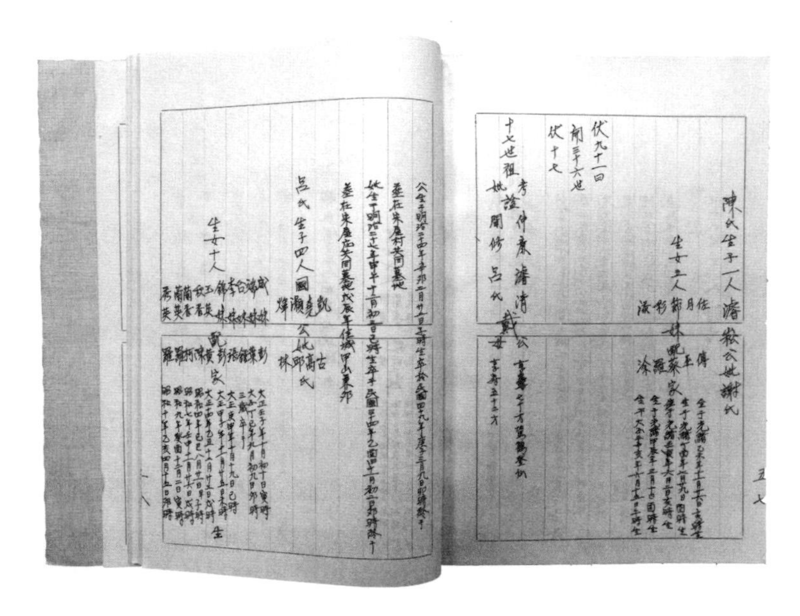

戴國煇家族族譜（原件典藏於中央研究院人文社會科學聯合圖書館）

大，「中華」更為豐盛。

國府台灣至今仍手捧愛用的舊版《辭海》（1936年初版），其黃帝項依照《史記》，全無有關神話或傳說之特別記述。在炎黃項下，仍特記「今我國人常自稱為炎黃裔冑」。

或許由此文脈可循，這是向台灣獨立運動者之呼籲，也是基於國府立場之中國統一，對中華民族團結之呼籲，「我們是炎黃子孫」、「台灣同胞亦是炎黃子孫」云云，乃成固定前置詞。

另一方面，中國大陸正進行《辭海》的修訂重編，文革結束後之最新版（1979版）最近輸入日本。該書之黃帝項在開頭提示「傳說中中原各族的共同祖先」，繼而引用傳說、神話之故事文獻。炎黃之項有「傳說中的中國上古帝王炎帝和黃帝」，但無舊版中「炎黃子孫」之項。

中國共產黨本來的前提，就是以唯物史觀作為武裝，所以上述修訂實屬當然而可肯定。但有趣的是，近來中國大陸向台灣或海外華僑呼籲時，與國府台灣同樣使用「愛國的炎黃子孫」云云。

或許與唯物史觀無關，中國大陸當局者試圖對「中國人」的一般心情、潛在意識加以關懷與活用，亦未可知。

重新瀏覽新寄來的《戴氏族譜》，竟有「中華民族軒轅黃帝」之標題。接著有黃帝事蹟介紹，還大費周章地附加黃帝肖像畫，不無驚訝。

二、客家與中原

父執輩們時常說：「我們是來自中原的客家，必須帶著自尊心活下去。」

於是我就問起：「中原到底在何處？」父親即拿出地圖找出黃河，以河南省為中心，指著黃河中下游流域，回答說：「就是這一帶吧。」因此我從小就能得到「實感」。

但僅僅說是客家，小孩子難懂，一點也摸不著頭緒。因為除了村裡的日本人警官以及公學校的日本人教師，未曾見過客家以外的人。日本人是與我們不一樣的存在、不一樣的「人種」，這是從幼兒期就體驗的，從生理上來看，不管你要不要，早就被灌輸了。因為村裡的父母們為了安撫或是嚇唬哭不停的小孩，日常的慣用句就是「『警察大人』、『日本仔』來了」等語。

由於我家是當地地主，從幼年到少年這段期間，是以田園、池川、水牛與家禽為伴長大的，四周所住的人都講與我家族同樣的語言，就是客家語。

那是後來才曉得的事，原來村裡也住有數家閩南籍台灣人家族，客家人們稱他們為「福佬人」，他們也以自己的閩南語自稱是「福佬人」。閩南語就是廈門話，在台灣也稱為福佬話。是以廈門為中心的泉州、漳州一帶，也就是在福建南部通用的中國方言之一。因此在新加坡的「華僑」中，祖籍為閩南地方的人們，即與住在台灣的閩南籍台灣人同樣，家庭內的主要用語就是閩南語。

近年來的台灣，在漢族的台灣人中占多數的福佬台灣人逐漸將其共同的「母語」稱為台灣話。 雖然如此，客家台灣人將自己的語言稱為台灣話時，多數僅指自己的「母語」客家話而已。

住在村裡的福佬人家族，大多較為貧窮，充當客家地主的佃農來討生活。因為他們在村裡屬於少數，為了適應生活環境的需要，在村落內的交際場合盡量說客家話。但是以全台灣的規模來看，福佬人占有多數，而客家人屬於少數。在1926年（昭和元年）12月底舉辦的調查，顯示大約是5：1的比例[8]。

鄒家是福佬人之一的家族。那家男孩中有一人，與我是公學校的同學。他們鄒家與我家平日交談時，都使用客家話。但是有一天我到他家訪問時，看到他母親用我不知道的語言叱責他的場面，當時我感覺有點意外。這是我開始意識到有客家以外的台灣

8 台灣總官房調查課，《台灣在籍漢民族鄉貫別調查》，1928年。

人存在。

理所當然地，隨著對外接觸的機會漸增，到了公學校高年級時才知道，竟有不會聽也不會說客家話的福佬人，住在村落附近的小鎮中壢「街」。然後到了能幫媽媽買東西的年紀，才知道鎮上的商人中，有的會同時操流利的福佬話與客家話的人，讓我佩服不已。

後來有一天，上公學校「國語」日語課時，級任的日人教師福羽訓導，一邊歪著頭想著，一邊說：「呂君，你是福建族吧？你的發音不太好，這一點廣東族同學的國語發音比較正確，鄉音不太重。」聽了福羽老師此言，我將之掛記在心中，無法釋然。

於是打算放學後，請教父親關於福建族與廣東族的究竟。

父親回答說：「不過是稱呼不同而已，說客家話的客家人，日本人稱之為廣東人或是廣東族，而將福佬人稱之為福建人或是福建族。」

但是對於父親這樣的回答，我還是難以理解。因為對於我的新疑問：「為何日人老師不肯將客家人就稱作客家人，而將福佬人稱作福佬人呢？」父親未能充分給我解答。

不久有一天，三哥為了辦理手續，從庄（相當於日本的村）公所取得戶籍謄本。我無意中看到謄本上有「種族」一欄，我家戶主也就是祖父的該欄上，記載有「廣」字。我就問當時中學二年級的三哥，「廣」是否「廣東」之略稱？他說沒錯。

如今查知，祖父年輕時的戶籍規則（明治38年）所附的表格填寫須知第10條規定：「在種族欄須依據父之種族，分別填寫內地人、本島人（福建人、廣東人、其他漢人、熟蕃人、生蕃人）、支那人，但是父不詳時須依據母之種族。」（此處所謂支那人者，指保有中國國籍者）[9]。在我們戴家的戶籍謄本「種族欄」裡記載「廣」字的由來，不外就是依據上述戶籍規則填寫須知的結果。

不過日本人將客家人分類或呼稱為廣東族或是廣東人，這是錯誤的。廣東人與客家人兩者之間，具有語言風俗習慣等方面的根本差異。如今尚存在著許多持有相互差異的人們。

日本在台灣的殖民地當局亦即台灣總督府的相關人員，為了殖民地統治方便起見，將自廣東地區移居台灣的漢族居民起初當作粵族，後來當作廣東人、廣東族，繼續沿用於分類與呼稱。

依據史實來看，移居台灣的客家，其出發地並不只是廣東地區，自福建省汀州府移居台灣的也有。再者也有自廣東省潮州府移居台灣的居民而所操語言並不是客家話的人，而是說潮州話（類似閩南話）。不用說，他們並不是客家。順便一提，在東南亞的「華僑」社會，這些潮州人都稱為「福佬」。因之，客家即是粵族、廣東人、廣東族，這樣的看法不僅沒有充分理由，而且根本是完全錯誤。

再者日本人裡面，有些台灣相關人士與部分研究者，如今還在重演將客家誤解為廣東人的疏忽。又，熟知所謂「客家」的篤學之士裡面，有不少人固執地認為，由於「客家」曾被轉稱「客人」，因此所謂「客家」的由來，就是客家族群比起閩南台灣人

9 前台灣總督府編，《台灣法令輯覧》第13輯，帝国地方行政学会，1921年，頁48。

族群，其移居台灣時期較遲。而且將「客人」二字，糊里糊塗地解釋為「外地人」、「來作客的移居者」之意。這可能是因為這些學者不知道在中國大陸以及東南亞「華僑」社會裡，從相當早期就存在著「客家」這個自稱他稱皆有之用詞的事實。

1944年（昭和19年）4月，我幸運地考上了新竹州立新竹中學。為了上學每天從中壢坐火車，來回兩個小時到福佬與客家雜居的風城新竹市。

同班同學的三分之二是日本人（大多數是殖民地官僚的子弟），而其餘的三分之一弱是本島人（現在稱為台灣人）。本島人裡面有福佬籍、客家籍，以及很少的「高砂族」（現在稱為原住民），由這些人混合而組成一個班級。我們之間的共同語言，不用說就是日本話。可是族群之內，客家籍使用客家話，福佬籍使用福佬話，都暗中分別使用其「母語」。如今回憶起來，其中必有強烈的意識，要反抗殖民地統治與異民族日本人，並確認族人間的連帶感。

至於與日本人學生的對抗意識，由於本島人同學之間所存在連帶感的氣氛，有時會採取同一步調，當時也曾有以實力攻擊對方的事例。不過，本島人同學間的團結並不如磐石般堅固。

尤其漢族裔本島人之間，客家與福佬也時常分裂而互相輕視、對罵。兩者之間常有小孩般的罵詞，例如福佬以「客家猴」罵客家，客家即以「福佬屎」回敬福佬。由於語言不通，而且風俗習慣的差異很大，也是無可奈何之事。

另外也可認為，在台灣史上，宛如「西部片」電影裡所演出爭權奪利的怨恨或感情的對立，至今尚沉澱在台灣一般社會之底層而流動著。

在台灣這塊「處女地」（對於原住台灣的山地各族，這是甚為失禮而難堪的用詞。對他們來說，台灣絕不是處女地之類）的開拓期間，各族群間因爭權奪利所引起的衝突、械鬥，我認為其第一尖峰期是在清乾隆年間（1735～1795），第二尖峰期是在道光、咸豐、同治年間（1821～1875）。

其衝突的場面也不須詳加描述。為了爭原住民各族地盤，起初在福佬人的內部，即泉州人與漳州人之間，稍遲則為福佬人與客家人各自纏鬥，展開激烈抗爭的場景。當然最終而言，就是以漢族對原住民各族的角力為中心重疊紛爭的結構。

日本帝國主義進行的台灣占領與殖民地化，不外是對於上述台灣社會的重疊紛爭結構增加新的介入者。與漢族移居者不同的是，日本帝國主義體制是攜帶近代的重裝備與制度，進行規模更大的介入。

漢族從福建、廣東兩省向台灣移民、開拓的行為，如以全中國、全漢族的觀點來看，可將其視為住在華南的漢族向東南邊境，並渡過台灣海峽的一種擴展。

原本在常識上，隨著積極地參與邊境開拓，最終應可醞釀台灣型拓荒精神，並在開拓者集團相互間培養出更濃厚、廣泛的同胞意識。可是歷史上的「時間」並未站在漢族「台灣人」這邊。

第一次中日甲午戰爭的敗戰，以及緊接著發生的日本人占領台灣與殖民地化，由於其來襲太快，以至台灣漢人移民沒有充裕時間來培養「同胞」意識，即限定於漢族台灣人之「台灣人」意識，最終未能使其成熟。這就是歷史的真相。

由於有這樣的歷史背景，殖民地化後的台灣，在漢族與原住民的對立，甚至漢族內的融合與統合亦還未成熟情形之下，提供給日本統治者難得的「分割統治」之基礎。

只有福佬派內部的泉州人與漳州人之對立抗爭可說已漸趨淡化，但是客家與福佬的對立感情，仍在整個日本人統治期間繼續存在。

兩者之間的通婚，遲遲未見進展。另外在語言方面，當局以日語為共同語言而努力加以普及。然而，對於超越漢族台灣人之福佬語、客家語而居於兩者上位的共同語言，也就是標準語的北京語，台灣總督府不但不將其做為共同語言來推廣，而且不淮公開學習，進而將報紙內的「漢文欄」同樣加以禁止。

在這樣的「時代」氣氛與歷史的背景之下，客家族群在內部的團結較為堅固。由於一般社會的情形是如此，做為其縮影的中學學生生活，也多少呈同樣現象。

究其理由，大概可以整理如下。一般而言，當時大多數的客家人以生活面來說，與農業還保持濃厚而密切的關係。由於台灣客家自大陸移居台灣，較閩南人開拓者慢了一步，其在台灣地理分布是夾在平地的福佬人與山地的原住民兩者之間的山麓地帶，為了自衛互助起見而採「集村」方式，形成長條狀居住帶。

自明末的鄭成功時代乃至清末為止，居住台灣的整體漢族開拓者集團，以全中國的角度來看，可說是站在名叫台灣的新闢邊疆土地上。

茲限定於客家開拓者集團，思考其在台灣的地位，正如前述，福佬開拓者集團所占據的平原地帶與繼續後退的原住民所固守的高山地帶，正好在這兩者中間的山麓地帶，他們將此當作主要居住地帶而形成集村。如果將這個狀況置換為邊疆台灣的座標軸，可說客家族群正以雙重意義被迫站在「邊境」上，而本身也自願站在其地位。因之客家族群很少有機會直接與都市亦即商業地區產生關係，所以大多數與商人的「機敏」無緣，繼續保持農民的純樸性格。再者因為他們大多數的出身都是在村地主、教員、醫師等自由業者家庭之子弟，故而「自尊心」——即使屬於獨善性——好像也比一般人為強。當然客家本島人僅占全漢族本島人13.5%之少數，不難想像其亦成為緊密團結的因素之一。

一般來說，少數者族群常被多數者族群以白眼看待，遭受差別、疏離之待遇。出於其反動的心理，少數者反而觸發被疏離者的夥伴意識以及進一步的連帶感，因而加強他們的團結。

殖民地統治不問古今東西，本質上就是試圖「分割統治」。在台灣的日本帝國主義，其殖民地統治也不例外。

前述的戶口規則，由其格式填寫須知第10條的記述，可窺見其一斑。

台灣總督府當局將當時的台灣居民首先分為二大類別：持日本國籍者與持外國國籍者。然後將持日本國籍者分為內地人（就是日本人）與本島人。

這個本島人就是在台灣的被統治民族的總稱。

為了方便分割統治，將本島人再細分為福建人、廣東人、其他漢人、熟蕃人以及生蕃人。

再者至1935年6月，在準備臨戰體制之需求下，台灣總督府於該月4日，以第34號訓令，重新公布了戶口調查規定。將種族欄的記載更改如下[10]：

六、在種族欄，須將種族依下列略號記載。

甲、內地人		內
乙、本島人	福建族	福
	廣東族	廣
	其他漢族	漢
	平埔族	平
	高砂族	高

換言之，就是將以往的熟蕃人改稱為平埔族，而將生蕃人改稱為高砂族。第二次大戰後隨著台灣的回歸祖國，在行政處理上國民黨政府再將平埔族改稱為平地山胞，將高砂族改稱為山地山胞。然而一般都將少數民族總稱為山地人民或是山地同胞。

戰後翌年，也就是1946年年底，我未得父親允許就轉入台北的建國中學（前身為台北一中）。

這是由於母親去世的打擊所造成，而且剛巧帶著強烈廣東腔的年輕校長新到任，我對其作風始終無法適應，乃求去為快。

或許也是因為早熟而在潛意識裡懷有對父親的反抗。對於父親「我們是來自中原的客家」之說，在內心深處卻認為「無學無知而又驕傲的老頭子，不伴隨行動而空喊口號，只會說教罷了」，竟開始瞧不起他老人家。

10 畠中市藏，《台湾戶口制度大要》，台北：松華堂書店，1936年，pp.309～310。

客家認識的延伸

在台北開始新的學生生活，呈現與從前不同的氣氛。日本人學生全部從班上消失，因此班上看起來幾乎被福佬人占領。跟新竹中學不同，身邊找得到的像是客家人的同學屈指可數。

這也難怪會如此，因為有的同學竟將客家身分隱瞞起來。在福佬人占絕對優勢的大都市台北，客家少年的行動模式也很自然地呈現變化。經過大約半年後，知道這個事情而覺得無聊與不可思議，遂產生不快感。隱瞞「自己的身分」這到底是什麼心態？此種帶著不快感而像是疑念的思緒，無法輕易擺脫，直到來日（1955年秋）為止，始終牽掛內心深處未曾離去。

從私立中學轉來插班的福佬人同學裡面有一個粗暴的人。他以不雅的福佬方言腔調臭罵，逗弄只會說日語的共學生（殖民地時代曾經在以日人為中心的小、中學校共學過的台灣人學生），以及不會說福佬話的客家同學，甚至鬧著令人難堪的惡作劇。

升高一時，泰雅族原住民（原住民有九族：阿美族、泰雅族、排灣族、賽夏族、魯凱族、曹〔鄒〕族、布農族、卑南族、雅美【達悟】族）〔譯註：外加邵族、噶瑪蘭族、太魯閣族、撒奇萊雅族、賽得克，即為14族〕酋長的外侄兒L君*插入同班，聽說是從新竹工業學校轉來。L君僅能說泰雅語和日語，完全不懂漢族語言。由於係同縣又同是少數者之一，也許因此而互相有了連帶感，很快就有了親密的交往。到高二暑假時，互相的友情已

*1 即戴國煇建中同學林昭明先生。

培養到跟數名同學一起訪問他在山上老家的地步。跟他的父母親一起用餐時，我想起一個小故事。

記得可能是公學校四年級時候。外祖母來訪而在我家過夜的那個晚上，我坐在父親他們旁邊，盯著看外祖母的輪廓鮮明的面龐，竟在不知不覺中，自言自語說出了：「我的體內也許流著蕃人的血液吧！」

父親突然氣得臉都紅起來，打了我一個耳光，並吼道：「混帳！我們戴家沒有雜種。」我大吃一驚，同時被打耳光的感覺很痛，可是對於我只是隨便想到的自言自語，為何父親發了那麼大的脾氣，我實在不能理解其原因。尤其加重「雜種」的罵聲，如今我還覺得在耳朵深處迴響。

父親過世很快地將過20年，而我旅居日本也進入第28個年頭，成人後至今也無機會，將其經緯向父親提問。可是每次想起此事，就懷疑也許做為兒子的我，當時的直覺是正確。父親的「痛處」被擊到，所以他才大發脾氣。一般來說，「痛處」就是傳統的中國讀書人、地主階級，其奉為正統而不變的原則，反過來說，就是一般在表面上要忌諱的非正統而避開之。因而混血以及其所引起的「雜種」，不論其實情如何，原則上都避之唯恐不及，甚至有人將「雜種」轉為罵人的壞話。也許父親的所為就是其一例亦未可知。

如今，由於遺傳學的發達，「雜種」一詞在近代社會裡已經被意識為正面的印象，可是中國話「雜種」的語感仍然不好。所以在日常的會話中，要形容由通婚混血所產生的混血兒時，不使用「雜種」一詞才被認為正常。

但無關乎中國漢族讀書人、地主階級的原則論，通婚、混血的情形經常發生。大漢民族的形成，本身也不外是其具體的表現。長期間移民到台灣開拓的農民，大多數都是單身渡過台灣海峽，這應是事實。不難想像混血之對象，直接選擇「生蕃人」之機會並不多，反之選擇居住地區鄰接又明顯漢化的「熟蕃人」，其可能性充分存在。我想「熟蕃人」明顯漢化的事實本身，應將之認為在其內在已經部分有了漢「蕃」通婚、混血的累積。

對客家認識的範圍，分別將其在現實中延伸到南洋、在文獻上延伸到中國大陸，都是大哥幫我做到的。

大約是大戰結束後一年半，大哥從南洋復員回來了。他是被日軍徵調到蘇拉威西的望加錫（Macassar），一路經由爪哇的雅加達、新加坡回到台灣，也帶回關於南洋華僑，尤其客家華僑生活的復員見聞。有一天在晚餐席上當著大嫂面前，大哥竟說：「我實在吃了大虧，如果我還未結婚的話，在望加錫也許能夠與客家的美麗小姐成親了呢。」這可說是他在別人面前大談自己愛情故事的精華部分，可是誰都不肯相信他的這一段話。尤其大嫂也以為大哥的話不過是個玩笑，自己的丈夫都將近三十歲了，絕不會有什麼有錢華僑的千金所賜的豔福，將其付之一笑。

一年後，中壢鎮起了一點「騷動」。事情是這樣的，與大哥一起被日軍徵調，同樣也是客家的邱某，他的新娘特地遠自南洋經由汕頭來到台灣了，而且這位新娘帶來的陪嫁金是金條30條，加上在香港採購的洋貨裝滿了數個皮箱，聲勢堪稱浩大。我們小鎮以及庄頭厝尾的群眾，當然不會放過這個看熱鬧的好機會。

於是大哥在家裡設下歡迎宴，招待舊識的南洋新娘與邱某。

新娘對大哥說：「南洋的父親與姊姊叫我代為問候……，這是他們的禮物……」。在此接著禮物的大嫂，想必此時才放下心中的石頭。賓客回去後我即對大嫂開玩笑說：「還好是一支鱉甲梳子，如果是小孩怎麼辦？」大嫂只是微笑不答。

比起大哥與邱某的香豔浪漫史，使我覺得更有趣的是南洋新娘所操的客家話，以及她所穿的「客家長衫」（客家女人喜歡穿的唐裝）。實際感受使用與我們同樣語言的客家人，廣泛分布於南洋一帶，感覺到莫名的興奮。

我對客家的傾心以及日漸加重的好奇心，使大哥甚覺高興，而於某日帶回了一部《客家研究導論》之翻譯本（上下二冊）給我。著者是羅香林，在上下各卷卷頭附有台灣銀行台北總裁室調查課長有元剛所寫〈卷頭一言〉以及〈卷頭蕪辭〉，是昭和17年（1942）1月30日發行的非賣品。

有元在上冊的〈卷頭一言〉裡，首先介紹：

> 客家又稱爲客族或是客屬，以廣東省嘉應市（梅縣縣城）爲中心，主要盤踞在福建、廣東、江西、廣西各省的山區，而散居在台灣、海南島以及南方各地區，於所謂華僑調查研究上，是不容忽視的一支特異之華南民族。

有元接著指出，在日本缺乏客家相關文獻：

> 這次大東亞戰爭爆發以來，國民的關心漸次擴及南方，呈現一開口談南洋就必談華僑的現象，然而關於在南（洋）華僑五族

> 中之一的客家，對其熟識的人士實在寥寥無幾。尤其據稱客家總數有二千萬人，其中居住台灣的有五十至七十萬人，但是與此有直接間接關係而居住本島之識者，卻不認清客家的存在，況且對其認知全脫不了風馬牛不相及的現狀。雖然如此，另一方面也傳聞在我國的南方相關各種研究調查機關，以及有關華南、南洋的特殊研究者，皆早就認識這些客家的存在，而於推動有關的研究的同時，受多方冀望盡速以日文發表有關客家的研究。[11]

由於侵略東南亞的時代要求，在太平洋戰爭剛爆發後的日本，也終於興起研究客家的風氣，有元將這些情況簡要地告訴我們了。

我曾暗中察覺，有不少客家同胞在都市、中學等等，只因屬於少數族群之極其單純的理由，自怨自艾而採卑微姿態，所以有元的記述對我而言，確實是很大的鼓勵。

客家除了台灣之外，以中國大陸、南洋為中心分布了2,000萬人，這使我膽壯、使我心跳，令我客家之血沸騰。

但是且慢，分布大陸是「盤踞山區」，而海南島是堂兄被日軍徵調去的「未開之地」。至於南洋，回憶起戰時日人教師逗唱的「雖然膚色黝黑，在南洋卻是大美人」的歌謠〈頭目的千金〉，那裡不過是「土蕃」的群島而已。為何台灣以外的客家也與台灣的我們一樣，只能分布在marginal land，亦即屬於邊陲而

11 羅香林著，有元剛譯，《客家研究導論》，台北：台湾銀行，1937年。

不適合生活的地區？這就是重新產生的疑慮。

於是急忙翻開《客家研究導論》的第二章〈客家的源流〉與第三章〈客家的分布及其自然環境〉，在這些章節著者羅香林大略提示如下：客家原為居住中原的漢族之分支（民系），後經異民族侵入中原所引起的戰亂以及王朝的交替，並在居地與其他民系、異民族的抗爭等等，據說由於這些原因，經過東晉（317～420年）以後的數次南遷才形成今天的分布。

容我畫蛇添足如下：在客家南遷之前，漢族的他民系族群早已南遷而進行定居。對於較晚南遷的族群即新來到的客家，留給他們的「舞台」當然極其有限。僅留下漢族尚未到達的邊境各地，也就是少數民族與漢族的境界地，換言之此等marginal land占了壓倒性多數。客家祖先在大陸，與台灣的情形相同，穿過先到漢族其他民系族群與少數民族的「間隙」，在大多幾乎是不毛之地的山麓地帶，構築了自己安居樂業的新「天地」。

事實上，在中國大陸的客家，以閩（福建）、贛（江西）、粵（廣東）三省境界地方的山岳地帶為中心，至清朝中葉已構成純客家居住縣了。

可是山岳地帶屬於marginal land，要自給自足極其困難，如有機會就出外討生活，在國內除了大陸內部之外，還到海南島、台灣，國外則到南洋、北美等地，尋求新天地之後嘗試定住。

父親是否知道《客家研究導論》的存在並無跡象可尋。然而，他對於客家以及中原終生關懷不已。究其由來，可能要追溯到祖父、曾祖父或更前的父祖們以來的民間傳說（folklore），因為除此別無來源。

就我懂事以來所知，戴家堂號「梅苑」的由來，是取自移居台灣前的故鄉梅縣，亦即廣東省嘉應州，而店號「晉和」則表示前述中原之根。主張客家為正統漢族之一民系並出自中原的人，就《客家研究導論》所載，可能不只是父親等人而已。

電影《慕情》（*Love is Many-Splendoured Thing*）的原作者，著名的韓素英也是自廣東省梅縣移居四川省的客家後裔。她在自己的自傳性作品《悲傷之樹》（*The Crippled Tree*，由春秋社出版翻譯本，但是誤譯很多須要細讀）裡，記載四川老家所經營的香煙公司，其店號是「廣興」，並謂「廣」是取自廣東省的廣，乃為表示來自廣東省梅縣。其中饒富趣味。

韓素英關於客家談得很多，其中下列的一段會引起我們的注意，她說：

> 客家認為只有他們才是純粹的漢人（漢族），至今一直迴避了異民族統治所帶來的頹廢風尚。他們以「客家人」的特異稟賦自豪，尤其在同族人騰達而成其有力者的「華僑」社會裡，其傾向更強。而在農民運動與近代革命興起之際，他們之中也出了很多英勇的領導人物。他們不少的情歌可回溯到遙遠的漢代，他們的語言裡混入了南北方言。而且移動到新居住地時，將祖先的遺骨裝入罌裡背去。昔時的移居者先要到野外或是墓地，掘出祖先的遺骨將之裝入陶器，叫做「金骨罌」（golden urn），由家族中的男人們背著搬運走，女人們也分別擔著各樣

用具隨之移動。[12]

自韓素英的著作也可以看出，正如同父親他們那樣，堅持將正統漢族的榮譽寄託於客家，這樣的客家人為數甚多。再者她所說的移居之際有關掘出祖先遺骨以及「金骨罌」的故事，我也曾經從父親聽過同樣的傳承。其實在我家將「金的骨罌」稱為「金斗罌」。人死即土葬，經過數年後，掘墓開棺拾取枯骨，然後將之洗滌（稱為洗骨），再依照人體原形組成後，裝入「金斗罌」而改葬之。

據父親說，昔時的「金斗罌」較小，但是最近變得大一些。究其原因，應該是先人們認為，因為能夠安居在台灣，所以不必像大陸時代一樣，背著遺骨流浪。也可以認為，客家經歷沒有本籍地的悠久歷史，為了避免移動後墓地被偷挖，直到近代都將祖先遺骨裝入「金斗罌」暫時埋葬，一旦有緩急就能夠全家族，包括遺骨一起大移動，為挖出與攜行方便的準備而不遺餘力。

由於客家沒有本籍地（其理由不詳），不能夠將祖先的墳墓建築在不動的土地上。流浪之民的客家，極度恐懼的就是本身的流浪與生活的浮游化會造成族群之自我流失，客家的先人們必定有這樣的省思。另外為了相互扶助、共同防衛起見，也有必要在日常生活中確立與認識集團的自我認同（就是近年的流行語group identity，族群認同）。

父執輩們為了確保自己的族群認同性，不斷地自我強調客家

12 Han, Suyin. *The Clippled Tree.* London: Jonathan Cate. 1965.

才是正統漢族之一民系，才是屬於正統的繼承者。為了使其證據更為確鑿，乃特別堅持出自中原之說。

父親正是在動亂中逃亡，在恐懼下一直保持身為客家人的族群認同性，堪稱吾客家難得的好子孫。

客家祖先代代所經歷的是恐怖與不安的歷史，所過的是被排擠、遭白眼的孤獨生活。身為客家人的生活是什麼，身為客家人的人生是什麼，對於這些問題，我想客家父祖們必定想要有正確明瞭的定義。

故而父親經常強調出自中原說，高唱身為客家的光榮。若僅是做自我確認，也許認為這樣的行為還是不安吧。

透過自己的身體力行，父親想要做的就是對身為客家人的價值與目的要有明確的定義，還有祖先們在移居地從無生有，造就客家這獨特意義的「有」，要將這個事例通過語言傳承給子孫。

對於由日本殖民地統治所造成的「歷史」與「空間」，父親根本視若無睹。他採取這樣的形式，其目的就是針對身為客家也身為中國人的家長，探問到底其人性的堅強度如何？身為客家男子漢是怎樣的存在？身為客家的父親是什麼樣的存在？要將這些疑問透過父祖相傳的「生理的語言」，傳承給老么的我，甚至想要強迫我接受。關於這一點，我如今才能夠理解。

台灣客家一直體驗雙重的「邊緣感」。對台灣客家而言，伴隨著「屈服」於殖民地統治，日本的統治更加重了一層屈辱感。父親身為這樣的台灣客家一員，對他來說，邊境與中原之意義，已不僅止於代表地理上、地政學上單純的個別術語。

如今中原，做為關於客家根源的「信仰」象徵，價值本身繼而價值的中心存在被賦予重大之意義。

不只是父親，可說是所有「父執輩們」的，凡是意識到客家的人，對他們來說中原成為價值的中心、「信仰」的中心。

中川學〔譯註：前一橋大學教授，客家研究家〕教授曾巧妙地指出：

> 做爲純粹漢族的客家，對於在古代中原開花而形成的中華文化秩序，將其繼承爲正統，而一直抗拒塞外異民族的侵略。身爲客家人的「眞實」就是以這種自覺爲主軸而構成的。

然後舉其事例：

> 譬如，在日客家人親睦團體的日本崇正總會，在其會報《客家之聲》（*Echoes of Hakka in Japan*）的題字，加添下列標語：
> 團結全球客家同胞　發揚中原崇正精神[13]

其實，《客家之聲》第一期（1～7號）的主編就是筆者，上述標語也是由我發起才決定的。

還未讀到中川教授上述所指之前，對於標語持有的某種「真實」，老實說我本身沒有多大的自覺。

經深思後覺得，正如中川教授所指出，圍繞中原的「事實」就無關重要了。身為客家的我們自己，將客家之根源置於中原，

13 中川学，《客家論の現代の構図》（現代中国研究叢書XVII），アジア政經学会，1980年，頁3～4。

將客家意識或是更高層次的客家精神，當作中原崇正精神的信念，保持這樣的信念，以身為客家的我們來說，就是最好的「真實」。 即使不是歷史的事實，只要客家人自己這樣相信，那就成為某種的「真實」，而且達成恰如其分的機能。

中川教授給我們提示了很適切的事例如下：

> 在客家的群像裡，以格外傑出的洪秀全來說，他相信自己是基督的弟弟，這個現實雖然誰也不能認定爲事實，可是那樣的信念曾經是他的眞實，這是不能否定的。思考歷史上意識的作用力時，此事亦將成爲其線索。同爲廣東出身的客家基督徒孫文，其魂魄受了此等洪秀全故事所震撼而發動革命，此乃眾所周知者。[14]

在此回憶起來，才領悟到在我深層心裡，父親有關客家的傳承已在不知不覺間根深柢固地黏著著，事到如今不禁苦笑。

家父做為客家父親，堪稱資格充分而秉性堅強。做為人子，這是我首先要提出的事實。

三、「華僑」與中華意識

1955年秋天，11月21日是我不會忘記的日子。因為要探訪二哥及留學日本，乘坐下午二時的泰國航空螺旋槳飛機離開了台北

14 同註13，頁3。

松山機場。

離開台灣的時候，我怎麼也沒想到自己會成為華僑，連做夢也沒有想到。

1966年4月，我在研究所的學業告一段落後，決定在日本就業。最初的專職工作地點是亞洲經濟研究所。進入亞洲經濟研究所的時候，同樣沒有預料到自己會成為華僑，並把華僑研究當作自己的研究課題之一，遑論把它設定成研究的一根主柱。

我雖然不太清楚，卻已經注意到應該在世界史的視野上，及在與東亞的有機結構的關聯上抓住中國的問題。研究中國問題，要從「中國人」的內部，亦即中國大陸、台灣、香港與澳門，「華僑」問題的四個側面切入，然後再綜合地掌握，這樣的方法比較有效，不過當時這種想法還未成熟。

我本身在研究上，把華僑定義如下：「華僑僅指仍保持中國籍，以私人身分（等於不帶有中國公務之意義）長期（不含暫時性的旅遊或居留——例如廠商的駐外人員、留學生或研習生）居住在海外的中國人」[15]。

若依照上述的定義，目前我和我的家屬乃在華僑範疇內無誤。事實上，我們家屬全員所持「台灣護照」的所屬欄上都登記有「僑居」。所謂「僑居」表示基於國民政府台灣當局所定華僑的法定身分，護照持有人攜帶該護照而居住在國外。

日本的法律當然沒有華僑法定身分的規定。究竟中國大陸的有關當局在法律上是如何處理華僑在國外的居住，我因為沒有做

15 戴國煇，《華僑》，研文出版，1980年，頁75〔參見《全集11・從「落葉歸根」走向「落地生根」的苦悶與矛盾》〕。

調查，所以不明瞭。

暫時不談這個問題。自從1970年代初期，我就這樣透過演講、論文、著作等一直在做有關「華僑」問題的發表。又如剛才所述，依照本國法的法定身分，在我家人的護照上已經從留學生的身分改變為意味著華僑身分的「僑居」。

雖然如此，我的感覺是不想接受自己成為華僑，心裡總有「不可言喻的東西」，「淤積」至今仍滯留不去。究竟這個「不可言喻的東西」是什麼，那是很難解釋的因緣與原委糾纏著，不過大概的理由已經有了。以下就讓我一面介紹一直浮現在我腦海裡的原委，一面自我分析那個「不可言喻的東西」。

我會注意到華僑的存在而對華僑有了朦朧的印象，是在前面所提到大哥的旅行見聞及南洋新娘出現後才開始。

我對華僑的最初第一個印象是，同夥們充滿著連帶感的正面形象。其次是把他們看成在「土人和野蕃人所群集的熱帶國家」努力奮鬥的成功者及「有錢人」而敬佩有加，這應該是第二個印象。

第三個印象是由南洋新娘直接造成的。看到她帶來的「金條」及不少時髦的舶來品，不會覺得羨慕的人恐怕才是不正常吧。

台灣在戰後回歸祖國，我們的學校教育當然有了大轉變。國語由日語變為北京話，本島人也改稱本省人。由於和平的來臨，以及多年來所期待自殖民地體制的解放與回歸祖國的實現，台灣社會處於歡欣鼓舞的漩渦中。

學習北京話（國語）的熱潮，如火如荼地展開。與國語學習熱並行，涉及三民主義和孫文的種種「話題」也足以吸引我們這一代的關心。

1947年2月28日爆發了「二二八事件」（台灣民眾因國民政府台灣當局的失政憤而引起暴動所發生的事件），回歸祖國的歡欣便急速地冷卻下來。

在我們的村莊或鎮上，普遍可以見到由稍微早熟的少年或政治意識較高的青年所組成的小團體。

與我三哥同一代的「大哥」們想必是屬於那些青年團體。

他們對蔣介石的認識透徹，同時也知道馬克思及毛澤東等名字。懂事的大哥們大都在學校功課好、能運動、守規矩，所以深受長輩的讚佩及後輩的仰慕。

大哥們把不知從何處得來的CC團和藍衣社（二者都是被認為是國民黨的特務機構）等存在的消息告訴我們「稍微早熟」的小弟們。

另一方面，他們把「二二八事件」與世上一般不同的觀點分析給我們知道。

二二八事件剛結束後的一般台灣人曾有這樣的傾向，就是把台灣國民黨當局的失政視為全中國國民黨的失政。又當時為了接收而來台灣的外省人（指8月15日以後，從中國大陸新遷來台的大陸各省人）之中，有一些是貪官污吏或投機分子。他們趁著戰後的混亂及經濟的疲憊製造種種罪孽。曾經目睹那些罪孽或淪為被害者的本省青壯年，無限憎恨那些外省人的罪孽。因為是對近親者的憎惡而更加深其怨恨，由此形成鴻溝，裂痕日漸擴大。

不久之後，台灣青壯年的憎恨逐漸普遍化及社會化。而且一般台灣人反台灣國民黨政府的感情擴展到反全國國民黨的感情，進一步把國民黨當成就是外省人，再把外省人與從未見過面的中國大陸所有居民劃上等號，連成一條數學相等式。

對於國民黨＝外省人＝大陸人的不滿與憎恨，純為情緒上的反應，對此成見既深的人，很少能接受科學性、邏輯性以及合理性的分析和解釋，這是遺憾同時也是悲劇。

「情緒障礙」症候群，顯然呈現於台灣獨立運動者團體中。

他們以台灣獨立為前提，建構政治性的台灣民族論。他們以台灣民族論把自己和中國做區分，並主張已經形成與中國民族或中華民族不同的獨自民族，亦即台灣民族。此理論的總結就是因為把過去的外省人與中國人劃上等號，現在將國民黨與中國人視為一體。口稱「他們中國人與我們台灣人」、「中國與台灣」，台獨派把中國人與台灣人、中國與台灣「升格」為依照自己政治主張之對立概念，而奔走於輿論操作。

父親那一代對中華文化還深懷憧憬的人，或曾去過大陸旅遊，或有在大陸居留經驗的台灣有識之士，只能痛心而不知所措。 街頭巷尾常聽到喃喃細語的「沒有這種道理」、「祖國是美好的希望」、「不好的是阿石伯（對蔣介石的尊稱）的部屬，一旦他能了解事情，事態就會好轉」、「戰爭剛結束，總是到處混亂吧」、「日本人剛占據台灣時，也幹了很多壞事」等等的「辯解」，但這些耳語逐漸隨風煙消雲散。

我們有眼光的前輩們把台獨派主張所隱含排除外省人的感情，批評為不合理。他們以富有前瞻性的方式，將中國大陸政局（焦點為國共內戰）之動向與「二二八事件」聯貫起來做觀察，也指摘一般台灣人停留在感性的認知階段是不正確的。

尤其，在日本戰後未做成華僑的原留學生林前輩，曾經在東京有接受過短期民主化運動洗禮的經驗。他說我們應該超越二二八事件重新認識中國，而且他也提出建議，就中國革命與台灣光復，應該將其對台灣青年與全體台灣人之意義加以明確化。

值此世人對二二八事件的關注正趨冷淡時，前輩們開始以《三民主義》及尾崎秀實的《現代中國論》〔《現代支那論》〕（岩波新書）等為課本而發出侃侃諤諤之議論。

大部分高談闊論，對於我都只是耳邊風，但是因為孫文是客家人，關於他的種種議論卻始終縈迴在我的腦海裡。

南洋的華僑及後來的北美華僑在「有錢出錢，有力出力」之口號下，對革命運動奉獻出資金及年輕生命，關於此歷史事實也是從前輩們的議論中得知。我也是在那時候才知道，孫文曾讚揚華僑對革命的貢獻而留下了「華僑為革命之母」之名言。

我對於華僑的平板而概念性的認識及理解，大概是在高中畢業的同時結束。

結識「僑生」之後

應該是在大學二年級的時候吧，我們大學裡進來了所謂「僑生」（華僑留學生的略稱）。我因為也住宿舍，所以與他們共同生活。我和華僑有日常的接觸是從那時候開始的。

1950年代前半的僑生幾乎都是從香港或澳門來台的。

從印尼、馬來半島、東南亞半島等地來台，是在1950年代末期以後的事，那時候我已經住在日本。

我也聽說有為進入台灣的醫科、牙醫科系而從日本返台的僑生，那是在台灣經濟已進入高成長期的1960年代過半以後的事。

這方面暫時不談，我還是再敘述一點關於我還在台時的僑生。那時候大部分的僑生原則上自稱是來自香港或澳門的僑生。

若以我的嚴格定義而言，雖然香港和澳門現在〔1983〕還是英國和葡萄牙的殖民地，但因為其潛在主權是在中國，所以當地的居民不應列入華僑的範圍。

但是國民政府台灣當局從政治上的考量，一直把香港和澳門的中國裔住民當作華僑處理，給予特別待遇。而中共北京當局則把他們定位於「香港、澳門同胞」，與一般華僑大致有不同的處置及待遇。

僑生有種種的特權，我們台灣的青年人具有少年特有的血氣正義感與嫉妒心，對他們的存在甚不愉快。「什麼傢伙嘛！」我對他們再三發出牢騷的事還記憶猶新。

姑且不談入學考試的特權，尤其招來我們的羨慕及憎惡的是免除兵役，以及關稅、出入境等特權。

整個1950年代的前半中，台灣海峽的情勢不穩定。我們的周遭時常充斥著被徵兵而送往金門或馬祖最前線的可能性及不安。

目睹這種情形，他們之中竟有人冷言說道：「呀！真過意不去，還好我們是華僑，可免除兵役。」

其次是在經濟方面的事。眾所周知，1950年代的台灣經濟還在低水準，外匯、貿易管制很嚴，尤其奢侈品有輸入管制，不易取得。他們利用假日的往來，充分滿足個人的享受，部分惡劣的行徑不僅於此，尚且巧妙地利用關稅特權以走私之類賺取外快。

台灣海峽的緊張局勢及台灣經濟的不安及低水準，當然給予國民政府加強出入管制之藉口。在那期間，一般台灣人的國外來往並不容易，而我們留學國外的希望也不明朗。

他們能隨意進出台灣，愜意地騎著漂亮的英製28吋自行車到處遊逛，可以完全不用擔心在金門或馬祖被砲擊身亡的危險。他們也可相當自由地去外國留學，僑生就是這樣「瀟灑」。與他們比較，當時我們留學首先必須通過教育部留學生資格考試的難關，通過考試後才能申請護照。發行護照的基準很嚴格，尤其在「思想」傾向上若被認為有「問題」的話那就完了。由於以上的各種情形，當然會在台灣青年之間呈現對僑生帶有嫉妒的反感。

我當然也不例外。雖然不動聲色，但在內心卻痛罵僑生只有「輕浮的暴發戶惡習」。由於那些僑生的所作所為，華僑的負面形象開始逐漸地留在我的腦海裡。所謂華僑的特權並不限於來自香港或澳門的僑生，日本的台灣華僑也有特權，其間的實情我在很短的時間內就發現了。對我而言，只因為在我周邊就有日本華僑，所以受到的衝擊也較大。

記得是在1954年農曆1月放假的時候。中學時代的朋友鍾君得意地聯絡說，他的日本華僑姊夫正以訪問團副團長的身分返國，要跟我介紹，問我要不要去他家。

我因為有可能要去日本留學，又因為二哥自從1941年赴日留學之後，每年雖有二、三次書信的來往，但幾乎都沒有返台的意願，也許趁此可打聽到二哥的近況，所以前往拜訪。

一進入鍾家的客廳，日本製的毛衣等衣服與洋貨堆積如山。

他的姊夫馬上就得意洋洋地詳述華僑受到多好的待遇。他不斷地說著自認了不起的話，例如如何把皮箱做成雙底層，或說副團長的頭銜有多方便，能有效地引開台北松山機場海關人員的注意，或是說在僑務委員會（負責台灣國民政府的華僑業務之機構，其首長僑務委員長相當於部長職位）之宴席上，擺出十品豪華大餐。我曾經非常期盼有見識的副團長是何等人物，如今交談之下，才知道是個心不在焉、盡說賺錢之事的人，與其頭銜完全扯不上關係。

日本華僑印象記

直接能接觸日本華僑的生態當然是來到日本以後的事。

最初的見聞只限於在二哥周圍，所謂台灣裔華僑的狹小範圍。他們大多數是在戰前或在戰爭期間來日本的。幾乎都是前留學生或徵用工出身的人，年齡大概以1920年代出生者居多，目前是在60歲左右。

我遇到二哥的世代亦即台灣裔第一代華僑，是在1950年代後半，即昭和30年代前半的時候。他們的年齡大多是在三十五、六歲左右，有很多人的生活基礎好不容易才剛要穩定下來。

我所知道的第一代台灣裔華僑約有八成娶日本女子，主要原因是不論出身自台灣或大陸，適婚年齡的中國人女性人數極少。

在交往過程中，我發現在他們的家庭中有一些饒富趣味的現象。他們的最大特徵是「夫權」和「父權」非常脆弱。我雖然無法發現脆弱性的真正理由，但有不少前輩華僑想要刻意虛張聲勢

戴國煇夫婦（後排中及立者）與其二哥戴國堯全家（左一～左四）合影，攝於東京壽屋旅館（戴國堯經營），右一至右三為旅館員工，1958年（林彩美提供）

令我感到驚訝。從戰爭結束到韓戰剛開始為止，在日本的中國人稍具有「特權」。不管真相如何，他們對外仍誇耀是戰勝國國民，一般大眾傳媒的論調也稱讚新中國的成立（1949年10月1日），對他們有如錦上添花。這些事情的相乘效果，讓日本妻子及妻子的親戚認同「夫權」，這是一般的現象。甚至也有結婚初期連日常糧食都缺乏，現在卻依靠丈夫的「商才」來救濟，這樣的日本妻子一家及其親戚更是感激萬分。

以「麵包」、「物質」、「金錢」為支柱的「夫權」，畢竟也只是這樣，其實沒什麼了不起的。

正當妻子的兄弟接受姊夫的援助而完成學業，娘家也託丈夫的福而能自立更生時，日本進入高度的經濟成長期。不久之後，不管喜不喜歡，他們都不得不迎接孩子們的大學入學、就業、結婚等季節。涉及孩子們的國籍問題，麻煩暴露的年代也來臨了。

那時候在經濟上比較富裕的人返台掃墓，或是到國外旅遊，偶爾出現有移情別戀被發現的事情。憎恨丈夫的移情別戀或厭倦結婚生活的七年之癢，這些現象是任何民族及任何家庭都有可能發生的事情。但是正因為我們第一代台灣裔華僑的國際婚姻伴隨著特殊的心理結構，更增加了「文化衝突」的幅度，而且有不少招致婚姻破裂之案例。

當日本經濟開始名列世界前茅之時，日本人又恢復了其民族的自負。不僅是恢復自負，甚至有不少人達到傲慢的地步。這種狀況微妙地投影在我們華僑的日本妻子上。曾經在饑寒交迫、生活貧困的1940年代後半至1950年代前半時期，夫妻為了生活和睦地牽手共同刻苦奮鬥的日子，現在已經消失在遙遠的彼方了。

日本妻子們不久就對奉行金錢萬能主義或拜金主義、只為賺錢而奔波的丈夫表現出不滿，也開始不滿丈夫一點都不關心文學、藝術或教養的生活態度抱持懷疑。若發現丈夫移情別戀，不滿的情緒就轉變為憎恨。日本妻子在家有潔癖，外出則留意打扮，她們參加學校母姊會時必須裝點門面，極注重體面，論及結婚的門當戶對條件時，更會爭得面紅耳赤。

日本妻子開始介意丈夫經營的「柏青哥店」、「鴛鴦旅館」、「夜總會」、「中華麵店」、「喫茶館（咖啡店）」等行業。這些一直支撐自家生活到今日並協助過娘家的生意，現在她們卻嫌其不甚體面，「夫權」開始動搖了。

在封閉的，尤其在藐視亞洲人及具有強烈歧視感的日本社會裡，丈夫們的職業選擇受到嚴格的限制，在戰後的廢墟裡，從來沒有任何生活基礎的台灣留學生及前留學生，以及從軍需產業等的軍事關係機構被解雇的原徵用工、服務於軍中的非軍人、職業軍人等等出身的台灣青年，當時依靠什麼才獲得了生活的糧食，現在卻不想去回憶當時的情形及其無奈。更何況平凡的家庭主婦，一般大概沒有冷靜的分析力，也沒有心情去分析。很難察覺自己的丈夫正在變成「稻草人救火——自身難保」一類的人。

對於子女就業及結婚問題的不安，接著涉及年老後安養善後的焦慮，帶給日本妻子日常的煩惱。還有與先生親戚及台灣友人的來往，以及進一步的交際中，她們開始感覺到新的文化衝擊及生活節奏的失調感。在就業和結婚時，從前未能看到的差別及疏離之「牆」突然顯現成為身邊之物。碰撞到此堅硬牆壁的第二代中，意識較低的人藐視自己的血統中混有一半是中國人的血液。憎恨之餘，竟激動地咒罵著：「為什麼要生下我？」在家庭內發生「文化衝突」是家常便飯。不但是「夫權」，現在連「父權」都動搖起來。

身為丈夫與父親的第一代華僑先生們，張皇失措地屈服於妻子強硬的要求，有時更以此為藉口，積極採選擇日本國籍之舉。歸化本來只不過是依照法律程序取得居住國的國籍，要在日本改變國籍，或要取得日本國籍，只要向自己至今所屬中國變更政治的、法律的身分即可。

本來所謂國籍，不過是法律上之束縛，把個人與他的國籍所在特定國家綁在一起。但是我們的第一代華僑自從過著台灣殖民地的生活後，可能因為已經被日本「近代」無限地剝削，把兩種身分的問題混淆在一起，沒有分清楚。其中一個身分問題就是應該以「血」、「魂」相關的個人之文化連續性，還有傳統的宗教、風俗習慣的所謂共同社會的框架來考慮的社會、文化的認同問題；另一個身分問題就是在情緒方面政治的、法律的認同歸屬問題。

本來放棄母國（在此僅指舊國籍之所屬國）的國籍而重新取得日本國籍，只是意味著與「母國」斷絕法律、政治性的關係而已。但是我們兄長所屬的華僑第一代，在理論上未能區分法律、政治的認同與文化、社會的認同，尚未理解兩者本來就是不矛盾不對立，能夠共存相容，而且本來就應該使其共存相容的東西。

歸化之後，他們感到無法形容的苦悶、寂寞和內疚。每逢清明節就返台，熱心參與掃墓。可能也是年老及死亡的恐懼驅使他們返鄉掃墓，但絕不只因為這方面而已。前輩們連自己的「夫權」和「父權」都靠不住，雖然慌張失措，但在他人及家屬面前則特別喜歡虛張聲勢，我對這些前輩們感到十分同情。

包括台灣政治的黑暗及大陸的文革等，這些混亂為想要歸化或已經完成歸化手續的第一代華僑提供了方便的藉口。

前輩們說因為國家分裂，雙方都不能依賴，所以他們要歸化。並說他們現在是猶太人，只有金錢是可信的，如此故作姿態的第一代「有錢人」我也見過。

自從殖民地時代的教育以來，他們以「中華」為名的文化，或多或少逐漸被連根拔除，並成長在對自己的歸屬感經常覺得不安的世代。所以通常不能穩定地建立自我的文化、社會認同，更不能建立自我的生活哲學，但事實上他們仍舊想要虛張聲勢，掌握家庭主權。在此可看到第一代台灣裔華僑，他們的「夫權」和「父權」脆弱性的特殊理由。

由於這在我的腦海裡留下了華僑的壞形象，也曾發誓不要變成華僑。

我在研究所進修後期課程時，遇到與第一代台灣裔華僑完全不同的一群華僑，還遇到在思考上、行動上及學習態度上與香港、澳門的僑生完全不同而令人富有好感的馬來半島出生的華人系留學生。前者就是所謂在日大陸裔華僑，具有華僑紮實的根，是明治初年來日本的那些人的後裔，至今也已有二、三代了。

中華學校的體驗

1958年4月我被邀請去東京四谷的中華學校當兼任講師。開始是臨時性質的，後來當該校講師，持續至1963年3月底。

中華學校為經營從小學到高中班級的私立華僑學校，其主導權是由當時的國民政府台灣當局所掌握，聽說現在還在持續經營。雖然每週只有兩次的授課，時間很有限，但從與學生及家長之接觸，可以窺見從大陸出生的所謂大陸裔華僑的生態。

在此所說的台灣裔和大陸裔等等並不含政治上的立場，而只是意味著該華僑出生地的故鄉是屬於台灣或中國大陸。

又從日本法務部的相關當局所發表的各種統計，我知道在日華僑約有五萬人，其中約有一半是台灣出生的，剩下一半是以大陸為故鄉的人。

然後從在東京中華學校工作時的觀察，發現東京的在日華僑社會，有些現象頗為有趣。

東京中華學校的經營主導權可說是由國民政府台灣當局所掌握，但表明政治立場及公然支持國府台灣的該校學生家長並沒有那麼多。大多數的在校生家長由於生活的智慧，一般大都假裝為親國府台灣，其實內心盡量不想捲入政治。也有家長表明支持中共、大陸，但似乎為數不多。

學校整體顧忌談論政治的氣氛很濃厚。那是華僑社會的一種縮圖的反映，而且此現象並不限於日本。我到1970年代才知道這種情形，實在有點遲。自1969年秋末至1982年夏天約十年間，我曾去過新加坡二次，去過菲律賓、泰國及馬來半島一次，去過北美大陸二次，在短期間內訪問各地的「華僑社會」，而且還去了一次疑似華僑「世界」的香港。由此實地體驗能夠確認一傾向，即「華僑」社會至今還是視談論政治為禁忌。

饒富趣味的第二點是，台灣裔華僑的家長很少，實屬意料之外。把小孩送進東京中華學校本身會製造捲入「政治」的可能，也許是為了要迴避這件事吧，但那不是唯一的理由。我認為毋寧可從台灣裔華僑社會形成的背景，及從他們第一代所持有的獨特個性找出其主要的理由。

眾所周知，台灣裔華僑社會在日本的形成與台灣受日本統治有密切的關係。換言之，以台灣為故鄉的台灣裔第一代華僑，是在殖民地統治的台日關係之歷史環境及其延續情況下變為華僑的。他們的出身主要如下：1.戰前戰中之原留學生；2.原軍需工廠的員工，即被日本當局徵用到日本而留下來的；3.以涉嫌戰犯被關進巢鴨監獄，其後被釋放出來的原軍人、服務於軍中的非軍人；4.戰前從事台日間之移出入（戰後當然稱為輸出入）相關業務，或持續從事的人；5.自國府台灣統治逃亡的人；6.戰後來日本留學的原留學生、或近年來以無醫村的駐村醫被邀請來日本的人。

一般台灣裔華僑的學歷都很高，當然學歷並不一定就能反映學力。本來或許可把專門學校課程以上的日本留學，做為與殖民地教育對抗之場所或契機，自己應可以將之正面轉用，但事實上正面轉用成功的例子並不多。所以上述的第一代台灣裔華僑可說是進退兩難。

台灣裔華僑由於殖民地的統治和教育，他們從中華歷史文化的傳統被隔離，在很多場合可以見到中華意識稀薄化的現象。

更為明顯的現象呈現在日常的語言生活。大部分台灣裔華僑與戰後不久的台灣人的語言生活相同，以母語的閩南語及客家語為主流，而且明顯地受限於只會會話，不能讀寫。居住在台灣的人戰後在國府台灣的統治下過了三十多年的生活，原則上都能學習上位語言之北京官話，即標準語（在台灣稱為國語，在大陸稱為普通話）。現在姑且不論有無學習的意向或是否學成，但在日第一代台灣裔華僑學習中國標準語的機會受到限制，也沒有很好的學習環境。語言與鄉土自日常生活脫離，目前他們不得已過著異國生活，剩下來的只有中華的血統。到了第二代，此血統在生理意義上很多變成二分之一的情形，因為母親很多是日本人。

雖然可能也有語言的問題，但大多數的第一代台灣裔華僑所背負的歷史「負荷」，被日本的「近代」剝奪而形同囚犯。在感覺上認為「日本教育」是好的、是對的而接受之。要把子弟送進以自己不懂的語言做為教育媒體的中華學校，他們在不放心及不情願的心理狀態下（尤其母親為日本人的情況更為強烈），不知何時已準備了無意識的藉口，那就是「因為中華學校的水準太低」或「因為台灣的教育水準不很高」等等之類。

一般說來，大陸裔華僑不分第一、第二、第三代，都有強烈的中華意識，所以積極地把子弟送進中華學校。

在大陸裔華僑之中，有舊「滿洲國」、舊「南京汪精衛政權」的關係者，以及從國民黨與國府台灣當局逃出來的人等。

他們之中的有錢人把子弟送到美國學校，以留學美國為目標。因為他們大多數都背著過去政治、歷史的「負面」承擔，在一般華僑社會裡，通常都是謹慎保守，或完全不願露面。

但是沒有背負負面承擔的人，在中日戰爭中嘗過苦頭，如今變成「勳章」而可以抬頭挺胸。大陸裔的老華僑出自廚師、行商、船員等勞動階級的比例很高，在學歷方面相對地比台籍為低，但他們的中華意識較高。不幸的近代中日關係史強加於身上的差別及虐待，反而提高了他們的中華意識，這樣認為大概沒有錯吧。

與大陸裔華僑比較，台灣出身的人，從明治末期至第二次世界大戰這段期間，並非以華僑的形式居住在日本。

台灣裔華僑曾被差別對待及監視，雖然算是持有日本國籍的人，但實質上是以次等日本人的身分參與日本社會，還有一部分人是與「滿洲國」或汪精衛政權相關，於戰後來日本的。

在培育了大陸裔老華僑濃厚的中華意識的生活環境裡，有被稱為唐人街、中華街、南京町等，即所謂中國城的社區生活，若遺忘其存在，則會失之偏頗吧。

他們設置公墓，建立中華學校，共同舉辦年節等慶典，享受社區生活。舞龍舞獅是代表性的傳統藝能，他們將獅與龍，在想像中視為「中華」的象徵。他們高舉「中華」，組隊而舞，並將之傳承給下一代。

最初教我「華人」這個新名詞的人，是來自馬來半島的留學生。華人聲稱他們已經不是「僑居」（暫時居住）的出洋討生活者，尤其他們的年輕一代大部分是在當地出生，而且現在他們多數已取得居住國的國籍，所以根本不同於持中國國籍而為了討生活去到南洋並居住其地的「僑居」華僑。在實地訪問東南亞之前，我還是不能明確地理解他們的主張。

1965年秋天，印尼發生九三〇事件（導致蘇卡諾體制崩潰之政變）及1969年初夏在馬來西亞的吉隆坡發生的五一三事件（涉及選舉的種族暴動事件），無告的華僑及華人淪為代罪羔羊而被屠殺。接獲此等報導，實在令人痛心。

從1969年11月中旬開始約五十天期間，我初次在東南亞考察「華僑」（我把華僑加上引號表示含有華僑及華人雙方面的意義）的社會，或許說我實地見識了原華僑蛻變成華人的過程，這樣說可能比較得當。

回日本後，我把他們在華僑階段的生活原理歸納為「落葉歸根」（即總有一天要衣錦還鄉）。

又今日他們已進入了華人階段，他們形容說是將「落地生根」（在居住地或居住國紮根成長，不久開花結果）設定為生活中心之原理，並摸索新的生活方式。然後他們又指出，從此「落葉歸根」到「落地生根」這一段轉換與蛻變之路是險惡的，是充滿苦悶及矛盾而不易找到出口的[16]。

不但是稱為華人，也把北京官話稱為華語，而不說是中國話。這是當事者在「現地」的實況。

說他們過於神經質也不過分，青壯年以下比較接近體制的一代，主張自己不是中國人，所以使用的標準語不是中國語，而是華語，這也是想要表現出是華人的語言吧。報紙也不稱為中國語報紙，而改稱為華字報紙。

眾所周知，新加坡總理李光耀非常討厭新加坡被比喻為「第三個中國」（比喻新加坡為接著大陸中國及台灣中國之後的第三個中國）或被視為「華僑之國」。

但是，由於包括自己在內的華人系新加坡人的「血統」是與中國大陸的人相同，李總理絕對不主張他們的文化傳統和出身的歷史，是與中國大陸沒有關係。由於茲事體大，我想特別加以注意。

在新加坡、馬來半島時讓我認識到，華人中尤其受過英語教育的華人系住民，大多存有歸屬意識的多重結構。

其後我兩次訪問北美大陸，把「華僑」問題加上日裔美國人問題及猶太裔美國人問題，重做考察。

於是漸漸地在我的腦海裡浮出了這樣的假設，那就是進入歷史上的「近代」之後的人類，同時沒有矛盾地持有雙重認同（double identity）是本來的姿態吧。

---

16 同註15，頁73～95。

所謂雙重認同是直接指法律的、政治的認同，及文化的、社會的認同雙方面。但是在英語的語感上，double identity是不好的，事實上亦被譯成「雙重身分」。從「雙重身分」及「雙重國籍」等等的語感會聯想到同一人物的分裂，或是傾向把它看成帶著假面具的人物。因此可能令人懷疑當事者的忠誠心已分裂及偏頗，或對於居住國的忠誠心已趨稀薄，甚至反過來容易被推想而誤解當事者對父祖之國強烈殘留著潛在性的忠誠心。以往各種歷史上的事例，可使我們得知其間之來龍去脈，尤其在基督教文化圈，這種情形時有所聞。

在近代民族國家成立以後，對於人的自我認同問題，站在君主或政權的立場主要從政治、法律面做解釋、理解，此種傾向趨強而普遍。

非常遺憾的是，雙重認同之表示法本身總是把恐懼感及疑惑帶給第三者，這種狀況至今還持續著。尤其對於正在建國中的第三世界政權負責人或優勢民族的主流派，少數民族主張雙重認同為正當的存在並非易事，也可認為這就是現狀。因此把double identity的表示法改變為paradoxical dynamic identity（自相矛盾的動態認同）[17]。

當然以上所指的不是將表示法變更的全部理由。我預測華僑蛻變成華人後，隨著時間的經過，會自然地從華人的內部慢慢地變為與父祖之國不同之型態，不久就在政治、法律性以外之方面形成自我認識。我也預料他們最後應該會經由激烈的胎動去尋求

17 同註15，頁22～26。

符合自己居住條件的文化自立。

我所預料的胎動階段或許會提早到來，但是要看到其開花結果可能還要相當久的時間。事實上我所訪問的老一代的「華僑」，不管他們持有什麼國籍，其中華思想、中華意識還是很強，華夷之別還是分得很嚴。

有趣的是，中原意識不限於客家系，廣府系（以廣州府為中心，一般說廣東話或廣府話的人）也有強烈的中原意識。他們也聲稱是起初住在中原，然後遷移到湖南，至唐朝（618～959年）末期再由湖南省往南遷移到廣州府周邊的後裔。又前面已介紹過，閩南人別名為福佬人，在東南亞也把出生在汕頭、潮州等地，講潮州話的人稱呼為福佬人。

有人告訴我，這些福佬人以別名為河洛（含有黃河和洛水之意）人而自居，他們說福佬及河洛的閩南語發音很接近，因而福佬人就是河洛人，所以他們是出自黃河和洛水兩流域的中原無誤。他們是從中原先踏出一步而進入江蘇省一帶，同樣在唐朝末期經過江蘇省的太湖進入福建，這就是閩南的福佬人。然後其中一部分是從福建遷移到廣東省，就是後來住在汕頭和潮州等地的福佬人。這就是說潮州話（接近閩南語）的福佬人云云。

一般說來，老「華僑」或是接受過華語教育的華人們，還是具有強烈的中華思想、中華意識。

他們有些人把自己土著出身的妻子稱為「蕃仔婆」，也對我們用閩南語做這樣的介紹。不僅對我們，對所有「中國人」也都是這樣做介紹。又今後對於華人、華僑、港澳的中國人，以及中國領域的所有中國人，我想把包含他們文化概念的中國人，以加上引號的「中國人」總稱之來使用。

「蕃仔婆」之稱呼法雖然多少含有謙虛之意味，在語言背後卻還流著根深柢固的華夷（華為文明，夷為野蠻）思想。稱呼自己的妻子為「蕃仔婆」的「華僑」，當然可說把自己的居住地無意識地視為「蕃界」。因為他們把中原視為正統，是價值的中心、信仰的中心，所以「蕃界」就是邊境。

第三者愛把老「華僑」所懷且被華夷思想所支撐的中華意識，做政治性的解釋。

有時候他們引用普遍持有的「血濃於水」看法，無限地將「血統」做政治性的解讀，然後嘗試將「血統」與中華意識加以結合。其結果是，平常僅隱約呈現的「華僑」血統的騷動，對於這樣的中華意識，他們曲解為老「華僑」的中國人意識及老「華僑」對中國的國家忠誠心的證據。然後出於恐懼，有時以此為藉口而應用於政治面。在東南亞涉及「華僑」問題的人種暴動中頻頻出現的論調，其根底實隱藏有這種錯誤的見解。這些事件若不帶著有色眼鏡來觀察的話，就能夠容易理解。

畢竟中國人的國家意識，與歐洲人所懷對他們在「近代」以後才成熟的近代國家之意識是不同的。即使住在父祖之國的人亦即中國人，也非常缺乏近代的或可應用在近代革命的國家意識、民族意識。為此而不斷煩惱的正是孫文其人。

若不怕誤解的話，可以說「華僑」所懷的中華意識，不在政治性而是以文化概念為主要內容，尤其在和平的環境下更是如此。

因此，不論是近代中國、國府台灣、中共大陸，任何的政權負責人在和平時期策劃實施「華僑」政策時，訴求的基礎經常在於鄉土愛，認為鄉土意識是「華僑」和中國之間的聯繫關鍵。雖然經常也有必須愛國的訴求，但對「華僑」尤其老一代的人相信一定效果不彰。當然父祖之國的中國一旦陷入被侵略的危險時，狀況就會改變，「救國」、「愛國」的訴求就會活躍起來。

這點暫且不談，「華僑」在此所謂的邊境，也就是「邊陲」或「邊疆」，並非在美國史上所看到的開拓精神相關的frontier（邊境）。

在美國史上的「邊境」最初本來是表示連接「開拓地」與文明的境界之處，僅意味著被開發或被開拓的地帶或地區。但最後「邊境」並非負面的形象，而是培育不屈不撓的frontier spirit（拓荒精神）、愛自由平等之心，及個人主義或民主等frontier的正面形象將之確立以至今日[18]。

美國原住民（所謂印第安人）曾付出相當大的受害及悲劇的代價，由此得來的拓荒精神，卻做為歷史的結果之一受到讚揚。

回顧自明清以來，在海外各地皆有華僑社會的形成。但是他們大多數到第二次世界大戰剛結束為止，還固守「落葉歸根」的生活原理，不曾想要放棄出洋討生活的思想和行動，幾乎大部分的華僑都是如此。人人都可能下結論說，經常把他們拉回到「中華」世界，給予歸屬心的依據就是炎黃子孫觀、中原意識，以及中華意識。將這些連結起來的「紅線」，也能從他們的家族主義、宗族主義及強烈的鄉土愛之中找出來。

18 小林健治，《辺境の文学》，研究社出版，1972年。

然而，為何「華僑」們不能像移民到北美大陸的英國人為主的歐洲人那樣，做為新的「美國人」以完成自己的轉變呢？

做為結論，我要嘗試回答這個問題。

第一點可能必須指出的是，「華僑」從未像英國人在美國史上建構如WASP（白人盎格魯・撒克遜裔新教徒）體制，獲得有力的主體地位。「華僑」的父祖大部分是為了貧困或政治亡命而離鄉背井，他們可說從父祖的體驗及其傳承，徹底知曉自己在故鄉的無力感，以及個人的善意無限地被蹂躪的「政治」現實。在「僑居」之處不能成為主人翁，不得已被迫居於中間人（「華僑」一直以中間人的存在持續生活著）的地位，所以他們一開始就奉「莫談國事」、「休談政治」為格言，不理國事或政治。他們一心一意為了獲得衣食無缺的生活而奔波，拚命賺錢儲蓄「老本」。反過來說，在心靈歸屬感上經常伴隨著不安，所以他們以炎黃子孫論互相確認夥伴的連帶意識。基於此而結合的最小單位為家庭，大一點的單位則為宗族團體即同姓公會，這種模式至今基本上沒有改變。一看到血緣的結合不充分，就成立做為地緣團體的同鄉會館，以客家的情形來說，可見到以「語緣」（講客家話的人集合在一起，遠超過地緣）為中心，在各地組成客屬公會，若為世界性規模，則籌組世界客屬懇親大會。這些作為應可想做是不能當主人翁之故的相互扶助，以自衛連帶為目的的措施。

第二點就是，與美國的建國大約平行，移居者在歐洲的各母國正在建立資本主義體制、近代化的市民社會。其結果是以「近代」為名的剪刀同時把移居者與他們留在歐洲母國（即故鄉）間所存在的聯繫紐帶慢慢地剪斷了。

以「華僑」來說，母國的中國大陸在同時代的狀況與歐洲大陸根本不相同。華僑曾經一度把「夢」寄託在孫文同志一派所達成的辛亥革命上，但美夢破碎，隨著孫文的辛亥革命而發生了中國社會主義革命。大家都認為此革命可能會從中國的內部切斷「華僑」與他們的家族主義、宗族主義、鄉土間的紐帶關係。事實上，目前此種事態似乎尚未進展。

隨著新中國的成立，我本身曾認為以後不會產生新的華僑，這顯然是預測的錯誤。至少就近年的狀況，判斷結果是如此。

關於「華僑」的特別待遇，對「華僑」歸國訪問、歸國投資的熱烈歡迎狀況，僅就此等傳聞而言，顯然「華僑」的中華意識有高揚之事，在此暫不會有稀薄化的情形。尤其只要對「華僑」有人種或民族的差別對待及疏離的狀況在海外繼續存在的話，則「華僑」應該從此將精力花費在捍衛自己種族性（ethnicity，即人種或民族所持有的語言、傳統、宗教、生活方式、生活感情、文化等屬性），亦即「中華人特質」（Chineseness）。

從猶太人可看到此種好例子。猶太人由於「離散」（diaspora）而不得已被迫過著如浮萍的生活，但在其中緊抱著猶太人特質，至今還持續維護著。

把「華僑」的「邊境」改變成如同美國史上的「邊境」，此種正面形象之例在新加坡就可以發現。

我認為在21世紀為了與世界人類的夥伴共同過著有尊嚴的光明生活，「中國人」也有必要克服自己內部傳統性的中原及邊境觀，並把自己與人類共同的普遍課題做連結。

但是，即使在「中國人」的內部有克服中原及邊境觀的意志，及有為此而做的努力，但若圍繞「中國人」的外在環境沒有令人滿意的變化，也沒有伴隨其助長作用的話，我認為是不容易成功的。

自述本身歷史的嘗試到此結束，但同時也被迫重新確認遂行此課題的難度。

本文原刊於橋本萬太郎編，《民族の世界史5・漢民族と中国社会》，東京：山川出版社，1983年12月24日，頁365～434

「霧社事件」與日軍使用毒氣彈眞相

1960年，我開始研究發生於1930年的「霧社事件」時，就發現日軍使用毒瓦斯彈壓山胞抗暴起義。但做為史學工作者，我們不能只根據傳言和推測，而必須要有具體證據。

小說記載

我先查日本的有關文獻。在一本山部歌津子的小說《蕃人賴沙》〔《蕃人ライサ》〕（東京，銀座書房，1931年1月20日）中發現有如下的記述：

> 以二個連隊（超過一千人）的軍隊去討伐不到五百人的生蕃，甚至還動用三架隸屬陸軍的飛機從屏東飛去參加了討伐行動。把最近完成的，陸軍引以爲豪的科學研究所的毒瓦斯從飛機上投下蕃社，毒煙的顏色好似白木蓮，變成很細的霧般的散開，沾上毒霧的草木馬上變黑，然後脫水枯萎，連螞蟻也難倖存，好像眞有其事般的傳說。

這本小說當時並未查禁，我判斷其所述當有其事，但小說不能成為嚴格的史學的證據。所以我又找更多的日本人，希望能提供具體證據。不過，我所訪問到的日本人，也只能告訴我聽說當年日軍在「霧社事件」中使用毒瓦斯之事，而未有證據。

後來，又有一位九十多歲的琉球老人比嘉春潮交給我一篇日據時期抗日前輩連溫卿先生的遺稿，文中提到，在1930年10月28日至11月4日，台北市幸町中田鐵工所製造了毒瓦斯筒和迫擊砲筒共186枚，在11月4日所製造的34枚中，有4枚毒瓦斯筒。並且，連先生還在遺稿中將毒瓦斯筒繪製了出來。可惜，連先生也沒有把他所述來源告訴我們。

另外，我們還知道「霧社事件」發生後，台灣民眾黨曾致電當時的「國際聯盟」呼籲派員前來台灣調查日軍使用違反國際公法的毒瓦斯事件。

歷史資料

後來，我們從日本自衛隊戰史資料室才找到了一些資料，足以證明日軍在「霧社事件」使用毒瓦斯的證據。

但是，我們在出版《台灣霧社蜂起事件》（1981年）一書時，日本學界還未討論過去日本是否使用毒瓦斯的罪行。為了避免不必要的敏感，我們還是把得到的證據按下沒有發表。

1983年，日本立教大學教授粟屋憲太郎在美國國立公文書館，發現日軍在抗戰時期的中國戰場上使用毒瓦斯的資料，而於1984年6月14日《朝日新聞》揭發之。

此次粟屋教授和我一起應邀參加「近現代中日關係國際學術研討會」，並報告有關他所發現的日軍使用毒瓦斯資料。因此，我也借此機會將所蒐集「霧社事件」日軍使用毒瓦斯的資料整理如次：

一、飛行隊長渡邊廣太郎於11月2日正午稍過，致軍司令部的報告電文：

「敵人好像往『塔羅旺』南方凹地及『馬黑博』〔『馬赫坡』〕溪方向退卻，以後以向萬大大溪大地隙方向退卻的可能性較大，對這些地方，以投下瓦斯彈攻擊，最可奏效。這個戰事，可能還得持續一段時間，請考慮送瓦斯彈來的方法。」

二、支電第15號電文：

「二日，有對敵蕃採火攻的作戰計畫，但火攻和爆炸攻擊，由於地形上的限制，恐有攻擊未能徹底之虞，應考慮採取化學戰劑。」

特種彈藥

三、昭和5年11月2日下午2時20分，台中州知事發致總督，編號為第175號的電文，根據軍隊的報告，提供下列建議，以供參考：

（一）略。

（二）計畫於二日對敵蕃採取火攻，只怕火攻和轟炸等方法，受制於地形，攻擊都無法徹底，請也考慮用多種化學藥劑的科學攻擊法。

四、申請特種彈——根據前二天飛行隊長報告的意見，向陸軍大臣提出申請，叛徒退避區域是有斷崖的森林地帶，所以請快發下對攻擊這種地形特別有效的糜爛性投下彈和山砲彈。

台灣軍司令官發往陸軍大臣的電報譯稿，11月3日早上11時發。

五、（一）託送特種彈。託中央研究所試作的「西阿利西」特種彈各三發，已製作完畢，今天已託請送往鹿港飛行隊。

概用暗語

六、從副官發往台灣軍參謀長的密電昭和5年11月5日下午3時20分拍發。

內容：使用糜爛性彈藥，以後恐遭物議，此後有關瓦斯彈的消息傳達，概用暗語。

七、陸軍省來有如下的通牒——通牒的第一項（略）；第二項（陸285號）：未來提及瓦斯彈有關事件，概用暗語，並不得對外提及有關糜爛性彈藥之事。

八、支電第47號，下午10時50分，在軍司令部領文。

內容：預定明天對「馬黑博」溪區域展開砲擊和瓦斯攻擊。

九、指責11月5日，台灣民眾黨往內閣總理大臣，拓務大臣、陸軍大臣發了下述「沒有根據」的電報（此電報因有害公安，已扣壓不發在遞信部），電報內容是：對付這次的山胞暴動，竟然違背了國際間的禁條，非人道的施以毒瓦斯攻擊。

由以上各種資料證實。1930年，日軍在「霧社事件」中確曾使用違反國際公法之毒瓦斯。唯當年所使用之糜爛性毒瓦斯屬於何種性質，尚需科學方面的鑑定。

「霧社事件」中日軍使用毒瓦斯應是日後日軍在中國大陸戰場上，使用毒瓦斯的實驗。而在中國大陸戰場上日軍使用毒瓦斯之事，並不是孤立事件，早在「霧社事件」之時，日軍就有過毒瓦斯作戰的實驗和準備。

本文原刊於《聯合報》1985年7月6日，2版

轉型期的台灣風景

◎ 林書揚*譯

1972年8月底以來，幾次想回台灣而未能成行，今年入春以後卻因緣際會，先後回去了三次。

第一次是自3月7日起一週，以立教大學棒球部特別顧問身分隨該校棒球隊赴台比賽。台北市幾已變成高層建築物的密林，滿街的汽車則有如洪水，這些都是13年前不曾看過的「風景」。

3月中續有一次回台機會，讓我遇見了更值得驚奇的情況。

那是，3月底舉行的鄉土作家楊逵的告別式與追悼紀念集會的「不尋常」的盛況，和參加者的「不尋常」的臉孔。

楊氏是殖民地時代以來的抗日運動、社會運動、民主化運動的旗手，在日本文壇也享有名聲，卻也是一位著名的前政治犯。逝世時高齡80，得享天壽，但因其左翼鬥士的經歷，一直到四年前才被允許出國旅行。曾經險些遭到死刑判決，卻坐了12年政治牢獄。他的告別式與紀念集會上，除了國民黨地方幹部外，令人震驚的是，一大群前政治犯難友幾乎爆滿會場。除了說是「不尋

* 本譯文刊出時（《中華雜誌》268期，1985年11月）署名「勞歸」。

常」的「風景」外，一時令人不知該如何措辭。

究竟是當局的寬大呢？還是自信的反映呢？或者還有其他理由？我只感覺到一陣迷惑。

近年來的台灣，由於經濟上的寬裕和外交上的需要，頻繁地舉行國際會議。4月1至3日的「地方誌學國際討論會」也是其中之一。在這一會場上，有大陸出版使用簡體字（在台灣不得使用）的參考資料分發到與會者手上，封面印有限定號碼與「報告後收回」等字樣。報告者是美籍華人居蜜女士（美國國會圖書館）。題目是「安徽方志、譜牒及其他地方資料之研究」。眾所周知居蜜女士是國民黨元老居正的孫女兒。她以親赴大陸實地調查之所得為基礎，不時地提示著橫排簡體字的資料，從容不迫地進行了她的報告。也許有人會說，學術報告本來就是這樣，但這個「本來」，從前在台灣是不存在的。

第三次回台，是以「七七」亦即盧溝橋事變爆發的日子為中心，起自7月5日的三週。對國民政府、台灣來說，今年是勝利與光復的40週年。

前此，胡秋原（1930年代在中國社會史與社會性質論戰中活躍過的思想家、立法委員、《中華雜誌》發行人）提議本人能否回來參加今年的七七紀念集會的講演。

於是，我反提議召開由中日雙方少壯研究者共同參與的討論會及由有心的日本朋友參加的「中日不再戰集會」。

我的提案被接受。於7月6日，在天主教輔仁大學主持下召開了「近現代中日關係國際學術研討會」。日本友人參加者，中央大學姬田光義（題目是「有關南京事件的日本的研究與認識」），立教大學粟屋憲太郎（「日軍毒氣兵器的開發及其在中國戰場上的使用」），茨城大學石島紀之（「在日本的中日戰爭史的研究動向」），高松中學森正孝（「戰後日本的社會科教育與十五年戰爭」），還有本人（「霧社事件中的毒氣使用問題」）。像這樣由年輕氣銳的少壯研究者參與的學術研究發表會，實屬第一次。

由市民自由參加的「不再戰集會」中，我們各以自己準備的題目演講。其間，放映森氏自主製作的八毫米影片《侵略原史——統治台灣五十年》和《侵略——不曾說破的戰爭》。

演完「侵略」一片後，隨著滿場的鼓掌聲，突然出現了一個預料外的高潮，有一位老人在掌聲中怒叫：「哪有鼓掌的道理！看到那麼多殘酷的場面應該憤怒才對，怎麼還拍手……。」一瞬間場內靜下來了。

主持人胡氏徐徐站起，以抑制激動的聲調說：「大家的鼓掌是送給遠自日本以自費來台參加的有心的日本友人，尤其是送給森正孝先生的正義感和道德勇氣，務請老人家多寬容。」森氏流著眼淚以哽咽的聲音表示代表日本人謝罪，具有入獄經驗的著名作家陳映真（會中主席）則激動地，也安慰地擁抱了森氏，掌聲重起，再一次響徹會場。

窺見過轉型期的台灣的幾處「風景」，曾經是浦島太郎（傳說中久留龍宮一歸鄉鬢髮皆白的漁夫）的我頓時覺得大可安慰，同時也確認中日友好的基石之一，在台灣也已見奠立了。

本文原刊於《岩手日報》，1985年8月12日

譯者簡介

李尚霖

1971年生。輔仁大學日文系畢業，日本一橋大學言語社會學博士。現爲開南大學應日系助理教授。譯有：《單身寄生時代》（新新聞文化）、《伊斯蘭的世界地圖》（時報）、《陰翳禮讚》（臉譜）等。

林琪禎

1978年生。文化大學日文研究所碩士，現就讀於日本一橋大學大學院言語社會研究科博士後期課程。譯有：〈戰後初期台灣的「國語教育」（1945-1949）〉、〈故宮博物院所藏1848年兩件浩罕文書再考〉等。

林彩美

1933年生。中興大學農經系畢業，日本東京大學農經系博士課程修畢。旅日長達40年，中華料理研究家，曾主持梅苑中華料理研究室（日本）二十餘年。致力於梅苑書庫的保存與研究，長期投入《戴國煇全集》的編譯工作。

著有：《中菜健康瘦身法》（文經社）、《新灶腳的健康料理》（文經社）等；主編：《戴國煇文集》；策劃：《戴國煇全集》等。

林書揚

1926年生。台南州立第二公學校（今台南一中）畢業，致力於勞動階級解放與中國統一運動。曾任中國統一聯盟主席、勞動人權協會會長、台灣勞動黨榮譽主席，曾繫獄長達34年7個月。著有：《從二二八到五〇年代白色恐怖》、《林書揚文集》；譯有：《新聞記者的風範與信念》（人間）等。

孫智齡

1963年生。現就讀於輔仁大學比較文學研究所博士班。譯有：《宮尾本平家物語》（遠流）、幕末（遠流）、天璋院篤姫（如果）等。

陳仁端

1933年生。中興大學畢業，日本東京大學大學院農學博士。曾任職於台糖公司花蓮糖廠、日本大學教授。譯有：《土地利用の経済的研究：台中（台湾）地域における》（東京：農政調査委員会）等。

蔡秀美

1981年生。台灣師範大學歷史所博士候選人，專攻日治時期台灣社會史。譯有：〈殖民地統治法與內地統治法之比較：以日本帝國在朝鮮與臺灣的地方制度爲中心的討論〉、〈關於《隈本繁吉文書》——殖民地教育資料之介紹〉等。

蔣智揚

1942年生。台灣大學外文系畢業，美國西海岸大學電腦學碩士。曾任職大同公司，現專業翻譯。譯有：《不老——新世紀銀髮生活智慧》（遠流）、《閒話中國人》（馥林）等。

謝明如

1980年生。台灣師範大學歷史所博士候選人，專攻日治時期教育研究。譯有：〈日治初期的女子教育與女教師〉等。

（以上依姓氏筆畫序）

日文審校者・校訂者簡介

吳文星

1948年生。台灣師範大學歷史研究所博士。曾任美國哈佛大學及史丹佛大學訪問學人，東京大學、京都大學等校外國人客員研究員及招聘外國人學者，歷任台灣師範大學進修部教務主任、歷史學系主任、文學院長，現爲台灣師範大學歷史學系教授、台灣教育史研究會會長。研究專長爲台灣近現代史、中日關係史。

著有：《日據時期在台「華僑」研究》、《日治時期台灣的社會領導階層》、《台灣史》等；〈東京帝國大學與台灣「學術探檢」之展開〉、〈札幌農學校と台灣近代農學の展開——台灣總督府農事試驗場を中心として——〉、〈京都帝國大學與台灣舊慣調查〉等論文一百餘篇。

林水福

1953年生。日本東北大學文學博士。曾任輔仁大學外語學院院長、日文系主任、所長；高雄第一科技大學副校長、外語學院院長；興國管理學院講座教授；東北大學客座研究員等，現爲台北駐日經濟文化代表處台北文化中心主任。專攻平安朝文學、近現代文學，兼及台灣文學、翻譯學。

著有：《他山之石》、《現代日本文學掃描》、《源氏物語的女性》等；譯有：遠藤周作《影子》、《沉默》等；谷崎潤一郎《夢浮橋》、《細雪》等。並於《文訊》雜誌開設東京見聞錄，《聯副》開設東京文化現場專欄。

林彩美

（簡介略，見前述）

（以上依姓氏筆畫序）

戴國煇全集 8

【史學與台灣研究卷八】

著 作 人　戴國煇
策劃／總校　林彩美

編 輯 製 作　財團法人台灣文學發展基金會
10048台北市中山南路11號6樓
02-2343-3142
編 輯 委 員　王曉波　吳文星　張錦郎　張隆志
陳淑美　劉序楓（依姓氏筆畫序）
主　　編　封德屏
執 行 編 輯　江侑蓮　王為萱
美 術 設 計　不倒翁視覺創意

出　　版　文訊雜誌社
發 行 人　王榮文
發 行 所　遠流出版事業股份有限公司
10084台北市中正區南昌路二段81號6樓
（02）2392-6899
http：//www.ylib.com

排　　版　浩瀚電腦排版股份有限公司
印　　刷　松霖彩色印刷事業有限公司
初　　版　民國100年（2011）4月
定　　價　全27冊（不分售）精裝新台幣16,000元整
ISBN　978-986-87023-2-5（全集8：精裝）
978-986-85850-4-1（全套：精裝）

國家圖書館出版品預行編目（CIP）資料

戴國煇全集．1-9，史學與台灣研究卷／戴國煇著．
-- 初版．-- 台北市：文訊雜誌社出版；遠流
發行，2011.04
冊；　公分
ISBN　978-986-85850-5-8（第1冊：精裝）.--
ISBN　978-986-85850-6-5（第2冊：精裝）.--
ISBN　978-986-85850-7-2（第3冊：精裝）.--
ISBN　978-986-85850-8-9（第4冊：精裝）.--
ISBN　978-986-85850-9-6（第5冊：精裝）.--
ISBN　978-986-87023-0-1（第6冊：精裝）.--
ISBN　978-986-87023-1-8（第7冊：精裝）.--
ISBN　978-986-87023-2-5（第8冊：精裝）.--
ISBN　978-986-87023-3-2（第9冊：精裝）

1. 史學　2. 文集

607　　100001708